La famille du lac

Tome 2 - Francis et Yvonne

Guy Saint-Jean Éditeur
4490, rue Garand
Laval (Québec) Canada H7L 5Z6
450 663-1777
info@saint-jeanediteur.com
www.saint-jeanediteur.com

• • • • • • • • • • • • • • • •

Données de catalogage avant publication disponibles à Bibliothèque et Archives nationales du Québec et à Bibliothèque et Archives Canada

• • • • • • • • • • • • • • • •

Nous reconnaissons l'aide financière du gouvernement du Canada par l'entremise du Fonds du livre du Canada (FLC) ainsi que celle de la SODEC pour nos activités d'édition. Nous remercions le Conseil des arts du Canada de l'aide accordée à notre programme de publication.

Gouvernement du Québec — Programme de crédit d'impôt pour l'édition de livres — Gestion SODEC

© Guy Saint-Jean Éditeur inc., 2017

Édition : Isabelle Longpré
Révision : Isabelle Pauzé
Correction d'épreuves : Johanne Hamel
Conception graphique de la page couverture : Olivier Lasser
Mise en pages : Christiane Séguin
Photographie de la page couverture : depositphotos/xload

Dépôt légal — Bibliothèque et Archives nationales du Québec, Bibliothèque et Archives Canada, 2017
ISBN : 978-2-89758-341-5
ISBN EPUB : 978-2-89758-342-2
ISBN PDF : 978-2-89758-343-9

Imprimé et relié au Canada

1re impression, juin 2017

Guy Saint-Jean Éditeur est membre de
l'Association nationale des éditeurs de livres (ANEL).

GILLES CÔTES

La famille du lac

Tome 2 - Francis et Yvonne

Guy Saint-Jean
ÉDITEUR

Arbre généalogique

LA FAMILLE MARTEL

Aristide – Marie-Jeanne
(1892-1940)   (1890-)

Georges	Yvonne	Lucienne	Émilien	Aldéric	Blanche	Fabi	Francis	Héléna
(1911-)	(1913-)	(1914-1918)	(1915-1918)	(1916-1932)	(1917-1918)	(1918-)	(1919-)	(1921-)

CHAPITRE 1

La Tuque, hiver 1941

À la fin du mois de février, nous étions au milieu d'une vague de froid intense. Les clous éclataient comme des balles de fusil dans les murs de notre petite maison de la rue Roy. Je me levais deux fois par nuit pour alimenter le poêle à bois. À la pointe de l'aube, je ne pouvais m'empêcher de chercher les brumes du lac Wayagamac. J'écartais les rideaux et frottais du plat de la main le givre sur la fenêtre. La ligne sombre de la forêt avait été remplacée par des maisons alignées et des rues qui s'entrecroisaient. Je devais pencher la tête et appuyer ma joue contre la vitre froide pour apercevoir la chaîne de montagnes qui s'étirait le long de la rivière Saint-Maurice. Je m'imaginais alors à la maison du lac, les yeux rivés sur le paysage gelé, avant que tout bascule. Fabi revenait de la forêt lestée de quatre lièvres raidis qui pendaient à son cou. Ses raquettes soulevaient la neige, qui retombait autour d'elle en une poussière étincelante. Elle ouvrait la porte et son enthousiasme allumait notre journée comme un feu de joie. Pourquoi le Wayagamac nous l'avait-il prise alors qu'elle en était amoureuse? C'était injuste. Autant pour mon père qui avait préféré tout effacer en s'accrochant au bout d'une corde. Sa mort n'avait réussi qu'à anéantir sa femme, Marie-Jeanne. Déjà que le départ de Francis pour l'armée, le coma dans lequel Yvonne était plongée et la perte de Fabi avaient miné les bases de sa détermination. Ma mère se raccrochait aux gestes du quotidien comme une naufragée à son épave. Elle relisait ses vieux romans, parfois à voix haute, comme si son mari pouvait encore l'écouter.

Nous marinions dans cette atmosphère morose quand Yvonne sortit de son immobilité par un matin glacial. Comme nous n'avions pas le téléphone, c'était ma tante Géraldine qui nous transmettait les nouvelles. Elle s'amenait et son babillage envahissait la maison. Elle enrobait ses informations d'une multitude d'anecdotes dont l'intérêt était parfois douteux. Ce jour-là, les mots giclaient de sa bouche comme des saumons qui s'élancent au pied d'une chute sans pouvoir la franchir. Elle se reprenait de toutes les façons et ses efforts nous comblaient de leur seule existence. Nous aurions pu l'écouter jusqu'à ce que mort s'ensuive. Yvonne nous revenait! Nous étions heureuses et en plein branle-bas de combat. Marie-Jeanne n'arrêtait pas de pleurer et de rire en même temps, en remerciant la Vierge Marie, chapelet à la main. Je m'habillai en vitesse sans prendre le temps de déjeuner.

Le froid pinçait les joues et la grosse auto de mon oncle ronronnait en crachant un nuage de fumée grise qui empestait l'essence. Géraldine continuait de caqueter comme un oiseau de basse-cour. Elle racontait en boucle le coup de téléphone de l'hôpital, son énervement et sa tasse de café, qui s'était fracassée sur le sol de la cuisine. Son mari tentait d'endiguer l'hémorragie de paroles, mais se faisait rabrouer par ma tante, qui le sommait de nous conduire avec prudence. Paul s'exécuta et nous attendit comme d'habitude dans le hall d'entrée de l'hôpital Saint-Joseph. Il n'aimait pas l'odeur des médicaments qui flottait dans l'air ni la vue des malades progressant à petits pas, drapés dans leur robe de chambre défraîchie. En réalité, il avait une peur bleue d'attraper une infection ou de réveiller un cancer par proximité.

Notre arrivée sur l'étage causa une petite commotion. Trois femmes agglutinées, dont une en pâmoison, avançaient dans le large corridor, poursuivies par une nonne au bras levé. Nous n'avions pas besoin d'indications pour trouver Yvonne. Nous connaissions le chemin par cœur. Marie-Jeanne avait de nouvelles jambes et trottinait près de moi, transportée par la résurrection de sa fille.

J'entrai la première. Le jeune vicaire, dans sa tournée des malades, était penché sur le lit. C'était bien vrai, ma sœur nous regardait d'un fragile sourire. Son visage de lune était plus pâle que les draps, mais ses yeux doux avaient retrouvé un peu d'éclat.

— Ma p'tite fille! dit Marie-Jeanne en prenant sans façon la place du vicaire, qui se retira dans un coin.

— Maman… Héléna… ma tante!

Yvonne n'avait jamais eu la voix aussi chétive. Ses yeux étaient cernés et ses traits tirés, mais elle était bien vivante. Elle nous regardait en forçant le sourire. Je l'embrassai et lui serrai le bras amaigri. Je sentais un vent de fraîcheur balayer toutes les heures sombres où j'avais cru que je ne la reverrais jamais.

— C't'un vrai miracle! répétait Marie-Jeanne. J'ai prié pour toé, ma p'tite fille. C'est l'œuvre du Bon Dieu!

Après les effusions d'usage, j'examinai le futur prêtre. Il regardait ma sœur avec un soulagement non feint. Il semblait ému de nos épanchements et ses bras repliés pressaient le crucifix sur sa poitrine. Je m'approchai pour le remercier de son assiduité et de ses prières.

— C'est gentil d'être passé, monsieur le vicaire.

— C'est tout naturel. Cela fait partie de mon travail. Les patients ont besoin de réconfort. La maladie est une épreuve. La foi en Dieu permet de la traverser.

— Oui. C'est émouvant de la voir parler à nouveau.

— En effet, elle revient de loin.

— Ça, on peut le dire. Heureusement que ma sœur a une forte constitution.

— Sans doute, mais Dieu lui est venu en aide. J'en suis persuadé. Yvonne est une bonne chrétienne.

Il souriait et son regard exprimait le soulagement. Je savais qu'Yvonne n'était pas la plus assidue à l'église. La qualifier de bonne chrétienne me semblait un brin exagéré.

— Ça doit pas être toujours facile d'accompagner les malades?

— C'est un rôle important. La prière leur donne de l'espoir. Je les connais presque tous. La ville n'est pas grande. J'ai eu l'occasion de rencontrer votre sœur à quelques reprises. Entre autres pour la fête de votre frère Francis, avant qu'il parte à la guerre.

— Oui, je m'en souviens. Vous étiez présent avec le curé Caron.

— En effet. Vous avez des nouvelles de votre frère?

— De temps à autre, il nous écrit. On s'inquiète, mais il est toujours en Angleterre. Il va pas très bien. On prie pour lui.

— Dieu vous entendra. Croyez-moi. Voyez votre sœur. N'empêche que tout cela est bien malheureux.

— Comme vous dites. C'est triste que le père de l'enfant soit jamais passé voir Yvonne, dis-je sans cacher mon irritation.

— Il ne faut pas juger trop durement. La vie sur Terre n'est pas toujours aussi simple. C'est pourquoi la foi nous vient en aide. L'important est que votre sœur se remette sur pied. Vous allez devoir m'excuser, il faut que je poursuive ma tournée. D'autres malades m'attendent pour une prière au Seigneur.

— Bien sûr. Merci pour vos visites, dis-je en lui tendant la main.

Sa paume était moite et chaude.

— C'est gentil d'avoir prié pour elle.

— Oui, je suis là pour cela… Je repasserai demain. Saluez votre mère et votre tante pour moi.

— J'y manquerai pas.

Du coin de l'œil, je vis qu'Yvonne tournait la tête dans notre direction. Je la gratifiai d'un sourire, mais son visage ne montrait qu'une fatigue extrême. Il lui était impossible d'échapper au babillage de Géraldine et de ma mère. Je m'approchai pour la serrer à nouveau dans mes bras. Une infirmière vint nous rappeler avec autorité qu'elle était une rescapée épuisée qui aspirait au repos.

C'est avec la gaieté au cœur que nous quittâmes la chambre. La joie de ma tante et de Marie-Jeanne était contagieuse. Je n'avais pas le choix de la partager. Nous pouvions maintenant respirer un peu de ce bonheur que nous avions perdu. Tout en marchant, j'avais l'impression d'avoir oublié quelque chose d'important. Comme un rêve au réveil, cela ne dura qu'un instant.

◦◦

Je n'avais rien dit à ma mère pour la peau d'hermine et pour le peigne que m'avait remis Mikona, la métisse. Je ne voulais pas qu'elle ouvre la plaie qu'elle avait eu tant de peine à suturer. Nous évitions, elle et moi, de parler de Fabi. Marie-Jeanne attendait le dégel avec appréhension, car nous savions que les corps des noyés finissent par remonter à la surface. À moins que le Wayagamac n'en décide autrement, les funérailles de Fabi auraient lieu au printemps ou au cours de l'été. Je m'étais fait à cette idée avant la découverte du peigne. Maintenant, j'envisageais d'autres possibilités. Mon icône se reconstruisait à nouveau. Fabi avait été plus forte que les hommes, que le lac et la forêt. J'avais le cœur gonflé de fierté. Je caressais le peigne en le glissant dans mes cheveux chaque soir. Il était un talisman qui me reliait au bonheur de la retrouver. Il portait dans les veines de son bois une infime part d'espérance à laquelle je me raccrochais.

J'avais fait des pieds et des mains pour retrouver Mikona. J'avais interrogé des marchands et un vieil Indien qui baragouinait le français. Plusieurs connaissaient cette famille de trappeurs, mais ne pouvaient me renseigner sur leurs allées et venues. Jos Pitre, l'ancien guide du club, fut mon meilleur allié. Il était devenu un abonné de l'hôpital et de l'étage des malades chroniques. Ses poumons le lâchaient petit à petit. Il me parlait en râlant et dégageait une épouvantable odeur de médicaments. Il avait croisé à plusieurs reprises le père de la métisse sur le territoire du Wayagamac. La plupart du temps, il taisait leur présence aux propriétaires du club. Jos Pitre considérait que les Indiens avaient le droit de prélever leur écot sur une terre qu'ils avaient occupée bien avant nous. Il me raconta leurs habitudes et leurs migrations parmi les montagnes au nord du lac Wayagamac. Ils chassaient tout l'hiver et revenaient à La Tuque durant le mois de mars ou d'avril pour y vendre les peaux de visons ou de rats musqués et se réapprovisionner pour la saison d'été. Leur territoire de trappe allait jusqu'aux abords du lac Édouard et parfois au-delà.

Jos Pitre me fournit le nom d'un acheteur de fourrures qu'ils avaient l'habitude de contacter. L'homme était rude et solitaire. Quand je le rencontrai, il grattait avec soin une peau de loutre dans la pénombre d'une *shed* au fond de sa cour. Mon histoire l'ennuyait. Il répondit par des onomatopées grognonnes, mais ne me fut d'aucun secours. Je dus donc me résigner à fréquenter la ville plus qu'il ne le fallait. Ma seule chance était de croiser Mikona avant qu'elle ne reparte pour ses quartiers d'été. Sans cette obligation, je n'aurais pas vu Edmond Fournier aussi souvent.

Son insistance à me courtiser me flattait et m'enchantait, mais comme la Cendrillon du conte de Perrault, j'espérais que le prince Matthew s'agenouille devant moi. Le frère du grand manitou de la Brown Corporation occupait de plus en plus mes pensées. Cependant, j'appréciais les moments de flirt avec Edmond. Il était un passionné de chasse et de pêche. Il projetait de s'acheter un camion pour explorer les forêts et les lacs éloignés. Quand il parlait de ruisseaux, de truites et de frayères, mes rêves se superposaient aux siens.

La guerre tonnait de plus belle. La situation en Europe ne cessait de s'aggraver. Les échos qui nous parvenaient étaient inquiétants. Les Allemands progressaient partout. Les morts s'accumulaient. Les Juifs étaient persécutés. Des villages et des villes étaient dévastés par les bombardements. Les journaux et la radio en faisaient état d'un ton dramatique qui nous donnait froid dans le dos. Des films de propagande précédaient le programme principal au théâtre Empire de La Tuque. Les jeunes craignaient d'être appelés à s'enrôler. Il ne se passait pas une journée sans que j'entende leurs conversations animées.

À l'usine des Brown, on se préparait à augmenter la production. Le matériel s'entassait dans l'entrepôt et ma *boss*, Josette, devenait de plus en plus insupportable. Elle sentait que Matthew avait une préférence pour mon sens de l'organisation. Je gardais le profil bas et j'encaissais les vacheries qu'elle me réservait.

Résidence Clair de lune, Trois-Rivières, hiver 2002

Pour une fois, la chambre semble plus lumineuse. Cela provient des stores que l'on a tirés au maximum, mais aussi du sourire d'Héléna et du rose qui s'est invité sur ses joues. On dirait que la mort s'est éloignée d'elle, lasse de la torturer ou simplement prise par quelques contrats plus urgents.

Huguette Lafrenière pose le manuscrit et s'approche de son amie, qu'on a installée dans un grand fauteuil près de la fenêtre. Contre toute attente, elle n'a manifesté aucune résistance.

— J'suis contente que tu ailles mieux, dit madame Lafrenière d'un ton joyeux. Le printemps sera là dans quelques jours. Tu pourras en profiter.

— Fais-toé pas d'idée. Le docteur a appelé ça une embellie. J'y ai dit qu'il devrait être poète à la place de médecin. Ça améliorera pas mon cas, mais c'est plus agréable à entendre.

— Eh que t'es folle !

— Pantoute ! C'est juste que ma moitié de jambe en moins se fait oublier. Mais j'ai pas d'illusions, un crabe qui a perdu une patte, ça reste encore un crabe.

— Profites-en donc au lieu de penser de même. À place de lire, aujourd'hui, on pourrait aller jouer une partie de 500. On serait ben dans la grande salle, c'est plus ensoleillé.

— T'es pas obligée d'être ici, Huguette. Si t'es tannée, t'as juste à le dire.

— Ben non. Tu le sais ben que ça me fait plaisir d'être avec toé.

Héléna la regarde, pour une fois avec une certaine tendresse. Cette femme menue et ridée l'accompagne avec assiduité dans sa dernière épreuve. Elle aura été sa plus fidèle lectrice et la seule, il faut bien l'admettre. En d'autres temps, aurait-elle pu s'y attacher ? L'aimer mieux que certains hommes ne l'avaient fait ? S'en faire une amoureuse ? Qu'en aurait pensé son double, au fond d'elle-même ? Celle qui n'a eu de cesse de tirer de grands traits noirs sur son existence. À quoi bon songer à ce qui ne sera plus ? La vie ne se détricote pas.

— J'le sais que t'es aux femmes, Huguette. Ça paraît quand tu me regardes. C'est ton choix. Mais j'comprends pas que tu perdes ton temps avec moé. On est en 2002 ! Il doit ben y avoir quelque chose de plus intéressant à faire que de rester auprès d'une vieille qui s'en va par morceaux.

— Ça s'explique pas, ces affaires-là. T'es pas comme tout le monde. Ici, c'est plein de gens qui ont des vies ordinaires. Toé, t'es spéciale. On dirait que tu sors d'un roman. Que t'es un personnage qui essaye de comprendre pourquoi y'a abouti dans son histoire. C'est juste que j'aimerais ça, des fois, faire autre chose pour toé.

— T'en fais ben assez comme ça.

— Je pourrais faire plus, si tu voulais.

Madame Lafrenière retient le reste de sa pensée. Elle souhaiterait aussi que son amie lui fasse confiance, qu'elle lui parle de son fils qui ne vient jamais la voir et qui n'est même pas mentionné à son dossier. Celui qui porte un uniforme de pompier et qui a reçu une médaille de bravoure. Huguette l'a trouvée, avec la montre calcinée d'Héléna, quand elle a fouillé l'appartement de son amie. Est-il au fait des révélations de sa mère ? De l'existence de son manuscrit ? Pourquoi ne se manifeste-t-il pas ? Comment en savoir plus quand Héléna refuse d'aborder le sujet? À trop insister, Huguette a peur d'être évacuée. Elle reprend le fil de sa lecture devant le mutisme d'Héléna.

CHAPITRE 2

La Tuque, hiver 1941

Le froid intense persistait. La réserve de bûches baissait à vue d'œil. Notre maison, avec ses murs isolés au bran de scie, n'était pas des plus étanches. La glace bourgeonnait comme des champignons entre les châssis doubles. Nous étions obligées d'ajouter des catalognes dans nos lits et, chaque soir, nous y glissions une bouillotte chaude. L'hiver était vilain et je ne cessais de penser à Fabi qui, peut-être, l'affrontait cachée au fond des bois. Je priais pour elle à défaut de pouvoir faire autre chose.

Yvonne avait retrouvé sa place chez les Paterson, car les manières de la nouvelle servante n'avaient pas plu à la patronne. Je la visitais deux ou trois fois par semaine. Elle reprenait des forces et ne semblait pas garder trop de séquelles de son coma. Elle avait quelques pertes de mémoire et hésitait souvent avant de commencer une phrase. Rien de grave, selon le médecin. Elle retrouvait l'appétit et des couleurs. Nous faisions de courtes marches sur la rue des Anglais en nous crochetant l'une à l'autre. Nous parlions du bonheur d'être à nouveau ensemble. Il m'était difficile d'aborder avec elle ce qui me tracassait, car je ne voulais pas la replonger trop vite dans de mauvais souvenirs. Je tentai ma chance lors d'une promenade où je la sentais plus détendue.

— J'le sais, Yvonne, que t'en as pas parlé à date. Mais tu peux me le dire à moé ce qui s'est passé pour ton bébé.

— C'est mieux que je tourne la page.

— Me semble que ça t'aiderait, si tu te confiais à moé.

— Y'a pas grand-chose à raconter. Je pouvais pas garder c't'enfant-là. C'est tout.

— Son père, lui, il en pensait quoi? demandai-je en entrouvrant la porte du secret.

— C'était pareil pour lui.

— Vous auriez pu vous marier.

— C'était pas possible.

— Pourquoi vous avez fait un p'tit, d'abord?

— Tu peux pas comprendre, Héléna. Quand on tombe en amour, on voit pus rien. Il est beau, il est fin, il parle ben. C'est arrivé comme un coup de foudre, dit-elle en balayant l'air d'une main volage.

— T'as failli mourir! J'en ai pas dormi pendant des nuits. Je veux pas te perdre, Yvonne.

— Ça aurait peut-être été mieux. On dirait que ça me réussit pas, les amours.

La phrase m'atteignit comme un projectile. Je stoppai net devant cette sombre pensée. Je revoyais mon père gigoter au bout de sa corde et mon impuissance à le sauver. Il avait sûrement eu la même pensée en se lançant dans le vide. Je ne voulais pas que ma sœur se retrouve dans un semblable cul-de-sac.

— Dis pas des affaires de même. On est là, pis on t'aime! Pis, j'suis certaine qu'il en vaut pas la peine. Dans sa position, il aurait dû y réfléchir à deux fois.

— Comment ça, dans sa position? dit-elle en me regardant d'un œil inquiet.

— J'ai reviré ça de tous les bords, pis je pense que j'sais qui est le père de l'enfant. C'est à cause de la lettre d'amour. C'est la signature, juste une initiale, qui m'a mis la puce à l'oreille. Ça m'a chicotée plusieurs jours. Mais le petit vicaire, il avait une drôle de façon de te regarder à l'hôpital. C'est par après que je me suis rappelé qu'on me l'avait présenté, à la fête pour Francis. Robert Dionne. Le R. au bas de la lettre, c'était lui! Pis son engagement, c'était la prêtrise.

— Quelle lettre? T'as fouillé dans mes affaires! dit-elle les joues en feu.

— Je l'ai trouvée par terre en dessous du lit, quand je suis allée dans ta chambre pour te rapporter du linge, dis-je, en tordant un peu la vérité.

— Toé, DIS RIEN DE ÇA À PERSONNE!

Pour la première fois depuis des mois, ma sœur avait crié en parlant. Je l'ai regardée tout sourire.

— Tu vois, tu redeviens comme avant. Je t'avais dit que ça te ferait du bien d'en parler.

Elle éclata de son gros rire communicatif. Je lui tombai dans les bras et elle m'écrasa de sa plantureuse poitrine. À moi aussi, ça me faisait du bien. Mieux que le sucre à la crème de Géraldine ou les confitures de fraises de Marie-Jeanne. J'étais heureuse qu'elle me fasse confiance au lieu de se cantonner dans le déni. Je sentais maintenant que mon autre moi avait l'intention de prendre les choses en main.

⁓

Je n'avais pas besoin d'invoquer la diablesse pour qu'elle se manifeste. Elle avait sa propre existence. Je la sentais à l'affût, sous ma peau. Elle se riait de mes hésitations. C'était comme d'héberger une femme qui refuse de sortir de sa chambre, dont elle a verrouillé la porte. On l'entend s'agiter, murmurer et prendre de l'assurance chaque jour. Mes ruminations deviennent sa nourriture. Mes sentiments ambigus envers le vicaire alimentent le mal dont elle se repaît. La colère gronde et elle marche de long en large. Le poids de sa présence appuie sur mon estomac. Par moments, j'ai envie de la vomir. Pourquoi lui ai-je permis de s'installer? La question est futile, elle se moque de mon autorisation. Elle était en moi et j'étais en elle. Nous savions toutes les deux qu'Yvonne avait failli mourir. Le responsable n'allait pas s'en tirer avec des prières. Mon double me poussa dans le dos à la mi-mars lorsqu'un redoux important persista plusieurs jours.

L'église Saint-Zéphyrin surplombait le lac Saint-Louis. Je devrais plutôt dire qu'elle y était adossée. La façade était tournée vers la partie de La Tuque qui n'était pas entachée par le chancre de l'usine. Les rues principales s'y orientaient parallèlement. Le cœur de la ville était à ses pieds. Son emprise sur ses ouailles était alors bien réelle.

Je me souviens d'avoir éprouvé une certaine gêne à tirer la grande porte. Il y avait derrière elle la culture religieuse qui m'entourait depuis l'enfance. Une culture à sens unique, où les questions étaient évacuées à coups de catéchisme. Malgré moi, je me signai en portant la main au bénitier. L'eau était froide sur mon front. Je m'efforçai de ne pas regarder la nef. Je craignais de croiser le regard de l'homme crucifié. J'avançai dans l'allée en examinant le chemin de croix que les vitraux coloraient joliment. Je m'installai derrière trois femmes agenouillées. Je savais que le curé se faisait aider de son adjoint les soirs de confession. Je savais aussi que les plus âgées préféraient se confier au plus haut gradé. Je n'aurais qu'à me diriger vers le confessionnal qu'elles ignoreraient.

J'attendis en feignant de prier. Quand je fus certaine que le vicaire n'avait pas d'âme à soulager, je me dirigeai vers la porte du cagibi. L'odeur oppressante de l'espace restreint faillit me détourner de mon but. Il ramenait à ma mémoire des relents de culpabilité encouragés par les sœurs qui m'avaient enseigné la toute-puissance de Dieu. Seule dans la presque noirceur, je voyais se découper l'ouverture de la croix dans la porte de l'isoloir. La fenêtre à glissière chuinta et la voix du vicaire me parvint, feutrée et sifflante comme un serpent. Je ne distinguais qu'un profil dont l'oreille se tendait vers moi. Un treillis de lattes de bois nous séparait. L'odeur de l'encens imprégnait le velours des murs. Pendant un court instant, j'eus envie de ressortir et de me libérer de l'emprise de l'autre. Mais les mots avaient déjà devancé cette intention.

— Mon père, j'ai un gros secret à confier.

J'avais répété ma confession plusieurs fois avant de quitter la maison, changeant l'ordre des mots, jouant sur l'intonation ou le rythme. Mon entrée en matière n'eut d'autre réception qu'un « Je vous écoute » des plus laconiques.

— Ma sœur était enceinte et s'est fait avorter. Elle a failli en mourir. Pensez-vous que le père aurait dû prendre ses responsabilités ?

Ma question fut suivie par du mouvement du côté opposé. Le profil du vicaire se rapprocha de la grille. Je sentis son haleine qui empestait la « paparmane ».

— Je ne comprends pas. Expliquez-vous.

— Je suis la sœur d'Yvonne. On s'est vus à l'hôpital.

— Ah ! Qu'est-ce que vous voulez ?

— J'aimerais vous parler en privé.

— Allez-y !

— Pas ici. J'ai rien à confesser. C'est pas mon péché. Venez me rejoindre derrière l'église, près du lac. À la glissade des enfants, passé la maison des Rivest. Je vous y attendrai ce soir à dix heures.

— Mais…

— Soyez-y !

Quand je repassai dans l'allée, il ne restait qu'une femme. Pieuse, elle égrenait son chapelet avant de libérer sa conscience. J'eus envie de lui faire perdre ses illusions, mais j'étais pressée de respirer l'air du dehors. À mesure que je marchais, je redevenais moi-même. Je m'arrêtai devant une vitrine de magasin. J'examinai longuement la jolie femme que j'avais devant moi. J'essayai de voir au fond de ses yeux à quoi ressemblait le mal qui la rongeait. Je n'apercevais qu'un intense désir de retrouver l'équilibre d'un bonheur perdu.

Résidence Clair de lune, Trois-Rivières, hiver 2002

Huguette ressent elle aussi le besoin de respirer un peu d'air. La chambre a parfois des allures de confessionnal. La porte est close, l'atmosphère est lourde et les révélations sont de plus en plus difficiles à entendre, d'autant plus qu'elles sortent de sa bouche à elle. Sa position de lectrice en est une de neutralité, mais son attirance pour la femme est enrobée de compassion. Pourquoi ajouter à la souffrance le récit de fautes qui ne peuvent être réparées? Est-ce pour se convaincre d'avoir agi sous l'emprise d'une force intérieure incontrôlable?

— Huguette?

— Hein, quoi?

— T'es dans la lune, pis moé, j'suis sortie du confessionnal depuis un bout !

— Excuse-moé.

— Tu peux arrêter pour aujourd'hui. Va te changer les idées, pis monte le son de la télé en partant.

Huguette est surprise d'une telle requête de la part de son amie. Elle jette un œil au programme. Un pêcheur est aux prises avec un poisson de belle taille. Il est secondé dans sa tâche par un homme à genoux au fond de l'embarcation, qui s'évertue à manœuvrer l'épuisette pour conclure l'exploit.

— Ça t'intéresse ? demande madame Lafrenière.

— C'était pareil au lac Wayagamac. Des fois, on attrapait des monstres aussi gros que ça. C'était Fabi qui se penchait par-dessus bord pour les pogner avec ses mains. Marie-Jeanne criait comme une folle parce que la chaloupe branlait, moé, j'avais les yeux ronds. Ma sœur en échappait pas beaucoup. Elle avait un don pour leur crocheter les ouïes avec ses doigts.

— Vous aviez pas de puise ?

— Jamais de la vie ! C'est juste si on avait une canne. J'ai longtemps pêché avec une gaule que mon père coupait dans une talle d'aulnes au bord du lac.

— Je connais pas ça, le bois, la chasse, pis les poissons qu'on sort de l'eau. On était du monde de la ville. J'suis pas sûre que j'aurais aimé ça.

— C'est parce que t'as jamais vu le Wayagamac.

— Je veux pas être rabat-joie, mais c'est pas là que tes problèmes ont débuté ?

— C'est dans ma tête qu'ils ont commencé. Quand j'ai décidé d'aller sur la falaise à la rencontre d'Omer Picard, quand j'ai figé, pis échappé mon couteau dans la *dam*, quand j'ai pas déroulé la maudite peau d'hermine avant d'être sur la rue Roy. Le lac était juste un témoin de tout ça, Huguette. La preuve, c'est que ça a pas arrêté quand on est arrivées en ville !

CHAPITRE 3

La Tuque, hiver 1941

La glissoire était longue, abrupte et glacée. Les enfants en durcissaient la surface tout l'hiver. Elle aboutissait sur le lac Saint-Louis, à une trentaine de pieds du bord. De janvier jusqu'à la fin de février, les ti-culs s'y jetaient en hurlant de plaisir. En solo, à deux ou à trois, sur des branle-culs, sur des morceaux de carton ou à même leurs fonds de culotte, ils filaient à toute allure en tourbillonnant. Leurs passages répétés rendaient la pente plus rapide de jour en jour.

À partir du début de mars, il était interdit d'y aller. Pour faire respecter la consigne, les mères n'hésitaient pas à distribuer quelques claques aux plus récalcitrants. Pas question que le lac se targue d'une autre noyade. Il avait fallu le décès du plus jeune des fils Fortin pour qu'on comprenne que la surface glacée se fragilisait rapidement à l'approche du printemps. La rumeur courait qu'une source chaude et souterraine alimentait le plan d'eau. Les travailleurs de l'usine l'encourageaient en soutenant qu'elle provenait des déversements des surplus d'eaux usées engendrés par la fabrication de la pâte à papier. Un petit lac nauséabond persistait à longueur d'année sur le terrain appartenant à la Brown Corporation et les hommes croyaient dur comme fer qu'il communiquait avec le lac Saint-Louis. Qu'importe la cause, en mars, le lac devenait dangereux.

Forte de cette information, j'attendais le vicaire Dionne près de la glissoire, à une dizaine de pieds plus bas que la rue. Je me trouvais sur un plateau naturel d'où s'élançaient les enfants. Je pouvais voir au pied de la pente une bande sombre, libre de glace, qui ceinturait le lac. Le ciel était couvert et une neige lourde et collante tombait dru. Je tâtai le couteau de chasse de mon père que j'avais glissé dans la poche de mon manteau. Je ne croyais pas pouvoir m'en servir, mais il rassurait l'autre part de moi-même. Je consultai la montre fêlée de Francis, sachant qu'elle ne m'était d'aucune utilité autrement que pour me donner du courage. J'étais à deux semaines de le revoir. J'espérais qu'avec son aide, je pourrais partir à la recherche de Fabi.

Après une longue attente, le vicaire s'approcha et fendit le mur que formaient les flocons. Il portait un manteau noir et un bonnet de fourrure. Ses bottes écrasaient la neige avec un bruit de succion. Je me mis à trembler en le voyant. Je n'étais plus aussi certaine de ma démarche. Il descendit jusqu'à moi en suivant mes traces. Il parla le premier.

— Me voilà. Je t'écoute, dit-il en ouvrant les bras comme s'il était en chaire.

Sa voix était changée. De chevrotante et nerveuse dans le confessionnal, elle était maintenant plus assurée. Il me tutoyait sans façon.

— C'est au sujet de vous et de ma sœur, dis-je en cherchant le ton à adopter.

— C'est elle qui t'a demandé cet entretien ?

— Non. Elle sait pas que j'suis ici.

— Qu'est-ce que tu veux ?

— Comprendre pourquoi vous l'avez abandonnée.

— C'est Yvonne qui t'a dit ça ?

— J'ai trouvé une lettre que vous avez écrite. Vous l'aimiez. Vous lui avez fait un enfant. Ma sœur a failli en mourir.

— Ce n'est pas ce que tu crois. C'était plus compliqué.

— Pire que d'être dans le coma, pendant des semaines ?

— Non, tu as raison. Mais c'est vrai que j'aimais Yvonne. Tout ça n'aurait pas dû arriver. On a perdu la tête. Elle ne devait pas tomber enceinte. J'avais besoin de temps pour prendre une décision.

Je comprenais pourquoi ma sœur s'était entichée de cet homme. Sous sa défroque d'ecclésiastique se cachait un amant sincère. Je ressentais l'affection qu'il portait à Yvonne à son timbre de voix, qui avait fléchi. Il se colorait de doute, d'innocence et de tristesse. Je n'eus même pas le temps d'ouvrir ce chemin que l'autre en moi sonnait la charge.

— Vous pensiez quand même pas que ça prenait l'archange Gabriel pour lui faire un enfant? lui lançai-je frondeuse.

— Ne te moque pas de la Bible. Tu es trop jeune pour comprendre.

— Je suis assez vieille pour saisir que ma sœur s'est retrouvée dans le coma, pis qu'elle a failli mourir à cause de vous.

— J'ignorais qu'elle était enceinte. Elle ne m'a rien dit. Je l'ai su quand elle est rentrée à l'hôpital. Autrement, je ne l'aurais pas laissée faire.

La naïveté de sa réponse m'ébranla. Et s'il disait vrai? Et s'il n'avait été comme nous qu'un spectateur ébahi par le rebondissement imprévu? Sa faute serait-elle moins grande? J'avais trop peu de vécu et de recul pour en faire l'analyse. Cependant, j'étais moins convaincue de sa culpabilité. Je me sentais torturée de l'intérieur. L'autre s'exprima à ma place.

— Qui vous confesse pour vos mensonges?

— Ne me crois pas si tu veux. De toute façon, c'est fini. Tout est rentré dans l'ordre. Je le lui ai dit, quand elle est sortie du coma.

— Vous trouvez pas ça facile de vous en tirer de même?

Je voyais la panique s'installer sur son visage. Il cherchait les mots pour me convaincre. Les flocons le transformaient lentement en bonhomme de neige. J'avais sans doute la même allure. Il avança d'un pas dans ma direction. Il sentait ma colère. Il me prit les épaules de ses deux mains.

— Je sais que j'ai commis une faute, Héléna. Je prie chaque jour pour que Dieu me pardonne.

— Touchez-moé pas!

Cette dernière phrase sortit de ma bouche comme un coup de canon. Il continua de s'agripper comme un désespéré. Nous étions tout près du haut de la glissoire, mais la couverture de neige en masquait la limite.

— Écoute! Rien ne pourra réparer ce qui est arrivé. J'en suis conscient. Aussi, j'ai demandé mon transfert dans un autre diocèse. Ce sera plus facile pour Yvonne de s'en remettre.

— C'est une bonne idée de vouloir disparaître! Asteure, lâchez-moé!

L'autre femme en moi souleva violemment ses deux bras d'un coup sec et saisit le couteau dans ma poche. Je le pointai comme Fabi l'avait fait devant Jeffrey, sur les bords du Wayagamac, quand celui-ci l'avait insultée. Je ressentis une énergie nouvelle me traverser de part en part. J'avais le pouvoir de mon côté. Il me semblait que le lac Saint-Louis s'était transformé en Wayagamac et que je retrouvais pour un instant mon passé perdu. Effrayé, le vicaire recula d'un pas. Son pied toucha le rebord de la surface glacée. Il suffisait que je crève d'un poil l'espace qui nous séparait pour qu'il glisse dans le lac. Ses yeux ne quittaient pas le poignard, dont la lame scintillait faiblement.

— Vous allez faire ce que je vous dis! Vous allez prendre vos cliques pis vos claques, pis sacrer votre camp de La Tuque! Sinon, j'vais porter votre lettre au curé!

— Ne fais pas ça… Calme-toi… Range ton couteau.

— Pis c'est ben mieux d'être loin d'icitte!

— Oui, oui… Tu diras à Yvonne…

— J'y dirai rien! Pis vous non plus. Débarrassez la place au plus vite!

Il s'empressa de remonter la pente. J'avais les jambes flageolantes. Je me laissai choir dans la neige. Je restai là pendant de longues minutes à écouter mon cœur devenu fou. Était-ce bien moi qui venais de menacer un homme avec un couteau? Qui aurait pu, d'un simple geste, le précipiter dans l'eau glacée? Je ressentais une chaleur profonde dans mes entrailles. Un sentiment de puissance. L'impression d'avoir parlé comme l'aurait fait Fabi. Ma dualité me déchirait. L'une regrettait, l'autre était satisfaite. Je la maudissais. Je pris une poignée de neige et me frottai le visage. Le contact du froid sur ma peau m'apaisa. Quand j'eus repris mes esprits, je retournai à la maison. Je rentrai sur la pointe des pieds. Les flocons tombaient de plus belle et, à ce rythme, recouvriraient les traces de notre rencontre. Je me glissai dans mon lit et je me forçai à me remémorer le bonheur auprès du lac en compagnie de Fabi. Je glissai le peigne de bois dans mes cheveux en essayant de retrouver la paix dans mon âme.

Résidence Clair de lune, Trois-Rivières, hiver 2002

Héléna se demande si le vicaire l'avait suppliée à genoux de le laisser partir. Elle aurait aimé qu'il le fasse. Cela aurait ajouté un velours à son geste que d'avoir mis la religion à ses pieds. Est-ce si important d'écrire une telle chose? Laver l'honneur de sa sœur était le plus important dans les circonstances.

— Pauvre homme! Il a dû avoir la peur de sa vie.

Héléna tourne la tête vers sa lectrice.

— Plus que ma sœur qui est tombée dans le coma par sa faute? demande-t-elle en grognant.

— C'est pas ce que je voulais dire. N'empêche que tu l'as pas emmené là pour rien.

— C'est écrit, Huguette. J'étais pas complètement maître de mon bateau. C'est pas moé qui l'avais attiré là, c'est l'autre. Je l'ai laissé entrer au Wayagamac. Sur la falaise et sur la *dam,* quand mon père se balançait au bout de sa corde. J'aurais dû la chasser. J'en ai pas eu le courage. Je pense que j'me sentais comme si j'avais signé, sans le vouloir, un pacte avec le diable!

— Tu trouves pas que c'est trop simple d'invoquer le diable?

— T'as raison, pour aujourd'hui. Mais dans ce temps-là, en haut de la côte, j'te jure que le diable tenait le couteau!

Madame Lafrenière triture son collier de fausses perles. N'est-ce pas de l'amour que de se révéler à l'autre? Que de lui permettre de regarder son jardin secret, au risque de se blesser sur les épines des ronces? Il est encore temps, pour Huguette, de rebrousser chemin, mais la tentation est forte d'écarter les buissons pour en découvrir plus. Par moments, le décor lui est familier. Il lui retourne une image d'elle-même, alors qu'amoureuse de Béatrice, elle se dédoublait pour tenter d'être heureuse.

CHAPITRE 4

La Tuque, hiver 1941

Le lendemain matin, à l'usine, Matthew m'annonça qu'il me confiait l'entière responsabilité de la chaîne d'assemblage. Je devenais d'un coup la supérieure de Josette, qui serait dorénavant mon adjointe.

Tout le groupe réagit favorablement à cette nouvelle. Josette se contenta de grimacer un sourire. Je vis parfaitement les veines de son cou se tendre comme les câbles d'un treuil. Elle retraita dans l'entrepôt pour ne pas avoir à me féliciter.

Matthew me demanda de l'accompagner à l'administration pour officialiser ma promotion. Je marchais à ses côtés, la tête haute. Chaque ouvrier que nous croisions ne manquait pas de saluer le grand *boss*. Je me contentais d'un pâle sourire. Il me parla du temps qui se réchauffait et des problèmes que lui occasionnerait la guerre si elle se prolongeait. Il craignait aussi de perdre ses jeunes travailleurs au profit de la fonderie d'aluminium, qui offrirait de meilleurs salaires. Je l'écoutais en souhaitant un autre genre de conversation. Il m'ouvrit la porte et donna les consignes à sa secrétaire.

— Encore toutes mes félicitations, Héléna. S'il y a quoi que ce soit, hésite pas. J'espère que tout va bien à la maison.

— Oui, maintenant qu'Yvonne est sortie de l'hôpital, on respire mieux.

— Ah! c'est vrai, mais je pensais plutôt à ta mère et à…

— À Fabi. Pour ça, il faudra être patients.

Je vis ses yeux se voiler et j'en éprouvai de la jalousie. Il me serra la main avec fermeté et me souhaita bonne chance. À lui non plus, je n'allais rien dire, davantage par intérêt personnel que par compassion pour sa tristesse. Comme une conquérante, il me semblait que sa forteresse était prenable. Je le sentais aux regards appuyés et aux intonations de sa voix.

Après avoir rempli des formulaires, je retournai à notre département et organisai le travail avec les filles. Je disposai le matériel et son approvisionnement d'une manière différente de celle adoptée par Josette. Après m'avoir décoché quelques traits d'ironie, elle dut admettre que ce serait plus efficace. Au sifflet du dîner, je passai par la cafétéria pour me prendre un Coke et annoncer la bonne nouvelle à madame Bouchard, qui m'avait toujours encouragée.

— Héléna! Héléna!

Je me retournai pour tomber nez à nez avec Edmond. Il avait le teint rosé d'une jeune fille et le sourire engageant.

— Edmond! Qu'est-ce que tu fais ici?

— J'avais demandé une lettre de recommandation à mon *boss*. J'viens la chercher. Il est ben occupé, mais y'a fini par la faire. Ça peut toujours servir.

— Travailles-tu encore à l'hôtel ce soir ?

— Oui, madame ! J'suis *waiter* dans le bar, pis j'fais du gros *tip*. Des fois, c'est dur avec les gars soûls, mais c'est pas grave. Eille, j't'ai vue hier soir sur la rue Saint-Joseph ! Tu tournais le coin. Il devait être passé dix heures. T'avais l'air pressée. J't'ai crié, mais t'as pas répondu. Qu'est-ce que tu faisais dehors à cette heure-là ?

Je restai muette. J'allais m'habituer à ce genre de rebondissements, à ces impondérables qui surgissaient comme des bourdons menaçants. Maintes fois m'avait-on accusée de fouiner, je savais comment mentir pour éviter le pire. Mais là, au milieu du brouhaha des travailleurs, j'étais un peu désorientée.

— J'arrivais pas à dormir. J'avais besoin de prendre l'air. C'est dur avec Fabi qui est disparue.

— Oh ! J'comprends. À l'avenir, si t'as de la misère à dormir, viens faire un tour à l'hôtel. On jasera.

— Oui, oui. Peut-être, dis-je sans conviction.

— J'te laisse. J'veux pas te couper ton temps pour dîner. Salut !

Avec la file qui s'allongeait devant le comptoir, je décidai de retraiter à mon département. Quand je m'installai à une table, les filles papotaient des hommes comme à leur habitude. J'ouvris ma boîte à lunch pour la refermer aussitôt. Plusieurs paquets de cigarettes provenant de la chaîne d'assemblage y avaient été placés. Ils étaient reconnaissables au *Red Ensign* apposé sur chacun d'eux. Le vol était sévèrement puni par la compagnie. Qu'une seule fille s'en aperçoive et je risquais le congédiement. Je n'avais aucun doute sur l'auteure de ce méfait.

— Qu'est-ce que t'as, Héléna? Tu manges pas? demanda une petite blonde toujours prête à bavasser.

— J'ai oublié quelque chose. Je reviens.

Josette mordait dans son sandwich en évitant de regarder dans ma direction. Son animosité à mon égard n'allait pas diminuer. Bien au contraire. Ma nomination était un affront. Elle m'annonçait la guerre.

Je me débarrassai des paquets de cigarettes dans la première poubelle que je croisai. Puis j'examinai le contenu de mon casier de fond en comble. Pas question d'avoir d'autres mauvaises surprises. Quand j'eus terminé, je me promis d'acheter un cadenas le soir même et d'ouvrir l'œil deux fois plutôt qu'une.

᠀

Ma sœur sembla retrouver un peu de couleur en apprenant la nouvelle du départ du vicaire. Elle pourrait à nouveau circuler en ville sans avoir peur de le rencontrer. Cela mit un peu d'apaisement sur mes tiraillements intérieurs.

Dans le même temps, Marie-Jeanne eut une grippe et je ne savais plus où donner de la tête. Elle était fiévreuse, toussait et crachait comme si elle avait été en état de consomption. Cela dura une semaine et s'apaisa avec l'imminence du retour de Francis.

Il fallait s'organiser pour déterminer qui l'hébergerait. Géraldine espérait qu'il retrouve sa chambre et se disait prête à l'accueillir. Moi, je pressais ma mère de le prendre. Ma chambre n'était pas bien grande, mais on pouvait y caser un autre lit en modifiant l'aménagement. On discuta d'une fête possible pour son retour. On repoussa l'idée en attendant de savoir ce que signifiait cette fameuse névrose de guerre qui avait nécessité son hospitalisation en Angleterre.

À l'usine, je continuais de me méfier de Josette. Presque chaque jour, un pépin survenait et ralentissait le travail. Les outils disparaissaient, on retrouvait des piles de caisses effondrées dans l'entrepôt, du matériel manquait et l'inventaire devenait pour moi un casse-tête infernal. J'aurais pu en informer Matthew, il m'aurait sûrement prêté une oreille attentive. Mais l'autre Héléna n'en voyait pas l'utilité. Elle fomentait déjà une idée pour régler ce problème.

Résidence Clair de lune, Trois-Rivières, hiver 2002

La préposée époussette la chambre sans enthousiasme. Encore un nouveau visage. À ce rythme, Héléna va se croire alzheimer. Comment se souvenir de leurs noms? Celle-là s'est présentée à la vitesse de l'éclair.

Pas de temps à perdre! Elle a hoché la tête en signe de bonjour. La cinquantaine avancée, elle se déplace comme une mouche prise dans un bocal. Tantôt à gauche, tantôt à droite, vaporisant d'une main, frottant de l'autre, elle étourdit plus qu'elle nettoie.

— …c'est pas avec le gouvernement de Bernard Landry qu'on va améliorer notre sort! Les « péquisses » pensent juste à nous séparer. Comment ils pourraient négocier avec le Canada, quand ils sont pas capables de le faire avec les Indiens? Hydro veut leur accorder un milliard de plus en compensation. J'ai pogné ça à la radio en m'en venant. On en a-tu, nous autres, des compensations? Non, madame! Pas une cenne! Nous autres, on paye… pis on travaille! Dites-moé-le si je vous ennuie, madame Martel. C'est plus fort que moé, faut que je parle en m'activant.

— Faites ce que vous avez à faire, dit Héléna sans plus d'enthousiasme.

— Y paraît que vous écrivez des livres. Ça doit être passionnant! C'est quelque chose que j'aurais aimé faire. Ce serait pas les idées qui manqueraient. On en voit de toutes les couleurs dans une place comme icitte. Imaginez un homme trop charitable devant la souffrance des autres. Il pourrait se mettre dans la tête de donner un p'tit coup de pouce au destin.

— Pourquoi pas une femme? lui lance Héléna, soudainement intéressée.

— Ben voyons donc, c'est toujours des hommes qui font ça. J'dis pas qu'une femme peut pas faire du mal, tout le monde fait des erreurs. Mais de là à aligner les morts comme des points de broderie, y'a une grosse marche à monter!

— Mais si c'est hors de son contrôle? insiste Héléna.

— Mon avis, c'est qu'on est trop maternelles. C'est pas dans notre nature. Regardez les nouvelles. Dans les pays où ça va mal, c'est les hommes qui sortent pour manifester dans les rues. C'est toujours eux autres qui posent des bombes et qui tirent sur le monde. Pendant ce temps-là, les femmes frottent pis gardent les p'tits.

— Ma sœur a fait sauter un barrage.

L'affirmation d'Héléna interrompt le butinage erratique de la préposée. Sa guenille reste en suspens, le temps de supputer l'information. Elle examine la vieille femme dans sa jaquette fleurie, minuscule à force de maigrir. Puis elle se remet à l'œuvre en souriant.

— Ça paraît que vous avez de l'imagination. Vous avez tout de suite l'étincelle pour amener un rebondissement. Ça doit être bon, votre livre. J'ai hâte de le lire. Je vous envie… Bon, ben, je pense que j'ai fait le tour. C'était pas ben sale, vous êtes toujours couchée. Ça m'a fait plaisir de parler avec vous. Faut que je me dépêche, j'ai encore quatre chambres à faire avant le dîner. Bonne journée!

Héléna salue de la main. Comme avec le curé Blais, elle n'est pas prise au sérieux. Cataloguée romancière, étiquetée vieille en perte d'autonomie, classée handicapée unijambiste, Héléna voyait que sa parole était devenue une curiosité avant d'être une vérité. Si elle était livrée à la police, on la ramènerait en chaise roulante en lui tapotant le bras avec condescendance. Frustrée par le point de vue réducteur de la préposée concernant les femmes, elle attend son repas. Il y a du poisson au menu. Des images de truites rôties et de patates rissolées lui tournent dans la tête. Pour une fois, elle éprouve un soupçon d'appétit. Ça lui rappelle Marie-Jeanne qui touillait son poêlon alors que rien n'avait encore dérapé. Héléna était alors une jeune fille jolie, intelligente, travaillante, obéissante, dont la vie était réglée comme la partition d'un quatuor. Malgré quelques fausses notes, l'harmonie régnait. Puis l'orage s'était abattu, emportant avec lui la musique et les musiciens de leur existence champêtre. N'étaient restées qu'une jeune fille amputée d'une part d'elle-même et une vieille femme atterrée. La première n'a cessé de s'enfoncer, la seconde de dépérir.

CHAPITRE 5

La Tuque, printemps 1941

À mesure que le train se rapprochait, je serrais la montre de mon frère sur mon poignet. Nous étions regroupés devant la gare. Georges, Yvonne, Géraldine et Paul, son mari, moi et Marie-Jeanne, qui pleurait déjà et s'agrippait à la manche de mon manteau. Derrière nous, en retrait, les habituels curieux espéraient la nouvelle juteuse qu'ils pourraient décortiquer autour d'une bière à l'hôtel.

Quand la locomotive s'immobilisa dans un grincement strident, une pluie froide et verglaçante se mit à tomber. Nos parapluies se déployèrent en ombelles formant de petits bouquets. Les portes des trois wagons s'ouvrirent de concert. Les passagers descendaient, bagages à la main. Je cherchais mon frère le cœur battant. Yvonne fut la première à l'apercevoir.

— FRANCIS! PAR ICITTE!

Sa voix couvrit le ronronnement de la locomotive. Je vis un Francis amaigri, portant képi, se tourner vers nous. Je sus dès cet instant que la guerre ne m'avait pas rendu mon frère en entier. Elle en avait gardé un morceau quelque part en Angleterre. Celui qui descendait du train avait le regard éteint. Aucun signe apparent de blessures, mais son sourire était forcé et son barda trop lourd. De toute évidence, il ne serait pas en mesure de m'aider pour Fabi. Il reçut quelques bourrades amicales de Georges et de mon oncle, des accolades chaleureuses de ma tante, un câlin déchirant de Marie-Jeanne et lorsque ce fut mon tour, il se mit à brailler sans pouvoir s'arrêter. Je me jetai dans ses bras et son odeur de frère m'enivra. Il était enfin là et j'allais prendre soin de lui.

Georges et Paul prirent ses affaires, qu'ils placèrent dans le coffre de l'auto. Nous l'entourions comme s'il était un poussin fragile dont il fallait sauvegarder le souffle de vie. J'entendis un passant crier le nom de Francis sans voir de qui il s'agissait. Je n'avais qu'une envie : le ramener à la maison. Géraldine parlait trop, comme d'habitude. Ses commentaires et ses questions rebondissaient sur nos émotions. Francis répétait qu'il était content d'être là, d'être revenu à La Tuque. On aurait dit qu'il avait appris cette phrase par cœur et nous la récitait comme un mantra pour se protéger. Tout le long du trajet, il serra ma main d'un côté et celle de Marie-Jeanne de l'autre. Son uniforme sentait la fumée. Ses doigts frémissaient par vagues successives. Il poussa un soupir de contentement en apercevant la maison. Il remercia faiblement et demanda à se reposer, car il se disait épuisé par le voyage. Personne n'insista. Tous promirent de passer le voir quand il serait remis.

Je lui montrai la chambre qu'on allait partager. Marie-Jeanne occupait déjà la plus grande et celle du milieu servait de rangement et d'atelier de couture. Nous avions aménagé temporairement la mienne en attendant de voir ce que projetait Francis. Il posa son képi sur l'unique bureau entre les deux lits et déboutonna lentement son uniforme. Ses gestes manquaient de conviction. Les doigts hésitaient et dérapaient sur le tissu. Il dut se reprendre plusieurs fois avant de dénouer les lacets de ses bottes. On aurait dit que parler et agir en même temps exigeaient de lui un effort au-dessus de ses capacités.

— Et Fabi? me demanda-t-il en introduction.

— Je t'expliquerai plus tard. Étends-toé un peu avant le dîner.

— La vie est mal faite, Héléna. C'est moé qui pars à guerre, pis c'est icitte que ma sœur pis mon père crèvent!

— J'ai encore ta montre.

C'est tout ce que j'avais trouvé à répliquer. Il me parlait de mort et je le ramenais au temps qui passe. Je tendis mon poignet.

— J'ai vu, dit-il en plaçant une bottine bien à l'équerre contre le lit.

— Elle marche pus, mais c'est comme si t'avais été près de moé tout le temps.

Il me prit la main avec tendresse, examina la montre, puis se laissa tomber sur le lit.

— Je peux t'arranger ça. J'avais un *chum* là-bas qui m'a expliqué comment faire. En attendant, donne-moé la bouteille de pilules dans mon sac.

Je fouillai parmi les vêtements et trouvai ce qu'il demandait.

— C'est laquelle? dis-je en soulevant quatre fioles remplies de médicaments.

— Celle avec les roses.

— Tu prends tout ça?

— Pas tout le temps. Les roses deux fois par jour. Le reste, c'est au besoin. Pour mes nerfs.

— Veux-tu de l'eau?

— Non. Je vais faire un somme. Je vais être mieux après.

Il prit une pilule, qu'il cala avec une gorgée de rhum bue à même une flasque qu'il tira de sa poche. Cela deviendrait un geste coutumier que de le voir lever le coude. J'acquiesçai et retournai dans la cuisine. Marie-Jeanne et moi n'eûmes besoin que d'un regard pour comprendre que ce Francis-là n'était pas tout à fait le nôtre.

Résidence Clair de lune, Trois-Rivières, hiver 2002

— T'as quel âge? demande Héléna en tétant son verre d'eau.

— Soixante-douze.

— Pourquoi t'es venue rester ici? T'as encore tous tes moyens.

Huguette est surprise. C'est la première fois que son amie démontre de l'intérêt pour le passé de quelqu'un d'autre.

— Quand Béatrice est morte... c'était ma conjointe, j'ai vendu la maison pour m'en aller en appartement. Je pensais que ça me relancerait. J'avais le moral à terre. Mais ça a été dix fois pire. J'étouffais dans mon quatre et demie. J'avais le goût d'être entourée de monde. D'entendre parler pis rire. De pas me retrouver toute seule à jongler. La résidence venait juste d'ouvrir. J'ai loué une chambre. Je me suis fait des amies, il y a des activités, mais Béatrice est encore dans ma tête. Elle en sortira jamais, j'pense.

— T'avais l'air de l'aimer beaucoup.

— Oui, on était heureuses, même si on vivait en retrait. J'sais pas comment j'ai fait pour continuer après sa mort.

— C'est dur de fuir, Huguette. On traîne sa vie comme une tortue sa carapace. Le problème, c'est que ça finit par être lourd à porter avec le temps. En allant à la guerre, mon frère pensait se libérer de la sienne. Il a déchanté. Il s'est aperçu qu'y'avait ben pire que les désagréments de sa p'tite vie à La Tuque.

— Est-ce que tu regrettes la tienne, Héléna?

— Souvent. Mais ce qui est fait est fait.

— Pourquoi t'as écrit tout ça, d'abord?

— Pour réparer le mal qu'elle m'a fait.

— Elle? C'est… aussi toé?

— Des fois, j'me demande comment je faisais pour vivre comme tout le monde.

— J'te comprends. Moé aussi, j'aurais aimé ça vivre comme tout le monde. Au grand soleil. Prendre Béatrice par la main pour marcher sur la rue, pis faire les vitrines en amoureuses. J'aurais pu l'embrasser sur un banc de parc, lui pogner les mains sur la nappe blanche du restaurant. Pour les autres, on était juste deux vieilles filles délaissées qui vivaient leur amitié comme si c'était une punition. Le pire, c'est qu'on les encourageait. On allait jusqu'à se picosser comme deux pies devant un bout de métal brillant. Moé, je regrette de pas avoir eu le courage, pis de m'être accroupie de peur de ce que les gens penseraient. J'étais pas comme toé.

— C'est ben du moins. Une comme moé, c'est déjà trop!

La Tuque, printemps 1941

Le somme de Francis se prolongea jusqu'à ce que je pose la tête sur l'oreiller. Nous n'avions pas eu le courage de le réveiller pour le souper tellement il semblait épuisé. Marie-Jeanne ronflait déjà depuis un moment. J'entendais le souffle saccadé de mon frère et les ressorts du lit qui couinaient quand il changeait de position. J'essayais de me concentrer sur Matthew ou sur ma sœur Yvonne. J'avais peur qu'elle se laisse aller à la dépression. Je remplaçais mes idées noires par nos plus beaux souvenirs. Yvonne hurlant à tue-tête des cantiques de Noël pendant que je découpais des rubans colorés pour le sapin; elle et moi montées sur Ti-Gars, qui refusait d'avancer, ou les trois sœurs penchées sur un tonneau pour se soûler dans les vapeurs d'essence. J'avais réussi à m'assoupir quand un cri m'éjecta hors du lit.

— Francis! Qu'est-ce que t'as?

Mon frère marmonnait. Il cria à nouveau. J'allumai la lampe et le vis, assis, les bras allongés devant lui, comme pour se protéger. Il grimaçait et pleurait en même temps. Ses yeux voyaient de l'épouvantable où il n'y avait qu'un mur de planches embouvetées. Ses doigts cherchaient à agripper l'air que crachaient ses poumons en rafales.

— Francis! Tu rêves! Réveille-toé!

Le son de ma voix sembla l'effrayer encore plus. Il ramena ses bras contre sa poitrine et hurla:

— Couche-toé! Ça tombe!

— Francis!

Je tentai de l'attirer vers moi, mais il me repoussa violemment sur mon matelas. Il se dressa au bord du lit et plaqua ses mains sur ses oreilles. Il se balança d'avant en arrière en gémissant. Je le saisis par les épaules et le secouai pour le réveiller. Il se leva d'un coup et la chambre se remplit d'une odeur nauséabonde.

— Francis! T'as chié! constatai-je, éberluée.

Mon frère pleurait en agitant la tête. Il répétait : « Y'é mort ! Y'é mort ! Mon Dieu, ils sont tous morts ! »

— Qui est mort ?

Il s'affaissa dans mes bras au moment où Marie-Jeanne poussait la porte de la chambre.

— Bonne Sainte Vierge ! Qu'est-ce qui se passe icitte ? Ça pue donc ben !

— C'est rien, maman. C't'un cauchemar.

— Y'a fait dans ses culottes ?

— Ça va être correct. J'vais m'en occuper. Allez vous recoucher.

Après une hésitation, Marie-Jeanne retraita à sa chambre. J'étais persuadée qu'elle égrènerait son chapelet et tendrait l'oreille pour ne rien perdre de la suite des choses.

— Reste debout, Francis. Je vais chercher une bassine avec de l'eau pis du savon.

Je l'aidai à se nettoyer. Il m'apparaissait faible et désorienté. Je changeai les draps, lavai le plancher, mis le pyjama et la literie souillés dans un sac, que je déposai sur la galerie à cause de l'odeur. Je retrouvai mon frère assis à la table de la cuisine. Il regardait fixement la nappe, le dos courbé. Je plaçai un bougeoir devant lui. La lueur de la chandelle agita nos ombres sur le mur.

— Ça a été dur là-bas ? lui dis-je en lui frottant le bras.

Il se prit la tête entre les mains et se mit à sangloter. À cette époque, il était rare de voir pleurer les hommes. On leur apprenait dès le plus jeune âge qu'ils devaient être forts, solides et capables de refouler leurs émotions. Je caressai ses cheveux clairsemés comme si c'était un enfant. J'attendis que l'orage passe.

— Il y a pas une nuit, Héléna, où je me réveille pas avec le bruit des bombes. J'les entends comme si ça explosait par en dedans. Tous mes os se mettent à trembler. J'ai l'impression que j'vais me défaire en morceaux. Ça me fait mal sans bon sens!

— C'est fini. T'es avec nous autres. T'as pus à t'inquiéter. T'es en sécurité.

— C'est facile à dire. Y'a des images que j'suis pas capable d'effacer. C'est vrai que j'suis pas fait pour être soldat. Pas même pour être brancardier. La guerre, c'est pas fait pour les peureux!

— Dis pas ça! T'as fait ton possible. T'es quelqu'un de bien, Francis.

— J'en pouvais pus d'entendre les gens crier à l'aide, pleurer, supplier qu'on vienne les chercher... J'ai vu des affaires qui faisaient même horreur aux médecins. Moé pis mon *chum* le Chinois, on courait dans les décombres. La plupart du temps, on avançait aux sons tellement il y avait de la poussière. On ramassait les blessés en s'y prenant à deux fois, la deuxième pour une jambe, un bras ou un pied arraché. Ça puait la poudre, le brûlé, le sang pis la marde. Sans parler des bombes qui tombaient pas loin de nous autres. Les murs des maisons s'écroulaient comme des châteaux de cartes. On devenait sourds d'un coup. On savait pus quoi faire. On se comprenait pus. L'eau pissait des tuyaux pétés. Le feu pognait un peu partout à cause des bombes incendiaires, pis du gaz qui sortait des conduites éventrées. Héléna, j'ai vu l'enfer!

Je ne trouvais pas de mots pour le réconforter. Il me parlait d'une réalité lointaine qui m'était étrangère. Je n'avais que son visage dévasté pour en palper l'horreur. Je caressai son bras agité de tremblements. Je ne pouvais qu'écouter. Sa voix me donnait froid dans le dos. Comment pouvais-je le soulager de ce poids qui semblait l'écraser?

— J'suis pas un brave, ma p'tite sœur. J'avais tout le temps peur. J'avais envie de me sauver en hurlant. Mon *chum* est mort devant moé... Il prenait toujours l'avant du brancard. J'ai entendu siffler la bombe. J'ai crié: « *Watch out!* » Pis ça a pété. Pendant deux secondes, j'ai vu un homme pas de tête. Le souffle de l'explosion avait dû projeter un débris sur lui. J'suis tombé à terre en hurlant, pis j'suis resté là jusqu'à ce qu'on vienne me chercher. Après, j'me suis réveillé à l'infirmerie. J'ai eu des tremblements sur tout le corps pendant deux jours. J'étais pas capable d'arrêter ça. Le sergent a décidé de m'envoyer dans un hôpital, en dehors de Londres, loin des zones de bombardements. L'hostie m'a insulté en me traitant de fillette et de poule mouillée. Après ça, les cauchemars ont commencé pour de vrai!

— Ben moé, j'te trouve ben brave d'avoir eu le courage d'aller là. T'es mon héros! Oublie jamais ça!

Je restai de longues minutes assise à la table de la cuisine avec lui et ses images d'horreur. Une scène qui allait devenir familière.

CHAPITRE 6

La Tuque, printemps 1941

À la mi-avril, le temps se mit au beau fixe pour plusieurs jours. La neige fondait dans les caniveaux et l'eau s'accumulait au coin des rues. Les bourgeons pointaient leur désir et chacun troquait le parka pour une veste plus légère. Nous savions les printemps trompeurs. La vallée latuquoise pouvait se transformer en un tour de main. Combien de fois une giboulée tardive s'était-elle invitée à la fin de mai? Il fallait donc profiter de la manne ensoleillée quand elle se présentait.

J'avais la chance d'avoir un jour de congé, que je consacrai à m'éloigner de la maison et de son atmosphère redevenue plus lourde avec le retour de Francis. Je me rendis sur la rue principale et achetai trois verges de tissu fleuri au magasin de coupons de madame Landry. Ma mère en ferait des rideaux pour ma chambre. Francis avait besoin de couleur autour de lui. Comme d'habitude, elle parla de son garçon parti au chantier et de l'ennui qu'elle en avait. Je dus m'y reprendre à deux fois pour lui fausser compagnie. J'avais le goût d'un Coke et d'une patate frite huileuse.

En marchant vers le restaurant, je m'attardai devant la grande vitrine du magasin à rayons Spain. Je me souviens que mon attention allait vers un grille-pain dont les portes se rabattaient de chaque côté. Son extérieur chromé brillait de mille éclats. J'en étais à évaluer si mes gains suffiraient à nous payer ce luxe. Je savais qu'il n'était pas question pour l'instant d'utiliser le magot de Marie-Jeanne. Mille piastres en argent dormaient dans une cachette connue d'elle seule. Je me disais que le temps adoucirait le souvenir d'Aristide et la provenance douteuse de ce pactole.

Des cris me détournèrent de mes pensées. Un peu plus loin sur la rue, un attroupement se formait en face du restaurant du Centre. J'entendais une voix féminine qui me sembla familière. Je me joignis aux curieux.

Une vive discussion se déroulait dans l'espace étroit entre le *drugstore* et le restaurant. Le vieil Italien Scalzo y avait installé son *shoeshine* mobile, constitué d'une simple chaise capitaine et d'un repose-pied surélevé. Près de lui, Mikona la métisse était sur un pied de guerre. Je compris rapidement qu'un gros homme semblait en vouloir à l'Italien et tentait d'attiser l'humeur des passants. Il gesticulait et criait en pointant monsieur Scalzo.

— C't'un « mangeux » de spaghetti. Qu'y retourne donc d'où y vient, pour cirer les bottes des Allemands !

— N'empêche que c'est les vôtres qu'y'a frottées, répliqua Mikona.

— Pis je payerai pas pour une *job* mal faite! renchérit le malotru.

— Si vous l'aviez laissé finir, ce serait ben fait.

La métisse se leva comme un mur devant monsieur Scalzo, qui ne savait plus où se mettre.

— Toé, la squaw, tu devrais retourner dans ton tipi, cracha l'homme avec mépris.

Quelques voix s'élevèrent pour encourager cette remarque raciste. Loin d'en être affectée, Mikona releva la tête avec fierté. Pour un peu, les deux plumes qui enjolivaient sa coiffure se seraient dressées par défi. Il ne lui manquait que la peinture de guerre au visage.

— Si tu veux jouer à qui est l'étranger, j'te signale que mon peuple était là ben avant le tien. T'as pas de leçon à donner à personne. Ça fait que, paye monsieur Scalzo ou passe ton chemin!

— C'est pas une «sauvagesse» qui va me dire quoi faire, tabarnak!

Je sentais que l'affrontement menaçait de tourner au vinaigre. Monsieur Scalzo baragouinait un mélange de franco-italien qu'il voulait apaisant, mais qui, en réalité, empirait les choses. Mikona porta la main au couteau à sa ceinture et recula d'un pas, comme pour se préparer au combat. Le gros homme fit mine d'avancer vers elle, mais fut retenu par deux autres. S'ensuivit un chamaillage qui m'obligea à m'éloigner un peu. Quelques insultes fusèrent avant que le petit attroupement se désintègre aussi vite qu'il s'était formé.

Je m'approchai de Mikona. J'allais enfin pouvoir la questionner concernant la peau d'hermine et le peigne de Fabi.

La métisse rassura monsieur Scalzo, qui préféra ranger son attirail plutôt que de s'imposer. Il marmonnait en mélangeant les trois langues : l'anglais, l'italien et le français. Je ne compris rien à sa diatribe. Mikona l'aida puis se retourna et s'immobilisa en me voyant. Elle ne semblait pas particulièrement surprise. Je saluai l'Italien d'un sourire. Il trottinait déjà dans la direction opposée à son client insatisfait, avec, sur son dos, la chaise et le repose-pied maintenus par un harnais rudimentaire.

— T'es courageuse, dis-je en introduction.

— J'allais pas laisser un gros porc insulter monsieur Scalzo. C'est clair qu'il voulait le provoquer pour avoir une raison de le frapper. Ça lui aurait trop fait plaisir. C'est comme ça qu'on traite les étrangers. Avec la guerre, c'est devenu pire.

— T'as ben fait de le remettre à sa place. Tu m'as fait penser à Fabi quand t'as porté la main à ton couteau. Pourquoi tu m'as pas dit que tu l'avais rencontrée ?

Mikona prit un moment pour me répondre. Je vis que ses beaux yeux bruns cherchaient la voie de la sagesse. Un pacte la liait sûrement à Fabi, sinon pourquoi ne m'avait-elle rien dit dans la forêt ? Elle ramassa un sac fabriqué de peaux et le jeta sur son épaule.

— Elle m'a fait jurer sur la tête de tous les manitous de te remettre la fourrure d'hermine sans rien dire. J'pense qu'elle voulait avoir du temps pour se sauver.

— Alors c'est pas un hasard si je t'ai rencontrée dans le bois.

— Non et tu devrais voir ça comme une chance. L'ours était devenu malfaisant. J'suis pas sûre que tu l'aurais abattu avec ton fusil.

— Moé non plus. Je t'en remercierai jamais assez. C'est ben vrai, ma sœur est vivante?

Elle retint sa réponse pendant un bon moment. Je la sentais tiraillée par la promesse faite à Fabi. Elle se mordit la lèvre avant de poursuivre.

— Asteure que c'est fait, j'pense que je peux t'en dire un peu plus. Je l'ai trouvée au bord du lac. Elle était trempée des pieds à la tête. Elle grelottait. Elle pouvait à peine marcher. J'ai vu sa chaloupe à l'envers qui dérivait sur le Wayagamac. J'ai enveloppé Fabi comme j'ai pu dans une fourrure et je l'ai portée sur une bonne distance. Elle a insisté pour que je retourne brouiller notre piste. Ça a pas été trop compliqué parce qu'il tombait une neige légère. Elle me disait qu'on la recherchait. Elle était persuadée d'avoir tué un homme dans l'explosion du barrage. Elle pensait juste à se sauver.

— Elle aurait pu se noyer!

— C'est venu ben près. Elle s'est accrochée aux deux rames et a réussi à rejoindre la rive. Les manitous du lac ont voulu que je passe par là. C'est une chance, sinon elle serait morte gelée.

— Elle est où ?

La métisse eut encore une brève hésitation. Elle prit le temps de regarder un camion de livraison. Elle mesurait sans doute l'étendue de l'omerta promise à Fabi.

— Elle a fui vers le lac Saint-Jean. Ta sœur se débrouille comme une Attikamek dans la forêt.

— Je sais. Quand est-elle partie ?

— Aussitôt qu'elle a été en état de le faire. On l'a gardée avec nous une quinzaine de jours à notre campement du lac Castor. Les Blancs remontent pas si loin durant la saison froide. On lui a fourni des raquettes, un fusil, un couteau, un sac en peau d'orignal et des provisions. Elle avait de quoi faire du feu, mais l'hiver a été rude. Sans compter que la route est longue jusqu'à Chambord.

— Je sais pas où c'est. Ma sœur Yvonne est déjà allée à Roberval. En train. Elle est passée par Shawinigan. Elle disait que c'était ben loin. Tu crois qu'elle a réussi ?

— Peut-être. Mon père lui a donné des indications pour qu'elle retrouve des caches où on entrepose de la nourriture au cas où. On y laisse aussi du matériel pour survivre. J'pense qu'elle avait dans l'idée de rejoindre la voie ferrée qui passe au lac Édouard et de sauter dans le train comme les vagabonds. Elle avait l'air décidée à s'enfuir.

— S'enfuir ? Elle devrait savoir que ça a pas réussi à personne dans notre famille.

— Toé, t'es restée.

— Peut-être que j'fuis à ma façon.

Mikona me regarda sans me demander de précisions. Elle avait la sagesse de son peuple. Elle savait attendre qu'on se manifeste avant de juger. Je lui en étais reconnaissante.

— J'suis heureuse qu'elle soit pas au fond du Wayagamac. J'sais pas si je dois le dire à ma famille. Je voudrais pas créer de faux espoirs.

— Laisse parler ton cœur.

— Merci, Mikona. Merci de l'avoir sauvée et de m'avoir tirée des pattes de l'ours.

— Mon père te dirait que sans la volonté des manitous du lac, j'aurais pas trouvé ta sœur sur la grève ni croisé la route de l'ours au bon moment.

— Eh ben, tu les remercieras pour moé. Je t'offre quelque chose au restaurant?

— Non, merci. J'ai encore à faire en ville. On doit se préparer pour nos quartiers d'été. Et pis, les… « sauvagesses » sont pas toujours les bienvenues partout.

— Je peux te serrer?

Mikona m'ouvrit ses bras. Je m'y blottis en pensant à Fabi. Une odeur de résine, de peaux animales et de musc me monta au nez. Je retrouvais les effluves du Wayagamac. J'en respirais la forêt dans le cou de Mikona et mes yeux se brouillèrent. Elle me repoussa lentement en me tenant par les épaules.

— Ta sœur avait conscience de ce qu'elle faisait en laissant une trace d'elle-même. Toé aussi, tu sauras quoi faire.

La métisse m'abandonna sur ces paroles. Il me semblait que la chaleur du soleil avait forci sur ma peau.

Résidence Clair de lune, Trois-Rivières, hiver 2002

Huguette relève la tête et retire ses lunettes. Héléna s'est endormie dans les bras de la métisse. Son souffle chuinte comme une bouilloire et ses mains reposent l'une sur l'autre contre sa poitrine. La télé diffuse des nouvelles. Muette, elle fait défiler des images de ruines, de poussières et de visages sombres. Où est-ce ? Combien de gens ont souffert ? Pourquoi ces bombes ? Sont-elles des représailles pour les tours effondrées du World Trade Center ? La plaie est encore vive. L'Amérique a tremblé. Quelqu'un doit payer. Mais qui ? Huguette n'ose pas mettre le son. Dans cette chambre, l'état du monde en est réduit à une sorte de divertissement aseptisé destiné à meubler la solitude, rien de plus. Huguette l'éteint en pointant la télécommande en direction de l'écran. Puis elle fait le tour de la pièce, ramasse les verres d'eau, positionne le téléphone sur la table de chevet, s'assure que la sonnette est à portée de main, range le manuscrit à sa place et baisse l'éclairage.

Les gestes ont un relent de familiarité. En d'autres temps et lieux, elle a accompli une routine semblable.

Pour Béatrice, sa conjointe, que le cancer a emportée après de longs mois de souffrance. Un calvaire d'impuissance et de rage devant le destin qui lui volait son bonheur jour après jour. Pourquoi raviver ces plaies auprès d'Héléna? Qu'a-t-elle donc de si attirant pour qu'elle accepte de s'y replonger?

Madame Lafrenière pense que la réponse n'est pas simple, mais qu'elle se résume peut-être à cet amour qui lui manque cruellement depuis le décès de Béatrice. Un lien qui est au-delà des préoccupations quotidiennes et des parties de 500, de la température qu'il fait ou des critiques culinaires. Une amitié véritable qui ouvre les jardins secrets et montre les fleurs, même celles du mal, avant qu'elles ne soient fanées.

Héléna lui offre l'envers de sa vie avec une profusion de détails surprenants qui la poussent à s'aventurer toujours un peu plus loin. Là où le fils est absent auprès de sa mère mourante.

CHAPITRE 7

La Tuque, printemps 1941

Je voyais Yvonne deux fois par semaine. J'avais eu tort de m'inquiéter pour elle. Je sentais que malgré son aventure clandestine et le départ du vicaire, elle reprenait goût à la vie. Ma sœur n'avait jamais été chanceuse en amour, mais elle était toujours retombée sur ses pieds. Mieux que moi, qui étais torturée par le sort de Fabi. Elle avait quitté ma vie trop brusquement. Je souffrais de son absence. Je ne pouvais plus m'appuyer sur sa force de caractère ni m'alimenter à la source de son énergie. Notre folie contagieuse me manquait, comme la forêt et l'odeur du bois fendu qui me prenait au nez dès qu'elle mettait le pied dans la maison du lac. Le soir, je n'avais plus personne, au creux de mon lit, pour me consoler lorsque je vivais une journée difficile. Je m'accrochais aux paroles de Mikona et à l'espérance qu'elle avait semée dans ma tête.

Quant à Francis, il redevenait lui-même par moments. Il se mettait alors le nez dans ses boîtiers de montres. Il en avait un plein sac. À l'aide de sa loupe serre-tête qui lui couvrait un œil, il auscultait les engrenages en se servant de minuscules pinces à ressort. Penché sur son étau d'horloger, il semblait apaisé. Il osait même quelques pitreries. Il avait installé son matériel dans notre chambre, près de la fenêtre, sur une petite table qu'il fallait presque enjamber pour atteindre l'unique commode que nous partagions. Marie-Jeanne refusait qu'il s'installe dans la pièce où elle cousait. Elle avait besoin d'espace pour ses travaux et ne prenait pas trop au sérieux la nouvelle lubie de son fils.

Il passait des heures à tripoter des montres de différentes formes et grosseurs. Il avait appris les rudiments du métier en observant son ami le Chinois qui brancardait avec lui. La plupart d'entre elles avaient été piquées sur des cadavres, jamais sur les vivants, m'avait-il assuré. Comme si cela rendait l'acte moins criminel pour son copain. Le Chinois rêvait d'être horloger. Il démontait et réparait ses mécanismes pour ne pas penser et pour devenir meilleur. Il avait dit à mon frère que si jamais il mourait, il pourrait garder tout son bataclan. Francis avait tout rapporté au fond de son barda. De poursuivre l'objectif de son ami lui faisait sans doute du bien. Pour le reste, la boisson s'en chargeait. «Elle est plus aimable que les médicaments», me disait-il en forçant le rire. Je n'en étais pas aussi sûre que lui.

Le printemps eut l'effet d'un baume sur notre moral. La rivière Saint-Maurice gonfla ses flots, les bourgeons éclatèrent sous le soleil et les montagnes perdirent leur couvert de neige. Il était bon de humer l'odeur forte de la terre mouillée et de contourner les flaques d'eau qui diluaient les restes de l'hiver. J'en ressentais une énergie renouvelée en rejoignant Yvonne près du marché. Elle était rayonnante dans son nouveau manteau en lainage bleu foncé. Maquillée et coiffée d'un chapeau à la mode, elle s'attirait les regards.

— J'te dis, Héléna, qu'y'a du monde à matin. Ça doit ÊTRE LE BEAU TEMPS. LES TABLES DÉBORDENT!

— Faut que je rapporte du boudin frais. Tu sais comment notre mère est difficile.

— COMMENT ELLE VA?

— Pas pire, mais elle a de quoi entretenir ses inquiétudes avec Francis. On dirait que ça se jette sur son foie.

— La guerre lui A PAS RÉUSSI!

— Je me demande ben à qui ça peut réussir.

— C'EST PAS CE QUE JE VOULAIS DIRE!

Je lui fis signe de baisser le ton, quelques têtes s'étaient tournées dans notre direction.

— J'le sais ben, Héléna, que ça doit être terrible d'être là-bas. Penses-tu QU'IL VA REVENIR CORRECT?

— Ça se peut. Quand il joue dans ses montres, il a l'air bien.

— Il pourrait RÉPARER LA TIENNE.

Je levai mon poignet pour la regarder et la toucher comme je l'avais fait des centaines de fois. Ce temps arrêté m'était devenu familier. Il était comme un flotteur accroché à ma ligne de vie et qui me ramenait en arrière au besoin. Dans un arrière où je n'avais pas encore côtoyé la mort, où je n'avais pas vu le chef de police éventré, ni mon père avec le visage bleu ou le vicaire terrorisé devant la lame de mon couteau.

— Je pense que j'aimerais mieux la garder comme ça.

— Si tout le monde fait comme toé, Francis AURA PAS GRAND CLIENTS !

— De quoi tu parles ?

— IL TE L'A PAS DIT ? Il veut travailler là-dedans. Y'en a juste un À LA TUQUE, pis il fournit pas. Y T'EN A PAS PARLÉ ?

— Non, pantoute, dis-je étonnée.

— Va falloir qu'il se ramasse de l'argent POUR PARTIR EN AFFAIRES. PENSES-TU QU'Y'É PRÊT POUR ÇA ? Y devrait ATTENDRE DE FILER MIEUX.

— C'est bon pour lui qu'y travaille.

— Coudonc, Héléna. J'voulais te demander quelque chose.

Je voyais que ma sœur exerçait délibérément un contrôle sur sa voix. Elle chuchotait presque, ce qui était rarissime. Dans sa bouche, c'était signe que le propos était de la plus haute confidentialité. Je me rapprochai d'elle en signe d'encouragement.

— Je voulais savoir si t'avais rencontré «tu sais qui» avant qu'y parte de La Tuque. C'est important pour moé.

Je ne m'attendais pas à un retour sur le sujet. Nous évitions d'en parler et je croyais que le temps faisait son œuvre. Je lui pris le bras pour me permettre de chasser mon malaise. J'essayais d'oublier l'évènement.

— Mais non. Pourquoi tu demandes ça?

— Parce que j'ai vu que tu lui avais jasé dans la chambre à l'hôpital.

— C'était juste des politesses.

— J'sais que j'avais pas toute ma tête, mais il m'a parlé avant que vous arriviez. Il m'encourageait. Il m'a dit qu'il regrettait. Il a aussi ajouté qu'on resterait des amis et qu'il repasserait me voir. Y me semble qu'il avait pas l'air… de quelqu'un sur le point de demander son transfert.

Je sentais qu'Yvonne faisait des efforts titanesques pour contenir son ton de voix. Dans son cas, c'était comme de tenter de retenir une horde de chevaux sauvages d'un simple geste de la main. Elle poursuivit en se mordillant les lèvres.

— C'est délicat, Héléna. J'veux pas dire que c'est de ta faute. C'est toujours ben pas toé qui l'a poussé à sacrer le camp. Personne était au courant… qu'on était ensemble. Ça fait que si toé tu lui as mentionné quelque chose à propos de lui pis moé, ça a pu le mettre tout à l'envers. Il a peut-être eu peur que ça se sache. Ça me fait de quoi, Héléna. Il était aimé de tout le monde.

— Es-tu folle ? Tu vas pas regretter ce qu'il t'a fait ? T'as manqué mourir ! Va pas te mettre toutes sortes d'idées dans la tête !

— Dis-moé que t'as rien révélé, à propos de nous deux !

— Tu veux quand même pas me faire jurer ! J'en ai parlé juste avec toé. C'était pas de mes affaires.

Ma sœur me connaissait. Elle savait que je pouvais mentir à l'occasion. Aussi me regarda-t-elle longuement avant de baisser les yeux. Je suis certaine aujourd'hui qu'elle a été à deux doigts de me demander de prêter serment. Qu'aurais-je fait ? Sur la tête de qui aurais-je commis le parjure ? J'en fus épargnée, mais ma sœur n'avait pas idée jusqu'à quel point elle avait frôlé la vérité. Je faillis lui parler de Fabi, mais elle me prit de vitesse.

— T'AS BEN RAISON ! Je devrais PAS M'EN FAIRE AVEC ÇA ! VIENS, ON VA ALLER CHERCHER LE BOUDIN DE LA MÈRE !

Du coin de l'œil, je voyais que cet amour impossible s'accrochait à son cœur. Elle oublierait avec le temps. Contrairement à moi, elle prendrait le bon chemin.

৶

Marie-Jeanne jeta le paquet ficelé sur la table. Le sang de cochon attendrait. Elle était rouge comme une truite prête à pondre sur une frayère. Elle marchait du poêle à la table et à l'évier ou dans un ordre différent. Elle déplaçait un chaudron, frottait un bout de comptoir puis revenait au boudin, qu'elle prenait pour le déposer aussitôt. Francis était assis, tête baissée. Il ne la relevait que pour boire une lampée de son verre de rhum. Il était vêtu d'une camisole tachée et trouée, et ses bretelles pendaient de chaque côté du corps.

— Qu'est-ce qui se passe?

Ma question provoqua des grognements de la part de Marie-Jeanne et des mouvements de tête exaspérés chez Francis. Il glissa la main dans ses cheveux fins comme des fils de soie. L'électricité statique les fit flotter dans l'air pendant un court instant. Je voyais bien qu'il n'était pas dans un bon jour.

— Ben, forcez-vous, avant que le boudin caille! dis-je pour briser la tension.

— C'est ton frère! Y'a fouillé dans mes affaires, dans ma chambre!

— J'ai pas fouillé, la mère! J'avais besoin de mon baptistère, pis je sais que vous en gardez une copie dans votre p'tit coffre. C'est le gérant de la banque qui m'a demandé ça. Pour un prêt.

— T'avais pas d'affaire à lire le testament de ton père!

— J'vous l'ai dit. J'pensais que c'était le baptistère. Des papiers officiels, ça se ressemble. Vous vous énervez pour rien.

— Tu sauras que l'argent que ton père a laissé est ben caché, pis y va rester là, tant que je saurai pas d'où y vient.

— Voyons donc, de l'argent, c'est de l'argent. C'est fait pour s'en servir.

Ma mère se planta devant moi, les mains sur les hanches. Je me sentais comme un papillon de nuit qui cherche de quel côté est la lumière. Je compris de ses explications qu'elle était sortie pour aller chez une voisine et que la faute s'était produite durant son absence.

— C'est pas tout! Imagine-toé donc, Héléna, que ton frère va ouvrir une boutique de bijoutier, pis y veut que j'y prête l'argent! Y'é tombé sur la tête!

— Je vous l'ai dit, m'man. Au début, ce serait plus pour de la réparation. J'ai déjà des commandes des gars de l'hôtel.

— Jésus, Marie, Joseph! À l'hôtel! Tu te lèves à des heures impossibles, pis on sait pas à quelle heure tu rentres. Tu bois comme un trou. Tu hurles comme un damné quand tu dors. C'est pas comme ça que tu vas te trouver de l'ouvrage, mon p'tit gars! Si ton père était là...

— Le père est mort! Laissez-le où il est. Y devait pas être si fin que ça, si y s'est mis une corde autour du cou.

— Blasphème pas en plus! cria Marie-Jeanne.

— C'est pas vous qui êtes allée à la guerre, c'est moé! C'est moé qui ai vu les bombes, pis les morts. Les corps démembrés, les enfants déchiquetés. J'ai perdu un ami, drette devant moé, mais ça, vous vous en câlissez! J'ai fait la guerre!

— T'as été brancardier, c'est pas pareil! T'as tiré personne! Si tu m'avais écoutée, tu serais resté icitte avec nous autres, innocent! Pis t'aurais pas l'air de ce que t'as l'air aujourd'hui!

— Pour voir quoi? Ma sœur poser des bombes, pis mon père se pendre?

Mon frère se leva d'un coup. Il était plus rouge que Marie-Jeanne. Il prit une dernière gorgée de son verre et le remit violemment sur la table. Il rebondit et roula sur le prélart en dispersant le restant de rhum. Francis fit demi-tour en vacillant et claqua la porte de la chambre. Marie-Jeanne me tourna le dos et touilla le contenu de son chaudron sur le poêle. Je compris qu'il était inutile de vouloir raisonner qui que ce soit. Je pris le paquet sur la table.

— J'vais mettre le boudin au frais!

Résidence Clair de lune, Trois-Rivières, hiver 2002

Après le souper, Huguette entre dans la chambre de son amie après avoir tapoté la porte. Elle s'arrête brusquement en apercevant Gérard Blais, le petit curé à demi alzheimer, près du lit. Il est en pyjama et a une main dans sa poche. Héléna est en position assise, soutenue par quelques oreillers. Elle le fixe et semble attendre une réaction. Madame Lafrenière fait mine de se retirer.

— Tu peux entrer, Huguette. Monsieur s'en allait.

Gérard Blais fait demi-tour et sort en saluant d'un bref coup de tête.

— Vous êtes-vous chicanés? Il a ben l'air bête! constate madame Lafrenière.

— Je veux qu'y me donne l'absolution avant de mourir.

— C'est quoi le problème?

— Il pense que je me moque de lui avec mes histoires.

— Faut le comprendre.

— Je lui ai dit que c'était pas pire que les récits de curés pédophiles qu'on voit partout dans les journaux.

— Tu lui as pas dit ça! Qu'est-ce qu'il a répondu?

— Rien pantoute. T'es arrivée comme un cheveu sur la soupe.

— C'est toé qui m'as dit que j'pouvais entrer.

— Ben oui, c'est correct. De toute façon, je réglerai ça avec lui une autre fois. Mais pourquoi t'es là? C'est pas l'heure de me faire la lecture.

— J'le sais. Je suis pas venue pour ça. Je voulais te demander si ça te tente de descendre à la salle de loisirs après-midi. Il y a deux jeunes filles qui font un spectacle. C'est de la musique classique. Y'en a une qui joue du violoncelle, pis l'autre du violon. Il paraît qu'elles sont bonnes.

Héléna prend un moment pour réfléchir. Son amie s'attend à un refus et se prépare à argumenter. C'est visible à son attitude. Comme elle vient de faire chou blanc avec le curé, elle n'a pas envie d'être asticotée.

— C'est ben correct. Tu t'occuperas de me trouver une chaise à roulettes qui a de l'allure.

— Tu veux!

— Ben quoi? Penses-tu que j'suis pas capable d'apprécier la belle musique?

— Non, mais d'habitude, tu refuses d'aller en bas.

— On a le droit de changer d'idée. Pis je me sens moins fatiguée. Aussi ben en profiter!

— OK. J'passe te prendre à une heure et demie.

— Je vais demander à la p'tite préposée de me préparer.

— Ah! Je voulais te dire, Héléna. Quand je suis allée à ton appartement, pour chercher la suite de ton manuscrit, j'ai laissé mes gants sur la table. J'aimerais ça les récupérer. Peux-tu me prêter les clefs pour que j'y retourne?

— Je pense qu'y va falloir que tu les oublies. L'appartement est vide. Toutes mes affaires sont dans un entrepôt. J'ai demandé à mon notaire de s'en occuper.

— Ah bon? Je pourrais aller voir là-bas.

— Es-tu folle? C'est à l'autre bout de Trois-Rivières. Pis ça doit être empilé n'importe comment. De toute façon, j'ai pas la clef. Je l'ai fait mettre avec mon testament. M'as te faire un chèque. Tu t'en achèteras une autre paire.

— Ben non, Héléna. J'disais pas ça pour ça. C'est juste que j'y tenais, mais si c'est trop compliqué, on oublie ça.

— Comme tu veux. Fais à ta tête.

— À tantôt. Je viendrai te faire la lecture avant le dîner, vu qu'après-midi, on va au concert.

Madame Lafrenière espérait retourner à l'appartement de son amie et fouiller à nouveau ses affaires. Elle aurait pu en apprendre un peu plus sur le fils absent. Le temps passe et le cancer d'Héléna finira par reprendre le dessus. En est-il conscient? Sait-il seulement que sa mère est à la toute fin de sa vie? Peut-être pourrait-elle le prévenir? Mais elle en sait trop peu. Elle rage contre sa propre lenteur à réagir. Maintenant, elle devra espérer un rebondissement, comme il s'en produit toujours dans les films policiers. À moins qu'elle soit à la merci du récit d'Héléna et qu'elle doive attendre son bon vouloir pour connaître la suite.

CHAPITRE 8

La Tuque, printemps 1941

Le froid engendré par la dispute persista jusqu'au lundi matin. Je partis travailler avec une certaine inquiétude. Francis avait hurlé ses cauchemars comme d'habitude. Je ne savais pas comment j'arrivais à tenir le coup en étant réveillée une partie de la nuit.

À l'usine, on nous informa qu'il y aurait une cérémonie sur l'heure du midi pour inaugurer le projet de l'aluminerie. Moi et quelques filles de mon groupe avions été désignées pour aider à la mise en place. On disposa les tables, les chaises et un lutrin d'orateur sur la scène du Community Club. Nous étions excitées par ce divertissement inattendu.

Vers onze heures, on apporta des hors-d'œuvre comme je n'en avais jamais vu. Peu importe l'ombrage de la guerre, la bombance était de mise entre gens de pouvoir. Crevettes, truites fumées, foie gras, cœurs d'artichaut, magrets de canard, les assiettes s'alignaient sur les nappes immaculées et composaient une orgie alimentaire à mes yeux. On ajouta les petits gâteaux joliment décorés, les bouteilles de vin rouge et de vin blanc, de la bière, des boissons gazeuses et un réservoir de café. Le cuisinier de l'hôtel Windsor vint lui-même disposer les plats, aidé de son assistant, puis il se retira en nous laissant quelques informations pour faciliter le service. Je savais qu'on m'avait choisie pour mon expérience à la cantine de l'usine. Je distribuai les rôles aux filles. Josette n'était pas de la partie. Comme d'habitude, elle en était frustrée.

Tout le gratin de l'usine était là: la direction, les contremaîtres, le personnel de bureau et plusieurs hommes cravatés que je n'avais jamais vus. On me chuchota que le premier ministre était présent. Je ne savais pas qui était monsieur Godbout. Par contre, je reconnus facilement deux des invités. C'était monsieur Pettigrew et son acolyte Jeffrey, que nous avions transportés sur le Wayagamac et que nous avions failli noyer.

La ronde des discours se mit en branle, la plupart en anglais. Matthew fut le premier à prendre la parole. Il s'exprima dans les deux langues et parla de collaboration entre les deux compagnies, de fierté, de nation, d'effort de guerre, de développement dont la ville de La Tuque bénéficierait au plus haut point. Puis il dévoila, en compagnie des responsables de l'aluminerie, un croquis d'artiste qui illustrait l'ampleur de la future construction. L'usine de l'Alcan s'élèverait à la sortie sud de La Tuque, pas très loin de l'hôpital Saint-Joseph. Au plus fort de la production, on promettait plus de cinq cents emplois bien payés. La ville allait connaître un essor sans précédent. Onésime

Journeault, le nouveau maire, qui avait défait haut la main Ovila Desmarais, rayonnait quand ce fut son tour de s'exprimer. Il avait manifestement une vision plus optimiste de l'avenir que son prédécesseur.

Le tout se termina lorsque le jeune photographe de *L'Écho de La Tuque* immortalisa la scène dans un flash éblouissant. On retrouverait le cliché à la une du journal local et aussi dans le bulletin interne de l'usine, accompagné d'un article en anglais, entre les exploits des quilleurs, les succès des hockeyeurs et les potins des différents départements.

Les invités s'approchèrent des tables le sourire aux lèvres en discutant la plupart du temps en anglais. Matthew m'encouragea de quelques mots lorsque ce fut son tour de se servir. Je me sentis rougir de plaisir. Monsieur Pettigrew me demanda si on s'était déjà rencontrés. Je haussai les épaules et un type moustachu le tira par la manche, coupant court à son questionnement. Son collègue Jeffrey eut une meilleure mémoire quand il s'amena à la toute fin, alors que nous rangions les restes.

— Avec toé au service, on risque-tu de crever comme au milieu du lac? Il paraît que ta sœur a réussi à se noyer.

— Voilà votre café. Voulez-vous un fond de bouteille pour l'après-midi?

Il n'apprécia pas ma remarque ironique. Il saisit ma main en même temps que la tasse.

— T'es aussi garce que ta sœur. Faudrait te mettre une queue dans la bouche pour t'apprendre à être polie!

Je renversai la tasse contre son poignet. Il sacra en retirant son bras. La tasse vola en éclats sur le plancher. La plupart des dignitaires avaient déjà quitté la salle. Les traînards se retournèrent, intrigués. Matthew se leva de sa table, où il discutait avec le représentant de l'Alcan, et s'approcha à grands pas.

— Est-ce que ça va?

Jeffrey se frottait le poignet avec une lingette de table. Il fulminait en me fusillant du regard. Matthew examina la brûlure et lui indiqua le chemin pour l'infirmerie. J'eus droit à une dernière salve de la part de Jeffrey.

— Tu devrais en engager des moins chiantes pour faire le service!

Les filles s'arrêtèrent de travailler pendant un instant. Matthew leva la main et, comme par magie, Jeffrey gagna la sortie et la vaisselle recommença à tinter. Je baissai les yeux et regroupai le restant des gâteaux devant moi.

— Tu veux me dire ce qui s'est passé?

Sa voix avait des accents de velours quand il m'adressait la parole. Il craquait son verni de patron et laissait filtrer une tendresse qui me charmait. Du moins, c'est ainsi que je le percevais.

— Il a insulté Fabi!

— Ouais. C'est bien son genre. Il est moins brillant que l'aluminium qu'il fabrique. Il a pas beaucoup de respect pour les femmes. T'en fais pas avec lui. Tu fais bien de défendre ta sœur, même si elle est pus là. Sois sûre que j'y pense souvent. J'voulais te dire que je devrai m'absenter plus fréquemment. Mon frère Allen a le cœur malade et il doit mettre la pédale douce. Pendant quelque temps, je vais m'occuper de nos différentes usines, à Berlin et à Dalhousie, entre autres. J'aimerais que tu me fasses savoir si on retrouve le... de Fabi.

Il aurait fallu que je profite de ce moment pour lui dire la vérité. Il n'y avait pas meilleure occasion. Cela aurait peut-être modifié ses projets, changé sa vie et la mienne, et aussi celle de Fabi. Il aurait pu lui payer un avocat pour se défendre. Sans mort d'homme, on ne pouvait emprisonner ma sœur à vie. Pourtant, rien ne sortit de ma gorge. J'étais hypnotisée par son regard, qui me pénétrait jusqu'au cœur.

Il me toucha la main et un frisson me parcourut le dos.

— Ah! Et essaye de pas trop malmener mes invités, c'est pas très bon pour les affaires.

Quand il eut quitté la salle, les filles soupirèrent bruyamment en roulant des yeux. Je me remis au travail sans me préoccuper de leurs sourires moqueurs. J'espérais seulement que ça ne fasse pas partie des potins véhiculés par le bulletin de l'usine.

❧

Quand je quittai mon quart de travail, j'avais le vague à l'âme. Mon fol espoir d'être aimée par Matthew s'évanouissait comme neige au soleil. Je n'allais plus le voir aussi souvent. Je comprenais d'un coup la stupidité de mon désir. Nous n'étions pas du même milieu. Il fréquentait les hommes politiques, les ministres et les banquiers. Pourquoi aurait-il envie d'une jeune ouvrière comme moi ? Avec le retrait de son frère, son rôle l'éloignerait du quotidien de l'usine. Il n'aurait plus le temps de constater de visu le fonctionnement de chaque département. En clair, je devrais me débrouiller sans lui, ce qui ramenait le problème de Josette au premier plan. Quand elle apprendrait la nouvelle pour Matthew, elle aurait moins de retenue dans ses harcèlements.

J'étais perdue dans mes réflexions quand je faillis heurter mon frère, qui descendait les marches de l'hôtel Saint-Roch. Situé à l'angle des rues Tessier et Saint-Joseph, cet édifice était appelé le Château blanc, car il était surmonté d'une tourelle.

— Tiens, la sœur ! Toujours aussi belle, même en ouvrière.

Le rhum le rendait joyeux et guilleret avant de le précipiter dans la mélancolie. Je connaissais le pattern. Comme nous n'étions qu'en fin d'après-midi, il n'avait pas encore atteint ses phases les plus sombres. Ses joues étaient colorées et ses cheveux, qu'il avait clairsemés, se rebellaient sur sa tête. Il bougeait avec entrain et ses gestes n'étaient pas gommés par l'hésitation que procure le trop-plein d'alcool.

— T'en viens-tu à la maison?

Ma question le fit rigoler et il me prit par l'épaule.

— Es-tu folle, toé? C'est le meilleur temps pour faire de l'argent. Regarde ça, j'ai cinq montres à réparer, pis j'en ai vendu trois que j'ai rapportées des vieux pays. Dans quelques minutes, le train va arriver. Il paraît qu'il est plein de bûcherons. Les hôtels vont déborder. Faut pas que je manque ça! J'fais un bout de chemin avec toé.

— C'est aussi une belle place pour prendre un coup!

— Tu vas pas te mettre à jouer à la mère. J'ai envie de me lancer en *business*, pis j'ai déjà commencé.

— C'est donc vrai, ce qu'Yvonne m'a dit. Tu veux réparer des montres.

— Mieux que ça, Héléna. J'vais être bijoutier!

— Les bijoux, ça coûte les yeux de la tête!

— C'est pour ça que ça rapporte aussi. C'est ce que j'ai essayé de faire entendre à maman, mais elle est têtue comme une mule! Elle est assise sur un beau magot qui dort, pis qui fait rien!

— Faut la comprendre, elle sait pas d'où ça vient.

— Qu'est-ce que ça peut ben faire? Elle l'a reçu en héritage, en mains propres du notaire. Pourquoi se casser la tête, asteure que le père est mort?

— T'as changé, Francis, dis-je en lui prenant le bras.

— Le monde entier va changer, ma p'tite sœur. La guerre, c'est rien de drôle, mais ça apporte du développement. T'as pas besoin d'aller loin. On va bientôt construire une usine, icitte à La Tuque, pour faire des lingots d'aluminium. Sais-tu pourquoi? Pour en faire des avions de guerre. Pis ça, ça veut dire qu'y va y avoir ben du nouveau monde à La Tuque. Des gars avec une bonne *job*, pis de l'argent plein les poches. Ils vont vouloir se payer du luxe, s'acheter une belle montre ou des bijoux pour leurs blondes. Te rends-tu compte de la manne que ça va être pour moé?

— Fais attention de pas rêver en couleurs.

— Inquiète-toé pas, p'tite sœur. J'sais ce que je fais. Tiens, c'est Maximilien! Faut que je lui parle. À plus tard!

Mon frère serra avec chaleur la main de ce Maximilien que je voyais pour la première fois. Son allure ne me plaisait pas. Il portait son chapeau trop bas sur le front et ses épaules semblaient se refermer sur son corps. Il puisa au fond de sa poche et tendit un objet à Francis. Celui-ci se servit de sa loupe oculaire pour l'examiner. Il hocha la tête, puis mon frère lui remit quelques billets et lui tapa sur l'épaule.

Je caressai la montre cassée à mon poignet avant de continuer. Il me semblait de plus en plus qu'elle annonçait un avenir à son image.

༺ ༻

Quand j'y repense, je n'avais pas dix-neuf ans à cette époque, j'en avais trente, cinquante ou même cent, par moments. La mort de mon père et la disparition de Fabi avaient déréglé mon horloge interne. La montre de Francis était le témoin de cette imposture. Elle me rappelait sans cesse qu'une jeune fille avait existé en moi. Vite doublée par une femme amorale, décidée et dangereusement efficace. D'où me venait-elle? Mon enfance ne fut ni moins pire ni moins bonne que celle de nombreux enfants de cette époque. Mon père était sévère, contrôlant, introverti, comme les hommes de ce temps-là. Ma mère était un modèle de vaillance et d'organisation. Grâce à ses efforts et à sa prévoyance, nous ne manquions jamais de rien. Mes frères et mes sœurs trimaient dur, tout comme moi. Mais ils sont partis l'un après l'autre de la maison. Chacun avait l'air de fuir un système dont il était pourtant un maillon essentiel. Comme si le rôle de rouage de mes frères et sœurs les enfermait trop étroitement.

Je comprenais la fascination de Francis pour ses montres. Elles marchaient tant que les engrenages s'emboîtaient les uns dans les autres. Si un ressort venait à flancher ou à faiblir, les aiguilles faussaient le temps. Trop vite ou trop lent. J'étais la trotteuse d'une montre brisée. J'étais hors du temps. J'étais mon propre temps. Je n'avais rien choisi. J'étais le produit d'une famille qui s'était détraquée petit à petit, à mesure que chacun en minait le fonctionnement. Je tentais à ma manière de tenir le rythme. Pour y arriver, je n'avais d'autre option, pour l'instant, que d'héberger cette femme sûre d'elle et efficace. Celle qui semblait ne rien craindre, mais qui s'inquiétait, au fond de son lit, quand son frère n'avait pas regagné le sien.

Il le fit aux petites heures sans déroger à ses habitudes. Il tripota la porte extérieure assez longtemps pour que je comprenne qu'il était beurré. Je courus pieds nus pour lui ouvrir. Une odeur de vomi monta à mes narines. Une tache sombre ornait la neige près de la galerie.

— Mâaa 'tite sœuuuur!

— Pas si fort, tu vas réveiller maman.

Je le pris par le bras, le fis entrer et approchai une chaise en la tirant avec mon pied. Il s'y affala lourdement. Son menton s'affaissa aussitôt sur sa poitrine.

— Wô! Endors-toé pas là! J'vais te mettre dans ton lit. Ça a pas de bon sens d'être soûl de même.

— Y'é mort, 'tite sœur. Mon… *chum*… a perdu la tête. Pffft! Pus là! Parti, le coco!

Son menton retomba à nouveau. Je le secouai tout en tirant sur les manches de son paletot. Son corps avait la souplesse du Jell-O. J'en saisissais un bout et le reste glissait vers le sol. Après de longues minutes d'efforts, je réussis à le conduire jusqu'à son lit. Il s'y écrasa comme un arbre qu'on vient de couper. Je retournai à la cuisine pour récupérer ses vêtements. Je ne voulais pas que Marie-Jeanne les découvre au lever. Lorsque je soulevai le paletot, un objet s'en échappa et heurta le plancher. Malgré la pénombre, je vis qu'il s'agissait d'un bracelet. Je fouillai les poches et mes doigts tâtèrent un bon nombre de montres, des bagues et une broche. Je refermai la porte de ma chambre et allumai la lampe de chevet. La lumière ne fit aucun effet sur mon frère; par contre, les bijoux semblèrent s'illuminer. Sur la broche de corsage, deux petites roches brillantes projetaient des éclairs. Des diamants! Quant aux bagues, elles étaient en argent ou en or, et l'une d'elles était sertie d'une pierre bleutée. Le reste était composé d'une dizaine de montres-bracelets dont plusieurs fonctionnaient très bien. Comme Francis ronflait, j'entrepris de fouiller toutes ses poches. Je trouvai d'autres montres, des boutons de manchette et, dans son portefeuille, je comptai cent quatre-vingt-quatre dollars. Je tremblais en remettant tout en place. Dans quoi mon frère s'était-il fourré?

Résidence Clair de lune, Trois-Rivières, hiver 2002

— C'est le Bon Dieu qui t'envoie!

— Ben non, madame Martel. C'est juste que les filles étaient débordées sur l'étage, pis on m'a demandé de venir les aider, dit Gaétane en brossant avec douceur la coiffure d'Héléna.

— J'pensais pas te revoir! Ça me fait tellement plaisir!

— Moé aussi, madame Martel.

— Me semble que j'ai d'l'air folle avec une blouse pis rien dans le bas!

— Personne va s'en apercevoir avec la couverture que je vous ai mise. Vous êtes ben correcte de même. Tout le monde va regarder les musiciennes.

— On voit ben que tu connais pas la Gervais. Elle a des rayons X à la place des yeux. Elle s'imagine qu'on devrait être toutes « crêtés » comme elle!

— Vous vous en faites trop pour rien. Allez, je vous descends en bas, faudrait pas être en retard.

— Le connais-tu, toé, Gérard Blais?

— L'ancien curé? Ben oui, sa chambre est sur le même étage que vous, presque au bout du couloir.

— J'le sais. C'est pas ça que je voulais dire. Il est comment? J'y ai parlé, pis il avait l'air drôle.

— C'est son alzheimer. J'pense que ça s'améliore pas.

— Il prend-tu des médicaments?

— Oui, mais ça l'aide pas vraiment. Son cœur est pas trop fort, pis il fait de la haute pression. Si je me souviens ben, il a un pilulier assez bien garni. Pourquoi vous demandez ça?

— Pour rien. Je voulais qu'il me donne l'absolution, mais on dirait qu'il me comprend pas.

— Eh que vous devez avoir des choses à vous reprocher!

Héléna préfère ne pas poursuivre sur ce terrain. Elle a tout noté dans son manuscrit. Elle en a même offert la lecture à Gérard Blais, qui a refusé, prétextant ne s'en tenir qu'à la Bible. Son attitude l'a froissée. Il n'a pas semblé comprendre qu'elle avait besoin de son pardon. Elle se doit de faire une autre tentative auprès du petit curé.

CHAPITRE 9

La Tuque, printemps 1941

Comme je le pensais, les manifestations d'intimidation de Josette à mon égard s'intensifièrent dès qu'elle sut que Matthew était en route pour les États-Unis. Elle m'apostrophait ouvertement devant les filles. Elle soulignait la moindre de mes fautes et ne se gênait pas pour me créer des problèmes. Comme si j'avais besoin qu'on en rajoute. Déjà qu'à la maison, l'atmosphère était à son plus bas. Marie-Jeanne avait une tête d'enterrement, tiraillée entre son fils rebelle et la menace du beau temps, qui allait peut-être lui rendre le corps de Fabi.

Francis brassait des affaires dont il refusait de me parler. Il racolait ses clients dans les nombreux hôtels de la ville et fréquentait de plus en plus Maximilien. Pendant cette période, je le vis rarement à jeun. Il rentrait tard, se couchait tout habillé et se réveillait au petit matin en hurlant comme un forcené. Il me fallait alors le prendre contre moi et le rassurer pour qu'il se rendorme.

De son côté, Edmond se faisait plus entreprenant et me tournait autour comme un matou en rut. Je me sentais attirée par lui, mais il me semblait que j'avais plus urgent sur les bras. À l'usine, l'atmosphère se détériorait.

Un soir de mai, après mon quart de travail, Josette commit l'irréparable. Elle me suivit le long de la voie ferrée. Un bout de chemin que j'empruntais jusqu'à la rue Scott, où j'aimais m'attarder devant la vitrine du cordonnier Ducharme. Sa boutique avait une porte en coin. Sur la façade donnant sur la rue Commerciale, il étalait «son plus bel ouvrage», comme il disait. Car en plus de fabriquer des bottes de travail pour les ouvriers de l'usine, il en confectionnait pour leur seule beauté, au gré de sa fantaisie. Parmi celles-là, il y en avait une paire en cuir brossé, dont la cheville s'ornait de minuscules chevaux en pleine course. Ils me rappelaient Ti-Gars. Leur élégance me faisait envie. Le prix représentait un luxe que je ne pouvais pas me payer. Qu'importe, je les emportais dans ma tête et me couchais avec leur image, comme une petite fille avec ses nouveaux souliers. Josette profita de cette rêverie pour m'aborder.

— C'est sûr qu'il te trouverait belle avec ça.

— Qu'est-ce que tu fais là, toé?

Je ne l'avais pas entendue approcher. Pourtant, elle était costaude. Elle avait les épaules carrées, un visage aux traits appuyés, une poitrine lourde et de larges mains qui seraient mieux serties sur un corps d'homme. Je voyais mal l'expression sur sa figure. La lumière du lampadaire lui arrivait dans le dos.

J'entendis qu'elle ricanait, ce qui fut loin de me rassurer.

— Penses-tu que le beau Matthew m'aimerait, si je portais des bottes comme ça? demanda-t-elle.

— Laisse faire tes platitudes, j'suis fatiguée. J'm'en vais me coucher.

— Sauve-toé pas de même. D'habitude, tu les regardes plus longtemps.

— Coudonc, tu me suis-tu?

Elle me prit fermement par l'épaule. Je me sentis comme dans un étau. Mon gabarit faisait la moitié du sien. Mon courage, pas beaucoup plus. Je me souvenais d'avoir pissé dans ma culotte, sur la montagne, quand l'ours m'était apparu. Je ne voulais pas que ça se reproduise. Aussi, je me concentrais sur ma vessie.

— Ça prend un bon salaire pour les acheter. Si t'étais pas venue mettre ton petit nez dans mes affaires, c'est moé qui aurais eu ton poste.

— C'est Matthew qui a décidé. J'ai rien demandé.

— Ben voyons! Quand y'é là, t'as l'air d'une chatte en chaleur.

D'une poussée bien appuyée, elle me plaqua sur le mur près de la vitrine. Je laissai tomber ma boîte à lunch. Josette était encore plus forte que je ne le croyais. D'une seule main, elle m'immobilisait et de l'autre, m'écrasait l'entrejambe. Je sentais son gros doigt enfoncer mon pantalon jusqu'à mon sexe.

— C'est de même que tu l'as convaincu? dit-elle en ricanant. Moé aussi, je peux t'en donner des chaleurs, ma petite cocotte. Assez pour que t'ailles t'éventer ailleurs. T'es de trop ! C'est-tu assez clair ?

Pendant qu'elle poussait sur mon sexe à me faire mal, son autre main remonta sur ma gorge. Ma vue se brouilla et je perdis lentement mes moyens. Mes muscles se ramollirent et j'eus l'impression que son poing tout entier s'enfonçait entre mes cuisses. Des larmes d'humiliation roulèrent sur mes joues. J'entendis un cri. La pression se relâcha. Josette me murmura à l'oreille : « J'espère que t'as compris. Fais de l'air ! » Mon corps libéré tomba sur le sol. Je toussai à plusieurs reprises en serrant les jambes. Puis quelqu'un se pencha sur moi et m'aida à me relever. Je finis par reconnaître Mikona, la métisse, qui me bombarda de questions.

— Es-tu correcte ? C'était qui, elle ?

— On dirait que t'es due… pour me sauver, lui répondis-je en grimaçant de douleur.

— On dirait que t'as le don de te mettre sur le chemin des ours. Celle-là voulait-tu protéger ses petits ?

— Elle voulait protéger… autre chose.

Je m'appuyai contre le mur de la cordonnerie. Des points blancs dansaient devant mes yeux. Je respirais à grands coups et la fraîcheur de la nuit s'engouffrait dans mes poumons comme une giclée de frelons enragés. D'une main, je replaçai la fourche de mon pantalon. La pression du poing de Josette y était toujours imprégnée. Mes muscles endoloris en témoignaient.

— Elle t'a fait mal? T'es toute tremblante.

— J'pense qu'a m'aime pas, dis-je en me tâtant la gorge.

— À te voir la face, on dirait qu'elle a voulu te battre!

— Ben non, est juste jalouse... Des histoires de *shop*.

— J'aime encore mieux les histoires d'ours pis de loup. C'est moins compliqué!

— Mais toé, qu'est-ce que tu fais... dans la rue à cette heure-là?

Ma question sembla l'embarrasser. Elle se pencha pour ramasser ma boîte à lunch. Je n'osais pas trop bouger. J'avais l'impression d'avoir couru jusqu'au bout de mes forces.

— Quand on passe l'hiver à chasser, avec pour seule compagnie ses parents, les rats musqués pis les castors, des fois, on se laisse tenter.

J'attendais de savoir par quoi, mais elle me regardait sans rien ajouter. J'éloignai mon dos du mur pour tester mes jambes chancelantes. Mikona s'empressa de me tendre le bras.

— T'es sûr que t'es correcte?

— Ça va aller.

— Je sortais de l'hôtel Central, dit-elle sur le ton de la confidence.

— Ah! je vois, dis-je en lorgnant le panneau illuminé, accroché au-dessus d'une petite porte donnant sur la rue Scott.

À cette époque, les établissements hôteliers poussaient, dans la ville, plus vite que les mauvaises herbes dans le jardin de ma mère. Ils étaient le havre des bûcherons de passage et la pommade nécessaire à la fatigue des travailleurs de l'usine. J'avais entendu les filles en parler, à voix basse, durant les pauses. On ne demandait pas trop cher pour les nuits écourtées. J'étais un peu gênée pour Mikona, mais en même temps heureuse de la coïncidence qui l'avait mise sur ma route. Qui sait jusqu'où Josette aurait osé aller? Je sentais encore son gros doigt entre mes jambes. Son haleine était restée dans ma bouche. Une sale odeur de cigarette et de jambon salé.

— Veux-tu que je t'accompagne? demanda Mikona.

— Non, c'est correct. J'vais pas dans la même direction qu'elle.

— C'est bon, alors je rentre.

Mon estomac n'était pas du même avis. Je me retournai pour vomir le long du mur. Cela eut pour effet de m'alléger. Comme si je venais de recracher le fiel que Josette avait déversé sur moi.

— T'es sûre que ça va aller?

J'opinai de la tête et m'essuyai la bouche avec le collet de ma chemise.

— J'suis peut-être mieux d'attendre encore un peu. Parle-moé de Fabi en attendant.

— Je t'en ai dit pas mal.

— Elle était comment avec vous autres?

— Elle parlait pas beaucoup. Ça a pris plusieurs jours avant qu'elle soit solide sur ses jambes. Des fois, elle pleurait avant de s'endormir. D'autres fois, elle s'assoyait près d'un p'tit ruisseau, sur un tronc d'arbre. Elle regardait l'eau couler par une ouverture dans la neige. Elle avait l'air de jongler avec la forêt autour. Quand elle a eu repris des forces, elle nous aidait sans rien demander. Pis un matin, elle nous a dit qu'il fallait qu'elle parte. Elle m'a serrée longuement et m'a remis le peigne et la peau d'hermine que mon père lui avait donnée en échange de son travail. Pour que je te les remette.

Les mots de Mikona étaient un remède pour mon corps. L'entendre parler de ma sœur me redonnait la force que Josette m'avait enlevée. Sa voix portait l'espoir de retrouver Fabi. Elle guérissait.

— Elle t'a pas dit ce qu'elle comptait faire au lac Saint-Jean?

— Tu connais ta sœur mieux que moé. J'ai fait ce qu'elle m'a dit de faire. Pour le reste, il faudra espérer.

— C'est cruel pour ma mère, pour Yvonne et mes frères.

— Mon père dit que le temps est un baume pour le cœur et l'espoir, de l'eau fraîche pour attendre. La cruauté aurait été que le Wayagamac rende son corps.

— J'le sais pas si je vais être capable de patienter. Mais en attendant, j'me sens mieux. Merci d'avoir été là.

— On dirait que les manitous sont de ton côté! Bonne nuit, Héléna. Fais attention à toé.

— Bonne nuit, Mikona.

En retournant chez moi, à petits pas, je serrais les cuisses pendant que mon autre moi était sur le qui-vive.

꩜

À la fin de mai, le printemps avait effacé toute trace de l'hiver. Les nuits restaient froides, mais le soleil prenait de l'assurance. Il forçait les feuilles à se déployer et les bras des filles à se dénuder. Marie-Jeanne lorgnait notre cour avec l'intention d'y faire un grand jardin. Elle avait déjà plusieurs sachets de graines qui attendaient dans un tiroir. Je l'aidais à retourner la terre. Francis n'était jamais en état de participer. Soit il était en crise et ivre, soit il était fripé et s'occupait de ses montres. Il n'y avait plus de juste milieu où on pouvait le rejoindre. Notre chambre prenait des allures de boutique d'horloger. Le matériel se multipliait à une vitesse vertigineuse. Mon frère avait installé des tablettes au pied et à la tête de son lit. Elles débordaient d'outils, de boîtiers, de bracelets, de petits pots contenant des engrenages, des ressorts, des vis, la plupart minuscules. Il fourrait son linge sous le lit, dans des cartons, au grand dam de Marie-Jeanne, qui ne décolérait pas. Mais tout cela tenait en place, même si Francis relançait souvent notre mère pour qu'elle lui prête de l'argent. J'avais alors droit à des échanges pimentés et acariâtres.

Le bruit courait que la plupart des lacs étaient calés. Marie-Jeanne avait allongé sa période de prière en prévision du pire. Quant à moi, je trouvais le lac Saint-Jean bien loin et difficilement accessible. Qu'importe, je projetais de m'y rendre. Si Fabi ne pouvait venir à moi, j'irais à elle. Je gardais une partie de ma paie, que je dissimulais dans un bas sous mon matelas. Je n'avais aucune idée de la somme nécessaire pour le voyage ni de quelle façon je l'entreprendrais. L'important était de me fabriquer un espoir.

Ma sœur Yvonne se trouva un nouvel emploi à mi-temps à la compagnie de téléphone. Malgré sa voix tonitruante, on semblait l'apprécier. Elle se remit à fréquenter la salle de danse les samedis soirs. Elle me torturait afin que je l'accompagne. J'acceptai finalement pour qu'elle cesse de m'importuner.

Je ne peux oublier la première fois où j'entrai dans cet endroit enfumé et bruyant. Un ensemble de trois musiciens jouait un fox-trot entraînant et quelques couples se trémoussaient sur la piste de danse. Yvonne se faufila comme une habituée vers une table ronde le long du mur plaqué de miroirs. Je la suivais en évitant de dévisager les amoureux, dont certains s'embrassaient sans pudeur. J'avais l'impression que des regards se posaient sur moi avec insistance.

Yvonne commanda au serveur deux martinis sans me demander mon avis.

— TU VAS VOIR, TU VAS AIMER ÇA!

Dans cette ambiance cacophonique, crier n'avait rien de déplacé. Un homme s'approcha et l'invita sur la piste. Elle se leva sans hésiter. Je paniquais à l'idée qu'on me fasse la même demande. Je ne savais pas danser. Ma sœur m'avait dit que c'était sans importance. « TU TE LAISSES ALLER, C'EST PAS TOÉ QUI MÈNES!» Je transpirais abondamment quand les deux verres se posèrent sur la table. Je pris ma sacoche pour régler, mais le serveur m'arrêta.

— Pas besoin, Héléna, c'est ma tournée!

Edmond avait le sourire fendu jusqu'aux oreilles. Il tenait son plateau sous le bras. Il était trop mignon avec ses cheveux collés au crâne, sa chemise blanche et son nœud papillon noir. Ses yeux brillaient pour moi et ses joues rosissaient encore plus que d'habitude. Il se pencha vers moi pour me parler à l'oreille.

— J'suis content de te voir icitte! J'me demandais quand tu viendrais. Tout à l'heure, ça va être noir de monde.

— T'es pas mal beau en *waiter*!

— Ben, merci! Je prends une pause, tantôt. J'vais venir te chercher.

Sans me laisser le temps d'acquiescer, il se dirigea vers une table pour noter les commandes de deux couples. Yvonne se trémoussait sur le plancher de danse. Son partenaire lui reluquait les seins sans se gêner. Je repoussai plusieurs offres. Ma sœur n'en refusa aucune. Le martini aidant, je finis par céder. J'acceptai l'invitation d'un jeune homme pas très beau à la mâchoire carrée. Le rythme était lent et je lui pilai sur les pieds à plusieurs reprises. Il ne s'en formalisa pas. Sa main rugueuse descendait sur mes reins et je n'avais pas l'heur de la remonter. Quand les musiciens s'arrêtèrent pour une pause, Edmond vint me chercher et m'entraîna vers la sortie. L'air du dehors me sembla d'une fraîcheur salvatrice. Nous étions dans la rue étroite qui séparait l'hôtel Royal de son voisin, le Balmoral. Je sentis ma gorge se libérer de la fumée et de l'alcool qui s'y étaient imprégnés.

— Comment tu trouves ça ? me demanda Edmond avec des airs de propriétaire.

— C'est le *fun*. Mais on s'entend pas parler.

Sans que je m'y attende, il m'embrassa sur la bouche. Mes deux martinis avaient amoindri mes réflexes. C'était mon premier baiser et je ne réagissais pas. J'avais les lèvres entrouvertes bien plus par stupeur que par collaboration. Je sentis sa langue passer entre mes dents et racler mon palais. Edmond se recula et s'alluma une cigarette.

— As-tu aimé ça ?

— J'te l'ai dit, je trouve ça le *fun*. Y'a de l'ambiance.

— Non, je parlais pas de la soirée, mais de toé pis moé. Du p'tit bec.

Peut-être avait-il un peu bu, lui aussi. Il était entreprenant. Je le sentais sûr de lui.

— Ben, ouais.

— Ça veut dire qu'on est ensemble ?

J'éclatai de rire devant son empressement. Je répondis de façon ambiguë en lui prenant la main. Il posa son autre main sous mon sein. Je le repoussai gentiment. À ce moment, je vis sortir, par la porte de l'hôtel voisin, l'homme que Francis avait appelé Maximilien. Il portait un chapeau enfoncé sur les yeux, mais je reconnus son nez large et son menton proéminent.

— C'est qui ce gars-là ? demandai-je à voix basse.

— Lui ? C'est un habitué. Ton frère le connaît ben. Ils sont souvent ensemble au bar.

— Qu'est-ce qu'il fait dans la vie ?

— Y paraît qu'il travaille à Montréal. Un genre de commis-voyageur. On le voit pas pendant plusieurs jours, pis il réapparaît. Il arrive toujours par le train. Pourquoi tu t'intéresses à lui ?

— Tu l'as dit. Il est souvent avec Francis.

— Ton frère passe ses journées à l'hôtel.

— Tu m'apprends rien. Y dit que c'est pour augmenter sa clientèle.

— C'est pas de mes affaires, mais ton Francis, il est pas mal bizarre.

— Comment ça ? lui dis-je, intriguée par le ton qu'il employait.

— Ben il boit pas mal dru, pis il a toujours les poches pleines d'argent. J'sais qu'il répare des montres. Il en achète, pis il en revend. Mais des fois, il se met à gueuler en imitant Hitler. D'autres fois, il pleure.

Pis y arrête pas de faire des blagues. Il dérange un peu. Le *boss* l'endure parce que c'est un bon client.

— Penses-tu qu'il fait des affaires croches?

— Ça, ma belle Héléna, c'est pas de mes troubles. Un buveur, c'est un client. Moé, je les sers. J'fais pas d'enquêtes de police. Pis là, faut que je retourne travailler. Viens-t'en, dit-il en m'embrassant sur la joue.

Le reste de la soirée se déroula au même rythme. Ma sœur se déhanchait en projetant sa poitrine dans tous les sens. Moi, je refusais la plupart des demandes, sachant qu'Edmond me dévorait du regard. Sans m'en rendre compte, je m'installais dans une relation qui allait devenir oppressante avec le temps.

Aux alentours de minuit, je pressai Yvonne de lâcher prise. Elle avait le regard troublé du poisson qu'on vient de ferrer. Elle me présenta l'heureux élu en bafouillant, l'esprit engourdi par les vapeurs des martinis. Aucun doute qu'elle diluait le souvenir du vicaire dans l'alcool. Antoine était un homme musclé et trapu, à la tête carrée et aux cheveux en brosse. Quand il souriait, ses dents se projetaient en avant. Il regardait Yvonne avec des yeux de feu. Il la tenait par la taille avec une fermeté qui ne mentait pas. Il la désirait et ma sœur ne demandait pas mieux. Je dus m'y reprendre quelques fois avant de la convaincre de quitter la salle de danse. Je n'avais pas envie de rentrer à pied. L'agression de Josette était encore trop fraîche à ma mémoire. Et comme il ne me restait plus assez d'argent, je voulais partager le coût du taxi avec elle.

Elle était contrariée, mais se plia à mon désir. Elle se laissa embrasser et peloter les hanches par son Antoine. Edmond me souffla un baiser de la main, tout en portant un plateau rempli de bouteilles de bière au-dessus de sa tête. Le véhicule arriva avant qu'il puisse se libérer. Pendant que ma sœur me racontait son nouvel amour, je vis Francis entrer dans le bar en compagnie de Maximilien. Ma nuit serait encore une fois écourtée.

Résidence Clair de lune, Trois-Rivières, hiver 2002

— Arrête-toé là, Huguette. Moé aussi, j'ai besoin d'une bonne nuit.

— J'suis contente que tu sois venue au spectacle après-midi. Elles jouaient ben, les deux jeunes filles. J'ai trouvé ça relaxant.

— C'était même endormant par bouts, mais elles étaient ben fines. Pis belles à part de ça.

— J'comprends! Le vieux Lagosse arrêtait pas de leur reluquer la craque de seins. Y'en avait les yeux croches!

— Ça lui arrive-tu de les avoir drettes?

— Pas souvent.

Les deux femmes rient de bon cœur dans une parfaite harmonie. Pour une rare fois, leurs violons sont accordés.

— J'ai un peu mal à la tête. Me donnerais-tu deux Tylenol ? Regarde dans ma table de chevet, dans une petite bouteille.

Madame Lafrenière s'exécute. Elle en ressort deux fioles identiques.

— C'est laquelle ?

— Celle qui en a le plus. L'autre, c'est de la morphine que j'ai pas prise.

— Faut pas se tromper.

— C'est facile. C'est écrit 225 sur le comprimé.

— J'le sais ben. Inquiète-toé pas. Je connais ça, des Tylenol.

Huguette dépose les deux pilules dans la main d'Héléna, puis elle lui tend un verre d'eau tiède versée à même le pichet.

— On est rendues loin dans ton manuscrit. Vas-tu parler de ton garçon quelque part ?

— Faudrait peut-être que je commence par accoucher, tu penses pas ?

— Oui, c'est juste une question comme ça. As-tu des nouvelles de lui ? demande Huguette d'une voix trop mielleuse.

— Pantoute ! Veux-tu savoir d'autres choses ?

— Fâche-toé pas. Je trouve ça curieux qu'un enfant vienne pas visiter sa mère mou…

— Dis-le, mourante !

— Je voulais pas dire ça, tu vas mieux, là. Moé, j'ai pas eu d'enfant, pis mes parents sont décédés. J'ai ben une vieille cousine, mais on se fréquentait pas.

J'imagine que si j'avais un enfant, j'le verrais à mon chevet.

— La réalité, Huguette, ça dépasse parfois l'imagination.

— J'ai déjà entendu ça, mais j'sais pas trop ce que tu veux me dire.

— J'pense qu'il est le temps de se coucher. Ah! j'ai demandé à l'infirmière si je pouvais avoir une chaise à moteur. Elle m'a répondu que je pourrais en louer une dans le privé. Vas-tu m'aider à la faire fonctionner?

Huguette n'est pas convaincue d'avoir bien compris. Elle replace ses lunettes sur son arête de nez trop étroite. Que signifie ce retournement de situation? Avec une jambe en moins, son amie parle de courir la galipette alors que, jusqu'à maintenant, elle ne voulait même pas sortir de son lit.

— Tu veux aller où?

— Comment ça, où? Je me sens mieux. Je veux en profiter pour le temps que ça dure. D'aller au spectacle, ça m'a donné le goût de sortir de la chambre. J'pensais que tu serais contente.

— Ben oui. C'est juste que ça me surprend. C'est pas dans tes habitudes.

— Des fois, ça prend une bonne raison pour nous motiver. Pis avec le moteur, j'aurai pas besoin qu'on me pousse.

— Je veux voir ça! dit madame Lafrenière songeuse.

CHAPITRE 10

La Tuque, printemps 1941

L'épisode de Josette fut celui qui m'amena au bord de l'abîme. Sans doute parce qu'elle me haïssait ouvertement. Elle ne s'en cachait plus. Pour elle, j'étais devenue une proie sans protection. Elle m'apostrophait devant les filles. Elle se régalait de la moindre erreur provenant de mon groupe. Je ne disais mot, mais l'énergie contenue au fond de moi me pressait d'agir avant que cette animosité me submerge. Le problème est que j'en avais peur. Elle me terrorisait. Depuis mon agression, contre le mur de la cordonnerie, je réagissais quand elle me frôlait. J'avais gardé la mémoire de ses mains sur mon corps. Elles avaient implanté sous ma peau des capteurs ultrasensibles qui pouvaient s'activer d'un simple regard.

Je sentais qu'il me fallait la connaître mieux. Je l'observais à la cantine. Je me plaçais de façon à pouvoir écouter ses conversations. Je fouillais sa boîte à lunch, qu'elle rangeait sous l'établi près de la porte. Je la suivis jusque chez elle. J'appris qu'elle vivait avec son père à demi paralysé et incapable de travailler. Je savais qu'elle n'avait pas d'amis ni d'amoureux, ce qui était loin de me surprendre. J'eus même l'occasion d'inspecter sa case. Du linge sale, des gants, des cartes de poinçon, des souliers, une lime et des pinces avec un numéro d'inventaire de la compagnie, une revue de mode qui m'apparaissait incongrue de la part d'une femme si peu soucieuse de sa personne, un poignard qui me fit frissonner et une bouteille d'un liquide blanc à prendre après les repas. Je savais qu'elle se plaignait d'ulcères à l'estomac.

J'arrivais avant elle à l'usine pour voir quelles étaient ses habitudes. J'étais douée pour fouiner. Tout le monde a des secrets. Josette n'était pas différente. J'avais remarqué qu'elle ne rentrait pas toujours directement chez elle après le quart de travail du soir. Elle se rendait dans l'entrepôt et se faufilait entre les piles de caisses. Elle en ressortait avec un sac de toile, qu'elle pressait contre elle. Puis elle se glissait par la porte d'en arrière et descendait sur le bord de la rivière, là où des milliers de billes de bois flottaient pour être dirigées vers un convoyeur, qui les transportait sur le haut de la butte, près de l'usine. Une ou deux fois par semaine, cet endroit était silencieux. La plupart du temps entre dix heures du soir et trois heures du matin. Soit à cause d'une production ralentie ou parce qu'on devait procéder à une réparation. Ce qui était chose courante, au dire des employés. Depuis la construction du barrage, l'augmentation du niveau d'eau en amont avait permis une nouvelle installation pour extraire les pitounes. Le rodage de ce long convoyeur était plus difficile que prévu.

Josette s'y rendait en évitant les zones éclairées. Elle marchait vite et jetait de fréquents regards de gauche à droite. Elle prenait un chemin tortueux sillonnant entre les amoncellements de bûches, les tracteurs au repos et les hangars déserts à cette heure. Elle aboutissait sur une passerelle, à l'ombre du convoyeur. Elle y restait une vingtaine de minutes, debout devant la rivière, jusqu'à ce qu'une silhouette d'homme vienne la rejoindre. De mon poste, j'observai qu'elle lui remettait le sac en échange de quelque chose, qu'elle acceptait de la main ouverte. Puis tous deux se retiraient dans l'ombre pendant plusieurs minutes. L'homme ressortait en attachant son pantalon. Il repartait avec le sac en direction de la petite élévation qui avait donné son nom à la ville de La Tuque. Josette restait sur la passerelle, appuyée à la rambarde. De temps à autre, je voyais qu'elle s'essuyait les yeux. Je sentais l'excitation de découvrir une faille dans son armure.

Deux jours plus tard, j'entendis un ouvrier se réjouir du fait que ce poste de travail serait fermé pour deux jours. La plupart des hommes détestaient ce labeur. L'humidité, le froid, les embâcles, quand les bûches s'entremêlaient dans le convoyeur, et les bris fréquents de la machinerie en étaient les causes.

C'était pour moi l'occasion que j'espérais. Je précédai Josette et me cachai en surplomb de la rivière, parmi un amas de billots, assez près pour l'observer.

Je ne souhaitais pas m'éterniser à cet endroit. En ce temps de l'année, l'eau était froide et je sentais la brume monter jusqu'à moi et s'accrocher à mes vêtements. L'odeur forte de l'écorce mouillée m'enveloppait. Dans un passé récent, les billes qui m'entouraient flottaient à la surface de la rivière Saint-Maurice. Par endroits, on y voyait encore du limon.

Josette s'amena par son chemin habituel. Elle regardait autour d'elle pour être certaine que personne ne s'attardait dans les environs. Elle prit position dans l'ombre et déposa sa boîte à lunch près d'elle. Puis le manège que j'avais observé deux jours auparavant se répéta. Un homme vint la rejoindre. Elle lui remit un sac, dont il examina le contenu. Cette fois, je vis plus distinctement Josette baisser son pantalon en se retournant. Je devais être rouge de confusion allongée sur mes billots. Après son départ, elle sortit de sa poche ce qui me sembla être de l'argent, qu'elle compta rapidement. Après quelques instants, j'entendis qu'elle marmonnait et que son soliloque était entrecoupé de sanglots. Je levai la tête en prenant appui sur un gros tronc près de moi. Il me fallait mieux distinguer. C'est à ce moment que les bûches glissèrent l'une sur l'autre vers la rivière. Je fus entraînée dans le mouvement et un billot fendit la surface de l'eau dans un plouf sonore. Un deuxième suivit peu après. J'essayais de m'agripper à quelque chose de solide, mais il me semblait que j'étais sur une luge. Je ne criai pas. Josette le fit pour moi.

— Eille! Y'a-tu quelqu'un?

Oui, il y avait moi, les deux pieds dans l'eau, avec une pitoune qui me retenait par la hanche. Je n'osais pas bouger, de peur que le tout ne se remette en mouvement et de peur d'être repérée par Josette. J'attendis plusieurs minutes. Mes pieds commençaient à engourdir. Je redressai la tête en direction du quai. Elle n'y était plus. Avec d'infinies précautions, je ramenai mes jambes et entrepris de me libérer. Je rentrai le ventre et glissai centimètre par centimètre en priant pour que rien ne se déplace. Après plusieurs contorsions, je me retrouvai à quatre pattes. J'avais l'air d'une alpiniste suspendue à sa paroi. Une erreur et je serais emmêlée au milieu d'un enchevêtrement de billots dans la rivière. Je pensai à Mikona qui croyait que les manitous étaient partout dans la nature. Celui de la rivière Saint-Maurice veillait sur moi. Ce soir-là, j'en eus la certitude en foulant la terre ferme.

Mes bottes étaient remplies d'eau et gargouillaient à chaque pas. La terre s'y agglutinait à mesure que j'avançais. Mes orteils étaient raides et engourdis. Je devais repasser par ma case, prendre mes chaussures et retourner chez moi. Je refis le chemin inverse et rentrai dans l'usine par une petite porte de l'entrepôt. Je secouai les pieds pour en déloger la boue. Malgré tout, chacun de mes pas laissait une marque sur le plancher de ciment. Je me faufilai entre les hautes caisses de matières premières jusqu'au mur où je savais qu'on prévoyait un espace pour circuler. Par cet étroit passage, je n'attirerais pas l'attention. Notre salle de travail était déserte. Il me restait à espérer que le couloir où s'alignaient les casiers l'était aussi.

Je me dépêchai de me départir de mes bottes et de mes bas mouillés. J'en pris une paire bien sèche que je gardais au cas où. J'en étais à enfiler le deuxième bas quand une voix me fit sursauter :

— Héléna ? C'est ben vrai. C'est icitte que tu travailles.

Antoine s'avançait vers moi en souriant à pleine bouche. Il tenait de gros maillons de chaînes à demi enveloppées dans une guenille maculée d'huile. Ses biceps étaient gonflés sous l'effort. C'était la première fois que je le croisais à l'usine. Je n'avais aucune envie d'échanger des mondanités.

— Tu parles d'un hasard ! C'est rare que je vienne dans le coin. J'avais affaire à la *machine-shop*. Viens-tu danser samedi prochain ?

J'étais à cent lieues de me préoccuper de ce que je ferais la fin de semaine suivante. Malgré mes bas secs, mes pieds gelaient au contact du plancher de ciment. Je me rendis compte que mes vêtements gardaient la trace des billots souillés.

— J'vais voir ça.

— Ce serait le *fun*. L'hôtel a fait venir des musiciens de Québec. Y paraît qu'ils sont ben bons !

— J'suis un peu fatiguée, Antoine. Il faudrait que je rentre.

— Ben sûr, j'suis là, pis je t'empêche d'aller te coucher. T'es-tu toujours aussi sale quand tu travailles ?

— Non. C'est parce que j'ai glissé dans une flaque de boue dans la cour en arrière. Il a fallu que j'apporte une palette pour notre stock. C'est rien de grave.

— T'sais qu'il faut signaler ça, les accidents. La compagnie est stricte là-dessus.

— Ben non, c'est juste une niaiserie. Un bon lavage, pis tout va être correct.

— N'empêche que la sécurité, faut pas niaiser avec ça ! Faut que je m'en retourne. Ils m'attendent aux cuves.

Comme il s'apprêtait à tourner les talons, je vis Josette surgir au bout du couloir. En m'apercevant, elle s'arrêta et me fixa longuement. Je la croyais déjà sortie de l'usine.

— À ben y penser ! Je vais revenir avec toé. C'est dans la même direction.

Pendant qu'Antoine continuait à discourir sur les qualités de ma sœur Yvonne, je surveillais Josette du coin de l'œil. Je vis qu'elle s'interrogeait sur ma présence, sur les traces d'eau sur le sol, sur les souillures de mes vêtements et sur mes bottes mouillées, que je tenais à la main. Elle m'aurait sans doute tiré les vers du nez si j'avais été seule. Elle disparut en baissant la tête. Ce soir-là, je rentrai en taxi. Il n'était pas question qu'elle me coince en chemin.

Je le redis, elle me faisait peur. La violence qui l'habitait ne ressemblait pas à la mienne. Elle n'était que force physique et haine brutale. Une bête qui ne pensait qu'à faire mal et à déchiqueter sa proie. Une femme frustrée que la beauté avait ignorée et qui donnait son corps dans l'ombre et la honte pour un butin volé et de l'argent. Du moins, c'est ce que j'en concluais en me glissant sous les draps ce soir-là.

Résidence Clair de lune, Trois-Rivières, hiver 2002

Huguette arrête de lire. Elle cherche à visualiser cette femme qu'Héléna avait suivie sur le bord de la rivière. Sa solitude devait être étouffante. Ne pas pouvoir être aimé comme on le voudrait est une torture pour l'âme. Ne l'avait-elle pas vécue elle-même avec Béatrice? Pourtant, l'époque était bien différente dans les années soixante-dix. Le Québec était balayé par une vague nationaliste. Les féministes brûlaient leur soutien-gorge et revendiquaient leur libération. Les mœurs évoluaient, propulsées par l'explosion des années soixante. Malgré cela, sa relation avec l'amour de sa vie resta clandestine. Dix années de bonheur intime qui disparurent dans l'oubli lorsque sa conjointe fut emportée par le cancer du sein. Combien de fois avaient-elles pris le même chemin que Josette pour assouvir le simple désir d'un baiser? Celui de la cachette, de la tanière et de la honte.

— Elle avait l'air de quoi, cette femme-là?

— Coudonc, c'est pas assez clair, ce que j'ai écrit? J'ai dit qu'elle avait des gros traits. J'me souviens que ses sourcils étaient larges, touffus et foncés. Elle avait toujours les lèvres rigides. C'est vrai qu'elle riait pas souvent. Elle était plutôt « baquaisse », mais avec des épaules carrées, pis une poitrine assez forte. Elle s'habillait en homme quand je la croisais en ville. On peut dire qu'elle était laide. Pourquoi tu demandes ça?

— Pour savoir. Elle devait être malheureuse.

— Si t'essayes de changer ce qui va suivre, t'es mal partie!

— J'pense que c'est dur de pas être comme tout le monde.

— À qui le dis-tu!

— As-tu déjà envisagé que peut-être elle souffrait? T'étais une belle femme. Les autres t'aimaient. T'étais tout le contraire d'elle.

— Avec toute la misère qu'elle me faisait, j'avais pas trop envie de la plaindre. Mais je peux comprendre.

— Des fois, la vie nous oblige à prendre des drôles de chemins.

— Coudonc, t'as-tu viré « psychologueuse »? Je t'ai demandé de m'aider à lire, pas de m'analyser.

— Ben pourquoi t'as écrit ça d'abord?

— Parce qu'il fallait que ça sorte! J'en peux pus de garder ça en dedans.

La réponse est venue sèchement. Héléna serre les lèvres et frotte sa cuisse orpheline. De temps à autre, de petits éclairs de douleur lui rappellent qu'elle est en sursis. Le plus étonnant est qu'ils semblent surgir d'un tibia qui n'existe plus. Comme si le fantôme de sa jambe était présent et lui murmurait qu'il serait bientôt temps de payer de sa vie.

— T'as pas idée de ce que c'est que d'être deux dans une, Huguette. On finit par pus savoir laquelle est la vraie.

— Tu te trompes, Héléna. J'ai toujours vécu en double. Une façade pour tout le monde, pis juste en dessous, un autre revêtement. Celui avec lequel j'suis née. Celui qui fait que je suis là à te lire ton maudit livre qui nous empêche de vivre le peu de temps qu'y nous reste.

— Je te l'ai dit, t'es pas obligée...

— Arrête de dire ça! Tu comprends rien. C'est pas par devoir que je suis là, c'est parce que j'aime la femme que t'es. Pas ton double. L'autre, celle qui est drôle, intelligente pis sensible. Celle qui aurait eu le talent d'être une écrivaine. Celle qui s'est occupée de ses proches. Celle-là, c'est une belle femme!

Huguette s'est emportée. Elle le sent au tremblement de ses doigts, au frémissement de ses lèvres. Elle replace ses lunettes et voit que les mots sur le papier sont devenus troubles. Il n'arrive pas souvent que l'émotion l'étreigne à ce point. Il y a bien quelques bonheurs ou tristesses qui rôdent dans cette bâtisse, mais cela se fond dans une sorte de rituel où Huguette fait semblant de tout et de rien.

— Tu penses vraiment ce que tu dis ? Que j'aurais pu être écrivaine ? C'est si bon que ça ?

Huguette a un sourire découragé. Elle hoche la tête et range le manuscrit, qui s'avère être la seule préoccupation de son amie. Elle ne peut changer le cours de ce qui est écrit. Josette mourra. Héléna aussi, mais dans son cas, y a-t-il encore une possibilité d'envisager une fin honorable ?

CHAPITRE 11

Résidence Clair de lune, Trois-Rivières, hiver 2002

—Êtes-vous confortable, madame Martel?

Héléna tente de se caler bien au fond de la chaise motorisée. Elle s'assure que la couverture masque sa jambe amputée. Le fauteuil est plus massif qu'elle l'imaginait. La préposée lui tourne autour tel un mécanicien de Formule 1. L'infirmière-chef est tout sourire. Le départ est prévu dans le corridor devant la porte de sa chambre. Le livreur a pris le temps de lui expliquer le fonctionnement en lui faisant une démonstration. Chacune a essayé l'engin avant de l'y installer. Maintenant qu'elle est prête, on lui répète les instructions concernant l'unique manette, qu'elle contrôlera de la main droite.

—Allez-y, madame Martel! Faites pas trop de vitesse!

Héléna pousse le minuscule manche à balai et la chaise avance en hésitant. Derrière elle, on applaudit de satisfaction. Elle incline le levier et le véhicule obéit sur-le-champ en heurtant le mur du couloir.

— Vous avez juste à tout lâcher pour freiner. C'est ça. Pour accélérer, penchez-le plus. Y'a le reculons aussi. Tirez le bras vers vous !

La préposée prend un plaisir évident à l'accompagner dans son apprentissage. Mètre après mètre, Héléna parcourt l'étage en zigzaguant. Puis elle fait demi-tour et revient devant sa chambre.

— Asteure, on va prendre l'ascenseur, dit Héléna, fière d'elle. J'veux faire une surprise à Huguette.

Elle se rend compte que la manœuvre d'entrée et de sortie ne pourra se faire sans aide. Les portes sont étroites et se referment trop rapidement. Qu'importe, elle n'a pas l'intention de s'y risquer seule.

Madame Lafrenière l'accueille avec une joie contenue. Elle garde un peu d'amertume de leur conversation d'hier et de toutes ces fois où elle a essuyé un refus devant ses invitations à lui montrer sa chambre. Héléna remercie la préposée, qui s'en retourne à ses tâches.

— T'as ben décoré. Ça paraît que t'es installée pour un bout. C'est pas comme moé, qui suis juste de passage.

— Veux-tu que je te fasse un thé ? J'ai ce qu'y faut, dit-elle en désignant une minuscule plaque chauffante.

— Envoye donc. Tant qu'à étrenner mon carrosse, aussi ben fêter ça !

— C'est toute une chaise. Es-tu satisfaite ?

— C'est un peu grand pour ce que j'ai à mettre dedans, mais ça avance. C'est elle, Béatrice ?

— Oui. On était en vacances en République dominicaine. Juste avant qu'elle reçoive son diagnostic de cancer.

— Elle était belle. Toé aussi.

— Merci. J'te mets une pincée de sucre ?

— Vas-y, je l'aime doux. T'as mis des beaux rideaux. T'as des meubles chics. On dirait qu'on reste pas dans la même place.

— Il y a rien qui t'empêche d'avoir des bibelots, des souvenirs ou des photos dans ta chambre. Si tu veux, j'peux aller t'en chercher à l'entrepôt où tu les as mis. Ça serait plus gai.

— Bah ! J'pense pas que ça en vaille la peine.

— Pourtant, t'as l'air d'aller mieux. Tu prends pus de morphine, t'as une chaise roulante, tu me fais une visite. C'est du bon changement, ça.

— Ça a jamais été bon pour moé, le changement. Il me semble que chaque fois, je me suis enfoncée un peu plus. Peut-être que j'aurais jamais dû partir du Wayagamac. J'aurais eu moins de chance de me séparer en deux.

— T'avais pas le choix. Aujourd'hui, c'est pas pareil.

Héléna se contente d'un mouvement de tête. C'est vrai, aujourd'hui, elle veut en finir avec son double. Elle va tout révéler à son sujet pour l'anéantir à jamais. Elle sirote son thé. Fabi serait fière d'elle pour avoir osé la chaise à moteur.

La Tuque, printemps 1941

Pendant que j'échafaudais toutes sortes de scénarios concernant Josette, la situation de Francis s'aggravait. Ses cauchemars évoluaient en hallucinations. Parfois, je le surprenais, assis à la table de la cuisine devant une chandelle, parlant à un interlocuteur inexistant. Il me fallait lui secouer l'épaule pour le ramener à la réalité. Il me regardait alors avec les yeux d'un lièvre semblable à ceux que je ramassais encore vivants, coincés dans un collet, quand je faisais ma *run* de chasse au lac. Lorsque j'approchais mes mains pour les libérer, je sentais leurs corps tendus, prêts à s'enfuir, mais incapables du moindre mouvement. Le fil de laiton ne demandait qu'à se refermer pour en finir. Il n'y avait qu'à le desserrer pour les voir bondir au loin. J'aurais aimé élargir celui de mon frère. Glisser mes doigts dans son esprit et repousser ses fantômes. Je n'avais pas ce pouvoir. À peine avais-je celui du réconfort.

Ma mère vieillissait. Loin du lac, elle dépérissait. Sans nouvelles de Fabi, elle priait de plus en plus souvent et les rides se creusaient sur son visage. Son jardin était une source d'apaisement. Elle y passait des heures à biner, sarcler, redresser un plant, en élaguer les feuilles inutiles. Chaque jour, je brûlais d'envie de lui dire que Fabi n'était pas au fond du Wayagamac, mais comment lui assurer qu'elle n'était pas morte dans les bois? L'un comme l'autre ne pouvait réconforter Marie-Jeanne. Du moins, c'est ce que me suggérait mon cœur, qui se débattait sans cesse entre la fidélité à ma sœur et l'envie d'être, à mon tour, plus forte que nature.

Ma relation avec Edmond évoluait pour le mieux. Il me courtisait avec acharnement. Je retrouvais avec lui l'enchantement de courir les ruisseaux pour taquiner la truite. Il empruntait le camion d'un ami et nous partions à l'aventure. Il comprit rapidement que c'était la meilleure façon de me conquérir. Il ne se gênait pas pour m'embrasser et me tripoter. J'avais de plus en plus de difficulté à contenir son envie.

Au loin, la guerre tonnait de plus en plus fort. Ses échos nous parvenaient et soulevaient les passions. À Montréal, les rassemblements se multipliaient, car on craignait un engagement plus formel du gouvernement canadien. Les quelques volontaires canadiens-français dépêchés en Angleterre ne participaient pas directement au conflit. Ils étaient affectés à des tâches de soutien. Mêlés aux Anglais, ils subissaient une certaine francophobie que, plus tard, les unités du Royal 22e Régiment, des Fusiliers Mont-Royal, du Régiment de la Chaudière et de Maisonneuve feraient ravaler. Pour l'instant, il régnait un climat de peur devant cette guerre qu'on qualifiait de mondiale et qui menaçait de s'étirer sur plusieurs années.

L'usine des Brown tournait à plein régime. Le papier journal était en demande et il fallait fournir la pâte. On allait manquer de main-d'œuvre avec l'arrivée de l'aluminerie de l'Alcan. Même en récupérant ceux qui avaient travaillé à la construction du barrage hydro-électrique de La Tuque, le déficit était prévisible. On se mit à recruter à Shawinigan, Grand-Mère et Trois-Rivières. On améliora la route le long de la rivière Saint-Maurice. De nouvelles habitations surgissaient des terrains vagues. Après les années de vaches maigres des années trente, on sentait qu'un vent de renouveau soufflait sur la vallée latuquoise.

Plus que les autres, nous y étions sensibles. La radio, la machine à laver avec son tordeur à rouleaux, le téléphone, le grille-pain (que je finis par acheter) firent une entrée triomphale dans notre maison. Bien qu'usagés, dans la plupart des cas, ces objets modernes nous émerveillaient. Nous avions vécu en marge de la ville, au rythme des saisons. Il n'en fallait pas beaucoup pour nous impressionner.

Quant à ma sœur Yvonne, elle rechargeait ses batteries. Son Antoine lui fournissait le gros de son énergie, le reste provenait de son nouvel emploi de téléphoniste. Je l'imaginais hurlant les informations pour contrer la friture sur les lignes. Les poteaux devaient trembler sur leur base.

À l'usine, Josette avait changé d'attitude depuis le soir où je l'avais surprise près de la rivière. Sa haine était devenue prudente. Comme lorsque le chien qu'on asticote se révèle plus dangereux qu'on ne le croyait. Je voyais ce doute dans ses yeux. Cela dura une semaine, où je pus respirer un peu. Puis, au début de juin, elle m'offrit l'occasion que j'attendais. Elle me suivit aux toilettes et m'agressa à nouveau. Cette fois, ma tête heurta le mur avec violence et l'équivalent de la Voie lactée traversa mon champ de vision. Son avant-bras me clouait contre la cloison pendant que de son autre main, elle m'écrasait la poitrine.

— Arrête! Tu me fais mal!

— À quel jeu tu joues? J'sais que tu me suis. J't'ai aperçue devant chez nous. Tu me *checkes* du coin de l'œil. L'autre soir, c'était toé sur le bord de la rivière! Tes bottes étaient mouillées, pis t'étais crottée!

— Lâche-moé! Quelqu'un pourrait arriver!

— Ça me fait rien.

— Lâche-moé pareil, j'ai quelque chose à te proposer.

Son hésitation dura trop longtemps à mon goût. Ma tête élançait. J'avais peur qu'elle me frappe. En colère, son visage perdait toute féminité. Sourcils, narines, lèvres se gonflaient autour d'un rictus malfaisant. La carrure de ses épaules s'accentuait et son cou se marbrait de veines saillantes.

— À part sacrer ton camp, j'vois pas ce que tu peux m'offrir d'intéressant.

— De l'argent, murmurai-je dans un souffle.

Elle ne s'y attendait pas. Elle était pétrifiée. Le mot entrait dans son esprit et s'insinuait là où ses émotions ressemblaient aux miennes: incontrôlables et fascinantes. Je sentais au desserrement de son étreinte qu'elle pliait tout comme moi devant son bourreau intérieur.

— J'irai te rejoindre en bas à la rivière. Demain soir, après ton quart, vers minuit et demi. Y'aura personne, c'est fermé pour deux jours, le convoyeur est brisé. Je vais te donner deux cents piastres, mais après, tu me laisses tranquille.

— Comment ça se fait que t'as de l'argent de même?

— J'ai hérité de mon père.

— Penses-tu que je vais te croire?

— Je te jure que t'as intérêt. Parce que je le sais asteure pourquoi on balance jamais dans nos inventaires. C'est à cause que tu vends du stock.

Je m'entendais parler, mais ce n'était pas moi. L'autre tissait son piège et je constatais que ma tactique marchait. Josette recula d'un pas. Elle ne m'examinait plus de la même façon. Elle cédait.

— Si tu t'avises de conter ça à quelqu'un! dit-elle, menaçante, en arrondissant les yeux.

— J'le ferai pas si t'acceptes mon offre. Pourvu qu'on fasse la paix après.

Sa main descendit lentement sur mon corps, mais cette fois, elle glissait avec douceur, sans aucune violence. J'enfonçai mon appât avec plus de conviction en lui murmurant au visage.

— Je pourrais aussi t'aider à l'avenir pour ton commerce. Je pourrais te couvrir pour les inventaires. Pis si ça te tente, je pourrais t'offrir un extra.

Mes mensonges fleurissaient en bouquet. Je sentis que je l'avais ferrée. Je me rappelais sa main entre mes jambes quand elle m'avait serrée contre le mur de la cordonnerie. Son agression aurait pu virer au viol sans l'intervention de Mikona. Elle me regarda droit dans les yeux et eut un sourire que je ne lui connaissais pas. Son visage s'approcha encore plus près du mien.

— T'es mieux d'être là, ma p'tite crisse. Pis ferme ta gueule !

— À minuit et demi, sans faute.

Nous étions excitées toutes les deux, mais pour des raisons diamétralement opposées. Du moins, je le croyais. Quand la porte se rabattit, je respirai un bon coup. J'avais une longueur d'avance sur elle, car mon équipe travaillait de jour et le groupe de Josette le soir. Cela me laisscrait le temps d'installer le piège. Pour l'instant, je tremblais comme une feuille. Je pris le temps de me rafraîchir le visage à même le robinet avant de retourner au travail. Mais qui étais-je donc devenue pour élaborer un pareil plan ?

Résidence Clair de lune, Trois-Rivières, hiver 2002

— Est-ce que tu l'as fait ?

— Fait quoi ?

— L'extra, dit Huguette en déglutissant.

— Ça a l'air de t'exciter.

— Non, c'est juste pour savoir.

— J'ai pas eu besoin.

— Mais s'il avait fallu ? insiste Huguette.

— T'es fatigante ! J'me suis jamais posé la question. J'imagine que j'me serais débattue. J'avais même pas encore essayé ça avec un gars. J'étais comme un pêcheur qui met une cuillère au bout de sa ligne. Tout ce que je souhaitais, c'était de prendre du poisson, pis de pas perdre ma cuillère. On peut dire que j'avais appâté un peu fort.

— Ah ! soupire madame Lafrenière que la métaphore ramène sur Terre.

— T'as l'air déçue. J'sais pas pourquoi tu t'en fais avec ça à notre âge. Profite donc de ce qu'on vit. Tu me fais la lecture, pis j'aime ça. En plus, t'as une belle voix.

Madame Lafrenière redresse le torse et replace son collier de fausses perles. Le compliment lui va droit au cœur. Elle se sent vraiment importante pour quelqu'un. La lecture du manuscrit lui confère un statut privilégié, comme celui du thérapeute face à son patient. Elle sait qu'Héléna lui livre le secret de sa vie. Un secret qui devient plus lourd à mesure que les pages défilent. Tellement, qu'elle se demande si tout cela ne serait pas que fantaisie d'écrivain. Après tout, les objets trouvés à l'appartement d'Héléna ne peuvent raconter leur propre histoire. Les témoins potentiels ne sont plus de ce monde, mis à part le fils absent dont son amie refuse de parler.

Elle reprend la lecture en s'appliquant plus que d'habitude. Dehors, le printemps s'efforce de montrer sa présence, mais les plaques de neige résistent encore au soleil.

CHAPITRE 12

La Tuque, printemps 1941

J e savais qu'entre la conception et l'exécution d'un projet, il existe un flou inévitable où le hasard tient lieu d'empêcheur de tourner en rond. Quand je revins du travail, cet après-midi-là, Francis était en crise. Je l'entendais hurler de la rue. Notre voisine d'en face, madame Soucy, une femme maigre à la voix perçante, se tenait sur sa galerie, verte d'inquiétude. Je lui fis un signe de la main pour la rassurer. Je ne voulais surtout pas qu'elle en rajoute. Elle sembla soulagée de me voir.

Quand j'ouvris la porte, ma mère était repliée sur elle-même au bout du comptoir de cuisine. Francis ne portait qu'un sous-vêtement et marchait de long en large en criant: «*Heil* Hitler!» Du bras levé, il effectuait le salut nazi. Deux chaises étaient renversées et des éclats de vaisselle jonchaient le sol. Mon frère laissait des traces de sang partout. Pieds nus, il s'était blessé sur un morceau coupant. Quand il me vit, il s'arrêta d'un coup. Ses yeux étaient fous. Il se passa une main dans les cheveux et ceux-ci restèrent en suspens au-dessus de sa tête. Il ricana comme un forcené et pointa Marie-Jeanne.

— Regarde le Führer! Y se cache dans son coin. Pareil comme y cache son argent. Câlisse! Faut se sauver!

— Francis! Arrête! Calme-toé!

— Ton frère est perdu, Héléna! Y'é viré fou.

— Calme-toé, Francis, t'es malade!

Sans avertissement, il fonça vers moi. Le poing levé, regardant par-dessus ma tête. Je m'écartai et il heurta le mur avec son épaule. Le crucifix, au-dessus de la porte, lui tomba sur la clavicule. Il le prit et le brandit comme une massue. Je ne comprenais plus ce qu'il criait. Je me rapprochai de Marie-Jeanne qui pleurait, les mains jointes. Francis frappa les rideaux, qui s'arrachèrent de leur support. Il s'empêtra dedans et chuta sur la berceuse, qui bascula vers le mur. Il resta sur le sol à chialer comme un enfant. Comme j'allais appeler l'ambulance, on cogna avec force à la porte.

— Police! Ouvrez! Qu'est-ce qui se passe icitte?

Je reconnus l'officier qui avait mené l'enquête pour retrouver Fabi au Wayagamac et qui remplaçait maintenant le chef de police. Il était mince et sa casquette semblait une pointure trop grande pour lui. Il était accompagné d'un jeune adjoint, dont le visage poupin jurait sur la sévérité de l'uniforme. À eux deux, ils bouchaient complètement l'embrasure de la porte. Je leur fis signe d'entrer. D'une voix autoritaire, le plus vieux répéta sa question. Je répondis en pointant du doigt l'évidence:

— C'est mon frère. Il est malade. Vous voyez ben!

— Êtes-vous correcte, madame?

Marie-Jeanne hocha la tête tout en continuant à pleurnicher. Ils s'approchèrent de Francis qui reniflait, le nez à même le plancher.

— Il pue la boisson, dit le plus jeune.

— Pogne-le par un bras, on va le relever.

Francis collabora jusqu'à ce qu'il distingue les uniformes. Il se mit alors à hurler et à frapper n'importe comment. On crut pendant un instant assister à un numéro de vaudeville. Le chef perdit sa casquette et faillit s'étaler en marchant sur un morceau de vaisselle. Il reprit son équilibre et mon frère par le cou. Il le souleva en l'entraînant vers la porte. Son coéquipier se mit de la partie en tordant le bras de Francis.

— Faites-y pas mal! criai-je en voyant qu'ils n'y allaient pas avec le dos de la cuillère.

Sans s'occuper de moi, les deux hommes tirèrent Francis jusqu'à leur véhicule, où il s'affala sur le siège arrière. Les voisins étaient sortis sur leur galerie pour ne rien rater du spectacle. Le chef revint pour achever son rapport. J'insistai pour que Francis soit conduit à l'hôpital, mais il me coupa la parole.

— On le met en dedans pour cette nuit. Ça va le faire dégriser.

— Il a besoin d'aller à l'hôpital. Francis est malade. Il faut qu'y prenne ses médicaments.

— Ouais. On verra ça demain matin.

— Il revient de la guerre. Il a été affecté par les bombardements.

— Coudonc, les explosions, c'est de famille! Y'a pas assez de ta sœur qui jouait avec la dynamite?

— C'est de mon frère qu'on parle! Il a besoin d'aide!

— J'vais écrire dans mon rapport qu'il était soûl, pis qu'il a fait une crise. Pour tout de suite, ça va être ben correct comme ça. Inquiétez-vous pas, madame Martel, on va en prendre soin, dit-il en acceptant sa casquette que ma mère lui tendait.

J'étais humiliée de voir qu'on emmenait Francis comme un criminel à l'arrière d'une auto de police. Je les regardai s'éloigner avec un pincement au cœur.

J'entrepris de ranger la maison pendant que Marie-Jeanne allait s'étendre sur son lit.

⤳

Je passai une partie de la soirée à répondre au téléphone. Les nouvelles de ce genre se propageaient comme la peste. Yvonne fut la première à appeler. Bien entendu, elle avait intercepté une conversation à son poste de travail. Je dus m'y reprendre à plusieurs reprises pour lui dire qu'il était inutile de crier. Suivirent ma tante Géraldine, notre voisine, madame Soucy, et finalement Edmond, qui insistait pour venir me consoler. Il n'était pas question que je déroge de mon plan concernant Josette. Il me semblait nécessaire que je rééquilibre mes émotions. Je me sentais écorchée. La remarque du chef de police était pire que la crise de mon frère. Elle ramenait l'odeur de poudre qui flottait dans l'air, près de la *dam*, quand un homme avait crié parce qu'il avait vu s'enfuir Fabi. Une odeur qui avait marqué notre famille au fer rouge. Le suicide d'Aristide, l'avortement d'Yvonne et les excentricités de Francis en rajoutaient. Nos plaies refusaient de guérir. Il ne manquait que de m'afficher au tableau pour qu'il soit complet.

Marie-Jeanne ronflait bruyamment, épuisée par cet épisode sordide. J'avais deux heures devant moi pour mettre mon plan à exécution avant l'arrivée de Josette. J'allais partir quand le téléphone retentit à nouveau. J'arrachai le combiné de son socle.

— Héléna? C'est Francis.

La voix était faible et geignarde.

— Héléna, viens me chercher. J'veux pas rester icitte.

— Ça va ben aller, Francis. Repose-toé. J'te promets que demain matin, j'irai te chercher.

— Non. J'ai peur.

— T'es en sécurité. Couche-toé, ça va te faire du bien.

— J'ai-tu fait mal à ma mère?

La question n'était pas si simple. La blessure était faite depuis sa décision de se porter volontaire. Son retour n'avait rien arrangé, pas plus que ses soûleries. Mais je n'avais pas le temps de palabrer.

— J'suis fatiguée. Maman aussi. On en reparlera demain quand on sera tous reposés.

— T'as honte de moé, hein?

— Francis, t'es mon frère. Tu le sais que je t'aime gros. Couche-toé, pis rappelle pas. J'te vois demain matin. Bonne nuit.

— C'est ça, laisse-moé tomber.

— Francis!

La tonalité m'indiqua qu'il avait raccroché. J'attendis quelques minutes avant de quitter la maison, pour être sûre qu'il ne rappellerait pas.

Je sortis sur la pointe des pieds. Je trouvai dans l'écurie au fond de la cour les outils qu'il me faudrait. J'y avais empilé dans un coin tout ce qui avait appartenu à mon père. Depuis sa mort, rien n'avait bougé. J'écartai sa hache au manche patiné par des heures de labeur. Je soulevai un à un les couteaux qu'il utilisait pour sculpter. Je vis son chapeau suspendu à un clou. Son fusil, posé contre le mur, avec lequel il avait achevé Ti-Gars. Je m'emparai du chapeau, qui dissimulerait mes cheveux, et d'un gros tournevis qui servirait à déboulonner deux madriers de la passerelle. J'avais déjà repéré l'endroit idéal à l'ombre du convoyeur. L'un des deux morceaux de bois était mal fixé. Je souhaitais que le second soit à la portée de ma force. Je n'avais pas besoin de réfléchir à tous ces détails, l'autre avait déjà tout prévu.

La nuit était douce. Je marchais d'un pas assuré en remontant la rue Commerciale, puis la rue Tessier jusqu'à celle des Anglais. Je gardais la tête baissée. Au pire, on se rappellerait un homme pas très grand se dirigeant vers l'usine pour y prendre son quart de nuit. Je suivis le chemin qui menait au pont suspendu permettant de traverser la rivière Saint-Maurice. Je gravis la colline en forme de tuque qui avait inspiré le nom de la ville. Sur la hauteur, j'observai les lumières de l'usine sur ma droite. Je ne voyais pas grand-chose du quai et du tas de billots où je m'étais dissimulée. L'endroit semblait désert. J'avais encore le temps de tout préparer.

Sur place, je me résignai à travailler dans le noir. Les longues vis s'enlevaient sans trop d'effort. Une seule me donna des sueurs froides et je me cassai un ongle pour en venir à bout. Après avoir retiré les deux madriers, j'examinai le trou. Il fallait se pencher pour apercevoir le reflet de l'eau. Debout, on ne distinguait rien d'autre que les ténèbres. Je m'installai au-delà de l'ouverture, près de la cabane du surveillant, et j'attendis ma proie. Je pris conscience à cet instant que l'eau avait souvent accompagné mes intentions criminelles. Par proximité ou par immersion. J'y étais liée. À ma naissance, Marie-Jeanne m'avait raconté avoir perdu ses eaux brusquement. Alors qu'elle était à l'étable, à piocher du foin avec la fourche, son utérus s'était contracté d'un coup. Ses bottines s'étaient remplies d'un liquide chaud qui s'élargissait sous sa robe. Elle avait crié. Aristide s'était précipité avec Francis dans les bras. Mon frère n'avait que deux ans. Il s'était mis à brailler en voyant sa mère à quatre pattes, qui se tenait le ventre en hurlant de douleur. Il s'en était fallu de peu que je sois mort-née. Si par le plus grand des hasards le docteur n'avait pas été chez nos voisins, je ne serais pas là à attendre une femme qui allait mourir.

J'entendis le pas pesant de Josette. Je me reculai contre la cabane, là où la noirceur était la plus profonde. Mon cœur battait à m'étourdir. Josette s'immobilisa à une enjambée du trou. C'était le moment d'attirer son attention. Je refis le même geste que sur la falaise. J'ouvris ma chemise. La blancheur de ma peau devait être perceptible, du moins, je l'espérais.

— Approche-toé, me dit-elle dans un souffle.

— J'peux pas. J'aime mieux ici. Ça me gêne.

— Pourquoi tu fais ça? Ton beau Matthew est pas capable de te faire jouir?

— Laisse-le en dehors de ça, pis viens, j'ai ton argent.

— J'te comprends pas. Tu le sais que je t'haïs depuis que le *boss* m'a demandé de te montrer la *job*. Toé pis moé, on est pas faites pour s'entendre. T'as pris ce qui me revenait de droit. J'le sais que t'as une idée derrière la tête. Prends-moé pas pour une épaisse!

— J'te l'ai dit. J'aimerais qu'on fasse la paix. J'suis tannée. Je veux que ça arrête.

Je sentais que ma machination avait du plomb dans l'aile. Ma voix manquait d'assurance. Josette se méfiait. Elle avança d'un pas jusqu'au bord du trou. Ses yeux m'examinaient sans avoir l'appétit du chef de police sur la falaise. Alors que j'étais adossée au mur, la fraîcheur humide de la rivière Saint-Maurice courait sur mon ventre nu. M'étais-je trompée sur l'importance de ses fantasmes?

— Me prends-tu pour une gouine? Je pourrais te péter la gueule pour ça. Pis à ben y penser, ça me ferait plaisir. Même que ce serait ben meilleur que tes deux cents piastres!

— Josette, j'veux juste qu'on fasse la paix!

— Tu comprends rien. Quand on est belle comme toé, on a rien à faire pour que les hommes tournent la tête, pis se mettent à bander. Moé, on fait semblant de pas me voir. On se détourne, pis on me parle par nécessité. On me prend par-derrière à la noirceur. J'suis pas une beauté, j'le sais. J'aimerais ça ressembler aux filles des revues, pis être en amour avec un homme. Un beau gars comme Matthew... J'peux juste en rêver.

Je m'étais trompée. Je me rendais compte qu'elle avait accepté mon invitation pour se retrouver seule avec moi dans un endroit isolé. Comme une idiote, je m'étais offerte en pâture à une lionne prête à me déchiqueter. Je préférai ne rien ajouter. J'avais soudainement peur de la fragilité de mon plan. Je connaissais la force de sa poigne. Elle pouvait me briser la mâchoire d'un simple coup de poing. Cette fois, il n'y aurait pas d'ours qui surgirait de l'ombre. Soudainement, j'étais moins sûre de moi. Je me rendis compte que j'avais mal calculé la distance qui me séparait d'elle. Dans sa chute, elle risquait de m'entraîner dans la rivière.

— Tu dis rien ? Parce que tu sais que c'est vrai. J'ai aucune chance avec les gars. J'ai pas la peau douce comme toé, ni tes yeux de biche, pas plus que tes lèvres qui ont l'air d'être en velours. Moé, j'ai les cheveux comme du crin de cheval. Sans parler du reste… J'vole pas pour moé. C'est pour mon père. Il a besoin de soins, pis on a pas l'argent. Y'avait pas d'assurances quand il a eu son accident. C'est à moé que revenait la *job* ! C'est pas juste que le Bon Dieu t'ait tout donné. C'est les belles qui se font remarquer, pis qui ont de l'avancement. Pas les laideronnes comme moé ! Mais à soir, on égalise les chances. Je vais te déviarger ta p'tite face de porcelaine. Pis oublie pas : c'est toé qui m'as invitée icitte !

Son visage se barra d'une grimace de haine. Elle leva le poing dans ma direction et le propulsa devant elle. Sa jambe se souleva et son pied ne trouva rien pour le supporter. Son poing heurta le mur à la hauteur de mes genoux. J'entendis un craquement au moment où je me glissai de côté. Elle s'écrasa au-dessus du trou avec un bruit sourd. J'entendis un craquement sec lorsque sa main frappa le rebord. Pendant un instant, ses jambes barbotèrent à la surface de l'eau. Le courant l'entraîna et sa main glissa sur le madrier. Elle émit un couinement et coula dans la rivière. Josette poussa des gémissements entrecoupés de crachats. Je ne savais même pas si elle pouvait nager. Je la vis s'éloigner sous les faibles lueurs provenant de l'usine. Elle fut emportée par les tourbillons et entourée par les billots, qui la recouvrirent d'un maillage serré. Son bras tenta une dernière fois le grappin, mais le tronc tourna sur lui-même et Josette disparut sous l'eau. La culpabilité m'effleura avant que je sois envahie par une grande chaleur. L'autre agissait par elle-même et je sentais qu'elle prenait ancrage dans ma réalité. Elle devenait une deuxième Héléna de laquelle je voulais m'éloigner, mais sans jamais y parvenir vraiment. Je tombai à genoux et vomis par le trou. L'envie me prit de m'y laisser tomber, pour en finir avec celle que je ne contrôlais plus. Je crois que l'espoir de revoir Fabi me retint.

Je reboutonnai ma chemise sans quitter des yeux la rivière Saint-Maurice. Puis j'entrepris de replacer les deux madriers. Je travaillais vite en jetant de fréquents coups d'œil par le trou. J'avais peur qu'une main n'y surgisse et m'entraîne dans l'eau froide. J'en étais à enfoncer la dernière vis quand j'entendis des voix qui enflaient.

— Veux-tu ben me dire, câlisse, pourquoi y veut qu'on parte ça à soir?

— Énerve-toé pas, c'est un test.

— Ben voyons, c'est juste pour nous faire chier! C'était pas prévu avant demain!

Deux hommes s'approchaient d'un bon pas. Dans moins d'une minute, ils se tiendraient à l'endroit même où Josette avait disparu. Je n'avais pas le choix de me dissimuler dans le convoyeur qui longeait la passerelle derrière moi.

— As-tu entendu ? dit l'un des deux en ralentissant.

— Ça doit être un rat musqué. Y'en a plein par icitte.

Ils poursuivirent leur avancée jusqu'à ma hauteur.

— Tiens, y'a un madrier qui a du lousse. Va falloir faire réparer ça.

— Ben oui. Y'a-tu d'autres choses qui font pas ton affaire ? On est venus pour partir le convoyeur, pas pour faire de la menuiserie. Grouille, tabarnak !

J'avais les deux mains dans les maillons dressés de la grosse chaîne plate située dans la partie basse du convoyeur. Elle servait à entraîner les billes jusqu'au haut de la côte, où elles s'empilaient sur un tas de bûches, qui ressemblait à celui que mon père entretenait jour après jour, au Wayagamac. Si je restais dans cette position, je risquais de me faire broyer un membre. Les épines de métal recourbées pouvaient charroyer de grosses billes.

La passerelle m'était interdite, car elle était visible du poste d'observation de l'opérateur. Pour l'instant, on ne pouvait me voir, puisque j'étais dans l'ombre, mais s'ils allumaient les lampes suspendues, je serais aussi apparente qu'un orignal dans une talle de nénuphars. Il ne me restait qu'une option : descendre sous le convoyeur et m'accrocher à la structure de bois qui le retenait au-dessus de l'eau. J'attendis que la porte de la cabane se referme. D'un geste souple, je franchis le rebord en m'agrippant aux montants entrecroisés. Dans la noirceur, l'opération était risquée. Un faux mouvement et j'allais rejoindre Josette dans la rivière Saint-Maurice, qui était à moins d'un mètre de mes bottines.

Le convoyeur s'ébranla d'un coup dans un bruit de ferraille. La structure vibra et je dus m'y accrocher de toutes mes forces. Des morceaux d'écorces et des poussières sentant la rouille pleuvaient autour de moi. Je trouvai un travers latéral où poser mes fesses. J'enfonçai mon chapeau sur mes oreilles. Je sursautai quand les premiers troncs s'écrasèrent au fond du convoyeur. On aurait dit qu'un géant y frappait avec une énorme massue. Je restai sans bouger pendant que la chaîne du convoyeur s'arrêtait et repartait par à-coups. J'entendis sacrer et crier, puis je vis des billes retomber de chaque côté en m'aspergeant d'eau froide.

— Tabarnak! J't'avais dit de stopper! C'est bloqué. Moé, je touche pus à ça. Viens-t'en, on s'en retourne. Y s'arrangera avec son test.

J'entendis leurs pas décroître sur la passerelle. Quand je fus certaine qu'ils étaient loin, je me décidai à remonter sur le convoyeur. Je ne savais pas qu'on pouvait aussi actionner le mécanisme à partir d'une petite cabine située en haut de la côte. C'est ce qui se produisit au moment où j'avais le pied sur la chaîne. Comme le bois faisait un embâcle, elle se brisa et me faucha les jambes. Je me retrouvai sur le dos, à glisser vers le haut, coincée par le bas de mon pantalon. Je me débattis pour reprendre pied. Le moteur s'immobilisa en pétaradant. J'eus à peine le temps de sortir du convoyeur que la lumière l'illumina tout du long. Je restai assise dans son ombre en me frottant le mollet. J'avais des éraflures et mal au dos, mais rien de cassé. Les lampes s'éteignirent et j'en profitai pour me tirer de ce mauvais pas. Je refis le chemin en sens inverse. Ce n'est qu'en marchant vers la rue des Anglais que je m'aperçus que je n'avais plus le chapeau de mon père.

Résidence Clair de lune, Trois-Rivières, hiver 2002

C'est la troisième fois qu'Héléna utilise sa chaise motorisée. Elle en maîtrise de plus en plus le fonctionnement. Elle se rend jusqu'au bout du couloir et reste de longues minutes à regarder la rue, deux étages plus bas. Des gens y circulent, le pas pressé. D'autres courent, les écouteurs aux oreilles. Des mamans se penchent sur leur poussette, pendant que des hommes en complet-veston les doublent en s'agrippant à leur mallette. Leur agitation ne tient qu'à un fil. Héléna le sait mieux que quiconque.

Elle quitte son poste d'observation et se dirige vers la chambre du curé. La porte est ouverte, comme d'habitude. Elle s'y engage à moitié. Le petit homme s'avance vers elle.

— Bonjour, madame Thériault. Vous avez une belle voiture.

— Non, moé, c'est madame Martel. La chaise, c'est juste une location. Mais elle marche ben. Je peux entrer une minute?

— Ben sûr. La visite est rare.

— Pareil pour moé. Là-dessus, on s'comprend.

— Prendriez-vous un biscuit à l'érable, madame…?

— Martel! J'viens de vous le dire. Merci, j'ai pas faim. Vous êtes ben installé.

— Vous savez, on emporte rien au paradis.

— Justement, avez-vous réfléchi à ce que je vous ai demandé?

— C'était quoi donc?

— Pour ce que j'ai fait dans ma vie. Je vais mourir. Je voudrais être pardonnée, dit-elle en baissant le ton.

— Oui, oui, le pardon. Vous prendriez ben un petit biscuit à l'érable?

— Laissez faire vos biscuits. Pis, voulez-vous?

— C'était à quel sujet?

— C'est par rapport à ce que j'ai écrit dans mon livre.

— Oui, je m'en souviens. Une sorte de livre d'aventures. C'est la petite madame qui vous fait la lecture. Elle est fine. C'est quoi son nom, déjà?

— Madame Lafrenière.

— C'est ça, oui.

— Écoutez. J'vous demande pas grand-chose. J'ai besoin de savoir qu'on peut me pardonner. C'est une question de pas grand temps avant que j'manque à l'appel.

— Ben sûr. Vous êtes une soie, madame Martel. Vous êtes trop fine. Je suis sûr que le Bon Dieu vous attend les bras ouverts.

— J'suis pas aussi certaine que vous. Ça me prendrait un p'tit coup de pouce de votre part. C'était pas de ma faute. C'était l'autre qui agissait.

— Elle est ben serviable, votre amie.

— On parle pas de la même personne. Coudonc, vous comprenez rien à matin ! J'pense que je vais m'en retourner. Je reviendrai vous voir.

— Oui, n'importe quand. J'ai des biscuits à l'érable.

Héléna est irritée. Elle a l'impression de s'adresser à un fonctionnaire empêtré dans sa procédure. Elle a besoin du pardon de Dieu et de celui de son fils. Pour l'instant, ni l'un ni l'autre n'est à sa portée.

CHAPITRE 13

La Tuque, printemps 1941

Le lendemain, je me présentai à l'ouvrage en boitillant. J'avais mal dormi en essayant de me rappeler à quel moment le chapeau de mon père avait quitté ma tête. Était-ce lorsque j'étais sous le convoyeur ou quand la chaîne dentelée m'avait frappée? Je n'avais aucun souvenir. Par contre, j'avais plusieurs égratignures près de la colonne, et un bleu de belle dimension au mollet. Je me rassurais en pensant que même si on trouvait le chapeau, on ne ferait pas le lien avec la noyade de Josette. Mieux, j'imaginais que son corps serait entraîné par les turbines du barrage et se perdrait au fond de la Saint-Maurice, ou qu'il resterait coincé au fond de la rivière parmi une épaisse couche de billots et d'écorces. Cette conviction me porta jusqu'à la fin du quart de travail et au début d'une pause de trois jours pour manque de matériel. C'était une bénédiction pour moi.

J'appréhendais quand même mon retour à la maison. On avait relâché mon frère dans l'avant-midi. Le policier, à qui j'avais parlé au téléphone, m'avait dit qu'il avait retrouvé ses esprits. On n'avait aucune raison de le garder plus longtemps, d'autant plus qu'un ami l'avait raccompagné chez lui. Je craignais pour Marie-Jeanne, car je soupçonnais l'intervention de Maximilien.

Je la trouvai au jardin, où elle s'activait en binant un rang de patates. Avec application, elle remontait la terre vers la base des plants. Elle portait le même chapeau qu'au Wayagamac. Ce détail attira mon attention plus que d'habitude. Avait-elle remarqué que celui d'Aristide n'était plus dans la vieille écurie, là où elle rangeait le sien? Je déposai ma boîte à lunch sur la galerie et m'approchai.

— Ça pousse ben, maman!

— Bah! On dirait que la terre est moins bonne que sur le bord du lac.

— J'trouve que ça paraît pas trop. Vous me laisserez un peu d'ouvrage.

— Ben non, t'as ta journée dans le corps. Va te reposer.

— Francis est rentré?

— Francis est parti.

— Quoi?

— Il est venu avec un gars à matin. Il a vidé la chambre. Y ont tout mis ses affaires dans le char, pis ils sont partis.

— Pour où?

— Y'a rien dit. J'étais dehors. Il m'a même pas saluée.

— C'était qui, ce gars-là?

— J'le connais pas. J'l'ai jamais vu. Un grand efflanqué avec une face de Mi-Carême. Ça doit être un *tramp* qu'y'a rencontré à l'hôtel. Y me dit rien de bon ce gars-là !

Je savais de qui il s'agissait. Ça ne pouvait être que le sombre Maximilien. Sans doute avait-il emprunté une automobile ou peut-être même l'avait-il volée ?

— Francis est malade. Il peut pas rester tout seul.

— On l'a pas mis dehors. Sa chambre est encore là. C'est toujours mon gars.

— Il peut quand même pas coucher dans la rue. Je mange une bouchée, pis je vais essayer de le retrouver.

— Héléna ?

— Oui ?

— Qu'est-ce qu'on fait pour Fabi ? On est au mois de juin. C'est l'été dans une semaine.

— On peut juste attendre.

— Des fois, j'ai le pressentiment qu'elle s'est pas noyée.

— C'est correct de garder espoir, maman. On sait jamais. Fabi est débrouillarde.

— Si est pas morte, pourquoi elle nous donne pas de nouvelles ?

Je connaissais une partie de la réponse. Mais la question n'en restait pas moins légitime. Le peigne dans la peau d'hermine ne signifiait pas qu'elle s'en était sortie. L'hiver est dur dans la forêt québécoise. Sans déroger à nos habitudes, nous parlions de Fabi avec une économie de mots. Elle était comme une plaie ouverte que recouvrait un pansement. Marie-Jeanne n'osait pas en approcher, moi je n'osais pas le soulever, même si je savais que la blessure avait peut-être guéri. Le problème était que je n'en avais aucune certitude.

Malgré ma fatigue, je mangeai en vitesse et je retournai en ville. Ma meilleure chance de trouver mon frère était de le demander à Edmond. J'étais gênée qu'on me voie entrer à l'hôtel en plein jour sans être accompagnée. Deux gars me sifflèrent. Je continuai à marcher comme si de rien n'était. Je ne pus m'empêcher de repenser à la remarque de Josette concernant la beauté qui attirait les regards. Pendant un instant, je ressentis une sincère tristesse pour cette femme mal-aimée. Je haïssais l'autre en moi qui l'avait attirée dans son piège. J'aurais aimé la coincer pour m'en débarrasser à mon tour, mais elle me collait à la peau.

La salle de danse était déserte à cette heure. Je vis Edmond derrière le bar où quatre gars cuvaient leur bière en discutant. Il plaçait des bouteilles sur les étagères de vitre. Il me fit signe de patienter. Puis il s'amena avec deux ou trois caisses de bouteilles vides à la main.

— De la belle visite !

Sans me laisser le temps de réagir, il me plaqua un baiser sur la bouche.

— Viens dehors, j'prends un *break*.

— J'voulais pas te bâdrer.

— Tu sais ben que tu me déranges jamais.

— Je cherche mon frère, Francis. Il est parti de la maison.

— J'suis pas surpris. Ça fait une semaine qu'y claironne qu'il ouvre une bijouterie.

— Pour de vrai ?

— Ouais. T'étais pas au courant ?

— Un peu.

— J'pense qu'il est intéressé par un petit local sur la rue Saint-Joseph, à côté de la quincaillerie Lamontagne.

— J'vais aller voir.

— Attends ! Pars pas de même. Tu viens juste d'arriver.

— J'ai pas le temps. Je suis inquiète pour mon frère.

— On peut dire qu'il est pas reposant.

— Pas vraiment.

Edmond me tira par la taille et m'embrassa à nouveau, mais cette fois plus longuement. Je sentis sa main remonter le long de mes côtes. Je n'étais pas encore à l'aise avec ce genre de proximité. Je m'écartai en vérifiant que personne ne nous regardait. De plus, son geste avait réveillé la douleur sur les éraflures de mon dos.

— Pas ici. On est presque dans la rue. Pis faut que j'y aille. J'suis en congé pour trois jours, on fera quelque chose ensemble, si tu veux.

— Quelque chose comme quoi ? dit-il d'un air coquin.

— On verra. Salut !

Je m'éloignai en le laissant sur son appétit.

— Héléna? T'es-tu blessée à la jambe?

— Ah! C'est rien. Je me suis cognée à l'ouvrage. J'ai mal dans le dos aussi.

Je boitais quand je posais le pied gauche par terre. C'était bien peu payé pour mon crime. Je méritais pire. J'en étais consciente. Mais pour l'instant, le plus urgent était de trouver mon frère.

Je remontai la rue Saint-Joseph. Au coin de la rue Commerciale, un restaurant dégageait son fumet habituel de friture et de sauce sucrée. À cette odeur lourde se mêlait celle de l'usine. Le vent virait au nord et la nuit serait fraîche. Je refermai les pans de ma veste de laine en m'immobilisant devant une vitrine barbouillée. Il y avait de la lumière tout au fond. Je montai les quatre marches et frappai à la porte. Des pas, puis le pêne qui glissa dans la serrure. Les yeux fatigués de Francis m'examinèrent rapidement.

— Héléna! Viens. Entre!

Malgré sa lassitude, il n'avait pas l'air en peine. Il me montra avec enthousiasme son nouveau magasin. Deux comptoirs perpendiculaires, un coin pour la caisse et une armoire vitrée, qui attendait pour être fixée au mur. Le désordre partout. Des papiers, des guenilles, des pinceaux, des outils, de vieux journaux jonchaient le sol.

— Faut que je te parle, Francis.

— Oh! Ça a l'air sérieux. Veux-tu boire quelque chose?

— Non, merci. Je...

Maximilien surgit de l'arrière-boutique. Il me salua en portant la main à sa casquette maculée de taches de peinture. Son visage était en partie couvert de cicatrices boursouflées causées manifestement par une rubéole. Cette particularité n'arrangeait pas son faciès de rapace. Vu de près, son nez massif était de travers, ses lèvres semblaient trop petites pour sa bouche et ses yeux globuleux trop grands pour ses orbites. Il se déplaçait avec des mouvements souples et calculés, comme s'il voulait faire oublier sa longue stature. Sa présence me donnait la chair de poule.

— On peut-tu parler en privé ?

— OK. Max, va prendre une bière à l'hôtel. Tu mettras ça sur mon *bill*. On continuera tantôt.

Quand il passa près de moi, je rajoutai au tableau une odeur d'ail qui me souleva le cœur. Francis se versa un verre de rhum et m'entraîna par le bras.

— Viens voir l'autre côté. C'est icitte que j'vais installer mon atelier, entre mon logement et le magasin. C'est juste parfait. Continue par là. Regarde pas trop, on fait du ménage.

Je marchais avec précaution parmi le fouillis. Je débouchai dans une grande pièce que je supposai être la cuisine, le salon et la chambre à coucher tout-en-un. Une porte extérieure donnait sur un étroit passage entre les deux bâtisses.

— Tu vas voir, quand ce sera fini, ça va être de première classe.

— Pourquoi t'as quitté la maison?

— Tu le vois ben. C'est pour me lancer en affaires. C'est la mère qui t'envoie?

— Non. Elle m'a juste expliqué que t'étais parti sans rien dire.

— On s'était tout dit la veille.

— T'appelles ça parler, toé, te promener en bobettes en hurlant, pis en cassant les meubles?

— Elle est entêtée. J'y aurais remboursé, son maudit argent. Ça m'aurait aidé pour partir. Mais j'me suis arrangé. J'ai de l'ouvrage en masse. C'est juste que ça coûte cher de tenir un inventaire de bijoux.

— Il me semblait que c'était la réparation qui t'intéressait.

— Ça va ensemble. Les montres, c'est bon, mais les bijoux, c'est payant. Quand je serai installé, tu viendras, j'vais te faire un bon prix.

— Francis, tu peux pas vivre tout seul. T'es malade. T'es pus pareil depuis que t'es revenu. Je m'inquiète.

— Voyons donc, la p'tite sœur. C'est derrière moé tout ça. Regarde! Un rhum d'une main et une bijouterie qui va ouvrir dans une semaine. Qu'est-ce que je peux demander de mieux?

— Depuis que t'es revenu de la guerre, y'a pas une nuit où tu m'as pas réveillée en hurlant. Je t'ai entendu parler à des personnes qui étaient pas là. T'as passé une nuit en prison, hier. Tu bois trop la moitié du temps. Pis tu veux savoir ce que tu peux demander de mieux?

Son visage se referma. Ses doigts cherchaient une position confortable sur le verre de rhum. Il lissa ses cheveux clairsemés et regarda lentement autour de lui.

— Icitte, c'est ma chance, Héléna. J'le sens. J'suis bon pour réparer les mécanismes d'horlogerie. J'ai appris ça tout seul, en regardant faire le Chinois, pis j'pense que j'ai ça dans le sang. De toute façon, j'ai rien d'autre devant moé. J'me vois pas retourner à la laiterie ou m'en aller travailler à l'usine.

— J'comprends, mais t'es peut-être pas prêt à te lancer dans le commerce non plus.

— J'attendrai pas d'être mort avant d'être prêt. Mon *chum* le Chinois voulait se partir en affaires quand y reviendrait de la guerre. Son rêve a pété avec sa tête. C'est de la faute des maudits «blokes». Ils avaient pas d'affaire à nous envoyer là! Le père avait raison de pas les aimer. Ils nous garrochaient toujours dans les places dangereuses. J'te le dis, j'me suis jamais autant senti « canayen-français »!

— J'serai pas là, la nuit, pour m'occuper de toé.

— Inquiète-toé pas, la p'tite sœur. J'suis assez grand pour m'arranger tout seul.

Francis vida son verre d'un trait. Il me fit son visage de clown qui dura moins longtemps que les ronds produits par une pierre jetée dans l'eau.

— Pis Maximilien, lui?

— Quoi, Maximilien?

— Y me dit rien de bon ce gars-là. Pis y pue l'diable en plus!

— C'est normal. C'est à causc de ce qu'il mange. Il vient d'une famille d'Italiens. Les Lugiano. Tu sais comment ils sont avec leur spaghetti pis leur pizza. C'est bourré d'épices pis d'ail.

— Qu'est-ce qu'il fait icitte?

— T'as ben vu. Il m'aide.

— Il a pas l'air d'un gars trop fréquentable.

— Peut-être pour toé, mais il me rend des gros services. Plus que ma propre mère!

— Tu fais pas des affaires croches, toujours?

Je me sentais un peu mal de lui poser une telle question. Qui étais-je pour lui faire la leçon? Il n'y avait pas vingt-quatre heures que j'avais assassiné une femme. Mais à cette époque, je ne voyais pas les évènements de cette façon. Mon esprit était compartimenté. Parfois, la porte s'ouvrait entre les deux et je ne savais plus très bien de quel côté j'étais. La plupart du temps, je crois que j'étais avec Héléna, comme en cet instant, où Francis hésitait sur le chemin à prendre devant sa jeune sœur.

— Ben non, c'est juste un commis-voyageur. Inquiète-toé pas pour moé.

— Justement, je m'inquiète. T'es mon frère, pis j't'aime. J'veux pas qu'y t'arrive plus de mal.

— Retourne t'occuper de Marie-Jeanne. Prends soin de notre mère. Moé, j'vais me débrouiller. Tu vas voir que ton p'tit frère va réussir.

— Je veux que tu comprennes que j'suis là, si t'as besoin.

— Pareil pour moé !

Il accepta mon accolade avec chaleur. Je le laissai à son installation. J'avais l'impression en m'en retournant qu'il s'enfoncerait dans des sables mouvants. Aujourd'hui, je crois que je m'y enfonçais bien plus que lui.

Résidence Clair de lune, Trois-Rivières, hiver 2002

Parfois, l'atmosphère de la chambre d'Héléna devient oppressante. Madame Lafrenière y égrène les mots un à un et le temps se dilue en prenant le rythme d'une autre époque. Elle déambule dans la bijouterie et l'atelier de Francis. Elle voit au-delà de l'écriture. La chemise froissée gisant sur le lit, la vaisselle sale dans l'évier de porcelaine et le miroir éclaboussé au mur, le cendrier déborde sur la table d'*arborite* et le crucifix est de guingois au-dessus de la porte. Elle se retourne et Héléna discute avec son frère. La lumière est tamisée par des rideaux jaunis. Une odeur de cigarette et de diluant à peinture flotte dans l'air. Son amie est toute jeune. Sa peau est lisse et ses lèvres bien découpées. Sa coiffure gonfle sur son cou et des cheveux rebelles bruns irisés de roux retombent sur son front. Elle porte une robe ceinturée qui gaufre autour d'elle. Le tissu imprimé montre des signes de fatigue. Ses bras s'agitent quand elle parle et la montre d'homme à son poignet a l'air incongru.

— À quoi tu penses? demande Héléna les yeux mi-clos.

— À ta montre. Ton frère était bijoutier et tu l'as jamais fait réparer. Tu l'as gardée comme elle était. C'est drôle que t'aies pas d'autres souvenirs dans ta chambre. Dans ton appartement non plus, j'en ai pas vu.

— Mes souvenirs, tu les as entre les mains. J'ai besoin de rien de plus.

— Mais toutes tes affaires personnelles, tes photos de famille, les autres objets que t'as dû conserver, c'est ton fils qui va en hériter?

— J'ai pris mes dispositions pour ça.

— Comment tu faisais pour vivre avec une morte sur la conscience?

— J'le sais pas. J'pense que c'est ma famille qui me tenait en vie. Je savais que ma mère avait besoin de moé, pis mon frère, pis Yvonne. Si j'disparaissais, j'avais l'impression que tout ce qui me restait de précieux allait s'effondrer. C'est comme si on m'en avait mis un gros rocher sur le dos trop vite. J'étais pas prête aux changements après les évènements du Wayagamac. J'pense que ça m'a détraquée.

Huguette reprend sa lecture. Il sera toujours temps de restituer la peau d'hermine, la montre et la médaille de bravoure qu'elle a en sa possession.

CHAPITRE 14

La Tuque, printemps 1941

À mon retour de la bijouterie, Marie-Jeanne se berçait. À la radio, Édith Piaf chantait avec lyrisme
une chanson où il était question d'un légionnaire et
d'une amoureuse éplorée. Je vis sur le visage de ma
mère qu'elle avait quelque chose à me dire.

— Il y a quelqu'un qui est passé pour toé.

Je pris l'attitude de celle que l'information indif-
fère. Au-dedans de moi, la tornade se levait. Était-ce
au sujet de Josette ? La police ? Ou Josette elle-même,
qui se serait miraculeusement sauvée de la noyade ?
Les scénarios se bousculaient.

— C't'une « sauvagesse ». Elle s'appelle Migouna
ou Minoka. Je me rappelle pus.

Ma tempête intérieure changea de direction. Pourquoi était-elle venue chez moi ? Avait-elle parlé de
Fabi ? Y avait-il du nouveau ?

— C'est Mikona. Qu'est-ce qu'elle voulait ?

— J'savais pas que tu fréquentais des Indiens. Elle
voulait te parler. Elle a dit que c'était important. Tiens,
elle m'a laissé un papier avec son adresse. Elle est là

pour quelques jours. C'est la maison de chambres des Cournoyer, sur la rue Saint-Joseph.

— J'vais y aller. De toute façon, j'travaille pas demain.

— Géraldine m'a dit que c'était mal tenu, c'te place-là.

— Ma tante Géraldine est venue icitte?

— J'l'ai appelée au téléphone.

— Wow! Vous vous améliorez!

— J'me suis trompée un peu. C'est Yvonne qui m'a aidée, elle était en poste à soir.

— J'imagine qu'asteure, toute la ville est au courant que je m'en vais chez les Cournoyer.

— Il a ben fallu que j'y explique.

— Fait que je suis aussi ben d'y aller, si j'veux pas que ma sœur passe pour une menteuse. À plus tard!

Je savais qu'il ne pouvait s'agir que de Fabi. De quoi d'autre Mikona pourrait-elle vouloir me parler? Je repartis en lorgnant la montagne, qui s'effaçait doucement sous le soleil couchant.

⚬⚬

Je trouvai Mikona assise sur les marches de la galerie. Elle tressait une lanière de cuir avec des gestes lents et minutieux. Elle portait une jupe garnie de motifs colorés. Ses bras nus me rappelaient ceux de Fabi. Ils étaient à la fois musclés et accueillants. Elle me sourit en m'apercevant.

— J'étais pas sûre que tu viendrais à soir. Assis-toé.

— Qu'est-ce que tu fais ? dis-je intriguée.

— Je tresse une ceinture pour un pantalon.

— C'est joli. Tu voulais me voir ?

— Oui. J'ai parlé à mon père pour ta sœur. Je lui ai dit que tu tenais beaucoup à elle et que tu souhaitais la retrouver. Selon lui, elle est peut-être à Lac-Bouchette. Un Attikamek lui a raconté une rumeur concernant une femme, qu'on aurait aidée, sur le bord du lac gelé, au milieu de l'hiver. Mon père pense que si c'est vrai, elle a pu avoir été accueillie à l'Ermitage de Lac-Bouchette.

— C'est une bonne nouvelle, mais c'est loin, Lac-Bouchette.

— Oui, mais il y a un moyen d'y aller rapidement : en avion.

Je l'examinai pour être sûre qu'elle ne se moquait pas de moi. Elle continuait à entrelacer son cuir comme si elle venait de me suggérer une balade en canot.

— Tu veux rire, Mikona ! J'ai pas les moyens de prendre l'aéroplane. Y'a juste les riches qui font ça.

— Justement, mon père en connaît une. Il y a plusieurs années, il l'a guidée sur la rivière Saint-Maurice. Elle se cherchait un coin pour établir son domaine. C'est grâce à lui si elle l'a trouvé. Elle lui a promis qu'elle lui retournerait la politesse quand il en aurait besoin. Mon père est pas du genre à quémander, mais ta sœur l'a impressionné. Alors il pourrait faire une exception. Cette personne possède un avion qui atterrit sur l'eau.

— Tu dis « une ». C'est une femme dont tu parles ?

— Oui, c'est madame McCormick.

— La riche Américaine ? demandai-je sans y croire.

— Oui, mon père a été son guide en 1918. Par la suite, il y a eu un procès auquel il a été mêlé. Ça s'est ben terminé pour elle et pour son fils. Son mari l'accusait d'avoir eu une infidélité avec son guide.

— Avec ton père ?

— Papa veut pas parler de cette histoire-là. Il était pas le seul guide d'impliqué. Aujourd'hui, elle utilise ses services de temps à autre. Il lui a raconté comment ta sœur avait été courageuse en s'enfonçant dans les bois, en solitaire, en plein hiver. Madame McCormick aime ben les femmes rebelles, alors elle a accepté de t'emmener en avion à Lac-Bouchette. Tu partirais le matin pour revenir le soir. Il y a une place pour une autre personne.

— Moé, en avion ?

Je n'en revenais pas. Il me semblait que tout allait trop vite. En moins d'une année, j'étais passée de la maison au fond des bois à la maison au bord de la rue et de la chaloupe à rames à l'aéroplane. Était-ce cela le progrès dont j'entendais parler autour de moi ?

— Il faudra te décider rapidement. Il faut en profiter pendant que son avion et son pilote sont disponibles. Mon père a dit que ça pourrait être après-demain à l'aube. Si t'es pas là, l'avion retournera à New York.

— Je dois accepter pour Fabi. Mais ça me fait peur sans bon sens de monter dans les airs. Ça te tente pas de m'accompagner?

— Même si je voulais, mon père a besoin de moé pour les derniers préparatifs. On est en retard, ma mère s'est fracturé la jambe. Il a fallu attendre qu'elle aille mieux. Tu peux te rendre chez madame McCormick par la route.

— J'comprends. Je pense que j'ai quelqu'un qui peut m'y emmener.

Et ce quelqu'un allait avoir toute une surprise!

Résidence Clair de lune, Trois-Rivières, hiver 2002

Héléna presse la cuillère sur les comprimés. Il est moins facile qu'elle le croyait de les réduire en poudre. Combien en faut-il pour terrasser quelqu'un? Elle n'en a aucune idée, mais il lui faut prévoir le pire. La fin approche et il lui semble que la vie continue de lui mettre des bâtons dans les roues. Son fils n'est toujours pas là et le petit curé refuse de l'entendre. Pourtant, son manuscrit est son dernier effort pour éclairer la part d'elle-même dont elle a honte.

Elle ouvre un sachet de sucre, en retire le contenu, qu'elle jette dans son reste de nourriture. Puis, à l'aide de la cuillère, elle y insère la morphine. Elle replie soigneusement le sachet et le place, non sans difficulté, dans le tiroir de sa table de chevet. L'effort lui a constellé le front de fines gouttelettes de sueur. Un picotement fantôme en profite pour remonter le long de sa cuisse. Elle essaye de se repositionner sans y parvenir. Sa main trouve le bouton pour appeler la préposée. Il s'écoule quelques minutes avant qu'elle n'arrive. Celle-là est mignonne avec ses cheveux blonds bouclés. N'est-elle que remplaçante ?

— Vous avez terminé, madame Martel ?

— Oui. Pis aide-moé à me redresser, j'ai les bras comme des spaghettis cuits.

— Ben sûr. J'commence par enlever votre plateau. Vous avez mangé comme un oiseau. C'était pas bon ?

— J'ai-tu besoin de répondre ?

— Donnez-moé votre bras. Accrochez-vous. Attendez que je replace vos oreillers… Voilà… Êtes-vous mieux ?

— C'est ben correct, ma p'tite fille. Tu fais ben ça.

— Allez-vous au spectacle demain après-midi ? C'est un violoneux et un conteur d'histoires. Ça devrait vous intéresser.

— J'vais y penser. Y'en a-tu beaucoup qui y vont ?

— Sur l'étage, quatre ou cinq. J'ai deux fauteuils roulants à préparer. Dans les résidents mobiles, il y a juste le p'tit monsieur curé qui ira pas.

— Tu viendras me préparer. Si j'vais pas en bas, je me promènerai sur l'étage. J'aime ça regarder par la fenêtre, au bout du couloir.

— C'est vrai qu'y commence à faire beau. Bientôt, vous allez pouvoir sortir sur la galerie. Le temps se réchauffe.

— On verra ça.

— Faites une petite sieste, avant que votre amie vienne vous faire la lecture.

— Merci. T'es ben fine!

CHAPITRE 15

La Tuque, été 1941

Le camion cahotait sur la route tortueuse. La lumière des phares se mêlait aux premières lueurs de l'aube. Edmond conduisait, cigarette au bec, la main posée sur la boule du levier de vitesses. Sur notre droite, la rivière Saint-Maurice charriait son cortège de billots qui raclait les rives. Les montagnes s'étaient rapprochées de nous et s'offraient en falaises rocheuses, où les ruisseaux de fin de printemps dégringolaient des hauteurs. Un lièvre et un renard croisèrent notre route. Sans doute étaient-ils aussi ébahis de notre machine que nous le serions devant l'hydravion. Je me souviens que je tremblais à l'idée de m'envoler et qu'une partie de cet émoi provenait de la possibilité de revoir ma sœur. J'avais menti à Marie-Jeanne en lui disant qu'Edmond m'emmenait à la pêche pour la journée. Me savoir dans un aéroplane l'aurait trop perturbée et, de toute façon, je ne pouvais pas lui donner de faux espoirs en lui parlant de Fabi.

Le pilote nous attendait près de l'immense maison en bois équarri, tapie sous les sapins et surplombant la rivière Saint-Maurice. Il nous conduisit à l'intérieur.

Anne Stillman McCormick nous accueillit, vêtue d'une robe de chambre soyeuse. Ses cheveux étaient enveloppés dans une sorte de foulard qui ressemblait à un turban. C'était une femme imposante et sûre d'elle-même. Elle marchait avec l'assurance des riches, la tête haute et le regard perçant. Elle semblait heureuse de rendre service à un ami de longue date. Elle nous offrit à chacun une grosse couverture de laine, car, disait-elle : « C'est frisquet, là-haut ! » Elle échangea quelques phrases en anglais avec son pilote, puis elle me souhaita bonne chance, sans mentionner ma sœur. Elle connaissait la justice pour s'y être frottée et elle préférait en savoir le moins possible. Je garde le souvenir d'une femme sympathique et simple, malgré le luxe évident qui l'entourait. Par la suite, je la croisai à quelques reprises à La Tuque et toujours elle me salua.

Le pilote nous conduisit à l'hydravion amarré sur un lac à une vingtaine de minutes de marche. C'était un homme de forte carrure qui portait une veste en cuir brun et qui se prénommait Warren. Il mâchouillait continuellement le manche de sa pipe et en tirait de gros nuages de fumée qui sentaient bon les épices dans l'air frais du matin. Il était un pilote de brousse qui avait fait ses classes dans la Royal Air Force durant la Première Guerre mondiale. Il avait plusieurs heures de vol à son actif, parfois effectuées dans des conditions difficiles. À part ses combats, ses pires aventures semblaient être les feux de forêt, près desquels il s'approchait pour ramener d'urgence un ou deux éclopés. Je sentais qu'il tentait de nous rassurer en nous racontant ses histoires dans un français hachuré d'expressions anglaises. Nous devions avoir une tête à faire peur.

Je montai la première et m'installai sur un siège à un mètre derrière le pilote. Je constatai avec horreur qu'il n'était protégé que par un pare-brise. Seule ma tête dépassait du cockpit. Edmond prit place derrière moi. À cet instant, j'avais vraiment «la chienne», comme on disait souvent. Edmond n'en menait pas large non plus. Notre chauffeur vida sa pipe en la frappant contre sa botte, qu'il frotta sur le sol pour éteindre les étincelles. Il nous conseilla de nous envelopper dans les couvertures de laine. Il grimpa sur la carlingue et vérifia si les harnais qui nous retenaient au siège étaient correctement fixés, puis il nous aida à mettre nos casques de cuir et nos lunettes. Voyant nos airs désespérés, il crut bon de nous rassurer:

— Vous, pas peur. *It's a good plane!*

Je tentai de sourire, mais les muscles de mon visage prenaient l'allure d'un masque de cire qui durcissait à vue d'œil. J'entendis qu'il baragouinait quelque chose à propos d'un sac. Edmond me précisa que c'était pour vomir. Je le glissai entre mes jambes.

— J'aimerais ça, Héléna, que tu me dises ce qu'on fait icitte. D'un coup qu'on aurait un accident.

— Parle pas de malheur! J't'ai promis de tout te raconter. J'vais le faire quand on sera arrivés.

Le pilote lança le moteur après s'être installé sur son siège. Pendant ce qui me sembla une éternité, il consulta une carte, ses cadrans, régla sa radio, ajusta sa ceinture, mit ses lunettes de protection, puis leva le pouce dans notre direction. Après quelques hésitations, la mécanique fonctionna rondement. Le bruit était infernal. Warren se retourna à demi et nous fit un grand sourire, puis l'avion glissa sur le lac. Je voyais les arbres défiler de chaque côté. La brume tourbillonnait sur notre passage. Alors que je croyais qu'on allait s'envoler, l'appareil ralentit et tourna sur lui-même. Le moteur se mit à hurler en un crescendo inquiétant. Son cri se propagea au métal de la carlingue. J'eus l'impression que chaque centimètre carré allait se déboulonner. La force qui nous tirait vers l'avant me cala contre le siège. Le lac nous retenait. Nous prenions de la vitesse. La mécanique beuglait de plus en plus fort, décuplée par le vent qui sifflait à nos oreilles. Le pare-brise se constella de gouttes d'eau. L'avion gémit une dernière fois en s'arrachant du plan d'eau. Je risquai un coup d'œil. Les cimes des arbres glissaient sous l'appareil. Nous ronronnions à présent dans le ciel en prenant de l'altitude. Le vent rugissait et l'humidité le rendait cinglant. Sans m'en rendre compte, j'avais serré les poings jusqu'à y imprégner mes ongles dans la peau.

— On vole! hurla Edmond à mon intention.

Le pilote se retourna et nous cria :

— *Yes! It's beautiful! Look!*

J'avais le cœur au bord des lèvres. Je rentrais la tête dans les épaules. C'est à peine si j'entendais leur voix lointaine dans mes oreilles bourdonnantes. Après quelques minutes, l'appareil se stabilisa. Je vis alors un spectacle inouï. Sous les rayons du soleil levant, une courtepointe de forêt parsemée de lacs s'étirait à perte de vue. Il y en avait de toutes les formes : enchâssés dans les vallées, sertis comme des perles le long des rivières, allongés paresseusement ou globuleux comme des yeux brillants. Je m'émerveillais du vert des arbres décliné dans tous les tons et des falaises de roc marbré, à flanc de montagnes. Plus loin sur l'horizon, la silhouette de l'usine projetait ses fumées, haut dans le ciel. Je distinguais le quadrillage des rues et le clocher de l'église. La rivière Saint-Maurice serpentait jusqu'à La Tuque, portant son fardeau de pitounes. Je trouvai la force de crier : « Wayagamac ! » Edmond, comprenant mon désir, hurla ma demande au pilote dans un anglais châtié. L'appareil se coucha sur le côté et entreprit un virage. C'en fut trop pour mon estomac, qui se vida dans le sac. J'essuyai mes lèvres avec la couverture de laine, puis je le vis. Il était là, sous l'aile de l'avion, majestueux et immense. Je reconnaissais l'embouchure du ruisseau de la *dam* et je croyais bien distinguer la toiture de notre ancienne maison. Sur la plage du pavillon, j'apercevais les chaloupes alignées contre le quai. Le Wayagamac dominait par sa présence. Je voyais chacune de ses îles, ses grandes baies, l'étranglement qui le divisait grossièrement en deux, lui donnant l'allure d'une tête de chien. Plus à l'est, le Petit Wayagamac et, tout autour, une multitude de lacs que Fabi connaissait comme le fond de sa poche. J'étais éblouie de découvrir le pays où je vivais. Tout au long du voyage, je n'en revins pas que tant d'espace fût inhabité. Comment ma sœur avait-elle pu traverser tout ça en plein hiver? Je commençai à douter de la revoir.

La couverture, fournie par madame McCormick, fut bien utile. Malgré un soleil magnifique, la température restait glaciale. Je grelottais sans arrêt. La descente fut bien pire que le décollage. Le vent avait forci et les manœuvres d'amerrissage semblaient compliquées. L'appareil ballotta à plusieurs reprises, se redressa pour mieux replonger et, finalement, se posa sur le lac Ouiatchouan en fendant les vagues.

Au sortir de l'aéroplane, j'étais courbaturée et transie. Le pilote avait demandé une voiture à l'aide de sa radio de bord. Le véhicule nous attendait sur la route au bout d'un chemin de terre. C'était en fait la voiture personnelle d'un hôtelier qui arrondissait ses fins de mois. Warren nous informa que notre avion repartirait à l'heure du souper. Nous avions la journée devant nous.

J'avisai le chauffeur de nous conduire à l'Ermitage. Edmond sourcilla.

— Tu m'as pas amené icitte pour faire un pèlerinage, toujours?

— Non, c'est pour voir Fabi.

— Hein! Ta sœur? Elle s'est pas noyée dans le Wayagamac?

— À ce que je sache, on a pas retrouvé son corps.

— Tu veux dire que Fabi est au lac Saint-Jean? Elle est pas morte?

Je lui racontai toute l'histoire durant le trajet jusqu'à l'Ermitage. Il m'écouta la bouche ouverte. J'étais blottie dans ses bras en cherchant à me réchauffer.

— Ben, tabarnak! Est bonne celle-là! Je m'attendais pas à ça. Tu m'avais dit qu'on ferait de quoi de spécial ensemble. Mais je pensais pas qu'on déterrerait les morts en descendant du ciel!

— Arrête de niaiser, pis c'est pas la place pour sacrer!

L'automobile se rangea près d'un grand érable et Edmond demanda au conducteur de patienter, le temps qu'on s'informe. Après que nous eûmes cogné à la porte d'une petite maison blanche et rouge attenante à une chapelle, un homme barbu vint nous ouvrir. Il portait une bure brune sur laquelle pendait un crucifix de bois. Son air jovial m'encouragea.

— Bonjour, j'suis Héléna Martel. Je cherche ma sœur.

— Ah! Vous vous trompez d'endroit. Les religieuses ont une maison à…

— Non, je voulais dire ma vraie sœur. Elle s'appelle Fabi Martel et j'pense qu'elle serait passée par ici, cet hiver. Elle vous aurait demandé l'hospitalité.

Le père nous examina, pris au dépourvu par ce jeune couple qui lui souriait à belles dents. Il nous pria d'attendre et referma la porte. Un instant plus tard, un autre homme se présenta comme le supérieur de la communauté. Il était à moitié chauve et sa barbe fournie et touffue cachait en partie son crucifix.

— Entrez, dit-il d'une voix où le « r » se fit insistant.

Il nous désigna un banc dans le hall d'entrée. Il en occupa l'autre extrémité.

— Vous êtes déjà venus ?

— Non, c'est la première fois, répondis-je en déployant tout mon charme.

— Notre chapelle est renommée. Son chemin de croix est l'œuvre du peintre Charles Huot. Il venait ici chaque été pour visiter l'abbé Elzéar Delamarre.

— Delamarre ! s'exclama Edmond. L'homme fort ?

— Non. Lui, c'était Victor Delamarre. Mais c'était un membre de sa famille. On m'a dit que vous cherchiez votre sœur ?

— C'est ça. J'pense qu'elle a pu venir ici, l'hiver passé. Elle… elle était seule.

— Nous ne sommes pas tous présents durant la saison froide. Il y a moins de pèlerins.

— On arrive de La Tuque. On est là pour la journée. On repart en avion dans l'après-midi.

— Ah ! C'était vous, l'hydravion. C'est moins long que par le train.

— Oui, c'est une chance qu'on a eue.

— N'oubliez pas, avant de repartir, de visiter notre grotte pour vous recueillir devant la statue de Notre-Dame-de-Lourdes, nous suggéra-t-il pendant qu'Edmond se renfrognait au bout du banc.

— Ben sûr, oui. Mais pour ma sœur…

Le père sortit de sa manche, tel un magicien, un bout de papier.

— Allez à cet endroit. On pourra peut-être vous aider. C'est à Chambord.

— Alors vous l'avez vue ?

— On ne m'a rien signalé à ce sujet. Mais vous avez l'adresse d'une maison tenue par les sœurs de Notre-Dame-du-Bon-Conseil. Vous n'aurez pas de difficulté à trouver, les gens du coin connaissent l'endroit. Les religieuses s'occupent des femmes dans le besoin. Elles seront plus à même de vous renseigner. Si votre sœur est passée par ici, on l'a sûrement dirigée à cet endroit.

— Merci, mon père. On va aller voir.

— Que Dieu vous vienne en aide, dit-il en traçant du bout des doigts un signe de croix dans les airs.

Nous remontâmes dans la voiture. Edmond s'extasiait sur le lac, tout en essayant de me tripoter la cuisse avec discrétion. Le chauffeur ajusta son miroir et nous proposa une chambre à demi-prix. D'une bourrade, je remis mon amoureux éperdu à sa place. Le trajet ne fut pas trop long. Le chauffeur patienta encore une fois.

La maison avait l'air d'une école. Avec deux étages de fenêtres, son corps rectangulaire était posé à l'extrémité d'un chemin en bordure d'un champ labouré. Je montai l'escalier la première. Quelques marches, recouvertes d'une peinture grise qui s'écaillait par endroits, menaient à une galerie sans rampe ni toiture. Une jeune nonne entrebâilla la porte. Ses yeux s'agrandirent quand je parlai de Fabi et s'écarquillèrent à la vue d'Edmond. Elle nous demanda d'attendre. Cela semblait être de convenance avec les membres des communautés religieuses de devoir patienter sur le pas de la porte.

Mon cœur cognait dans ma poitrine. J'avais lu dans son regard que ma requête était recevable. Elle revint, mais précisa qu'Edmond devrait rester à l'extérieur. Les hommes n'étaient pas admis dans la maison. S'il le voulait, il pouvait utiliser la balancelle à l'arrière. Frustré, il opina de la tête et s'occupa de régler la note auprès du conducteur-hôtelier.

Je me souviens que les lames du parquet grinçaient affreusement. Je sentis l'odeur provenant de la cuisine. Un mélange de beurre et d'épices auquel se mêlait l'arôme du pain qu'on vient de sortir du four. La jeune religieuse me désigna le couloir, où quatre portes s'alignaient de chaque côté. Sur le pas de l'une d'elles, une femme aux yeux cernés m'examina sans manifester la moindre émotion. Elle tenait à la main un missel replié sur son doigt pour en marquer la page. Je lui fis un petit signe de la tête, qui resta sans réponse. Une lumière jaune entrait par la fenêtre du bout du couloir. La nonne cogna à la dernière porte. J'avais l'impression que mon sang allait jaillir de mes orbites tellement ma tête bourdonnait.

— Je serai à mon bureau, pas très loin, si vous avez besoin.

Je ne savais pas de quoi je pourrais bien avoir besoin, hormis de courage. D'une poussée, elle ouvrit le battant, qui pivota lentement sur ses gonds. Fabi était assise près de la fenêtre. C'était bien elle. Elle me souriait, vêtue d'une robe grise élimée, ornée d'un col de dentelle. Je cessai de respirer. Je n'arrivais pas à poser un pied devant l'autre.

— Reste pas là. Entre, ma p'tite sœur.

Malgré une perte de vigueur, sa voix était la plus douce des musiques. Elle portait des échos familiers. Je me mis à pleurer et me jetai à ses pieds.

— Tu peux pas savoir comme je suis heureuse de te voir, Fabi. Pourquoi t'as pas donné de tes nouvelles ?

— T'es pas mal belle, Héléna. C'est ton *chum*, dehors ?

— Oui. Non. Pas encore. Ça se pourrait. Il s'appelle Edmond.

— Beau gars.

Elle souleva le bras et caressa mon visage. Je vis alors qu'il manquait trois doigts à sa main droite. Je la saisis pour bien m'assurer de cette absence. Je glissai sur la cicatrice rougie. Elle exhiba son autre main, cachée dans les plis de sa robe. Le pouce et l'index étaient absents. J'essayais de recomposer les mots qu'inconsciemment j'avais préparés pour ces retrouvailles. Trop tard, le choc les avait pulvérisés. Comme fut anéanti mon bonheur quand je me rendis compte que ma sœur était assise dans un fauteuil roulant. Le cauchemar était horrible. Je laissai mon corps s'appuyer contre le mur, alors que mes yeux ne pouvaient se détourner de cette unique bottine visible sous la robe.

— J'ai aussi perdu un pied et deux orteils sur l'autre. J'ai failli mourir gelée, Héléna. J'aurais aimé mieux ça. On avait pas le choix de m'amputer, la gangrène menaçait.

— Mon Dieu, Fabi!

— C'est Mikona qui t'a dit où j'étais?

Je fis signe que oui de la tête. J'avais la gorge enserrée dans un corset de sanglots. Je me sentais comme au retour de Francis. Il se tenait devant moi, mais il n'était plus le même. Tous deux s'étaient enfuis et chacun me revenait mutilé. Elle poursuivit de la même voix tranquille que l'harmonie du lieu modulait d'une sonorité monacale.

— C'est sa famille qui m'a recueillie. Après m'avoir trouvée sur le bord du Wayagamac, ils ont pris soin de moé, sans me juger. Du bon monde. J'aurais pu décider de me livrer, mais j'ai préféré me sauver. J'avais honte. J'pensais avoir tué l'ouvrier près de la *dam*. J'ai su, y'a pas longtemps, que je l'avais blessé à une jambe et que le chef de police avait été tué par l'ours. Pour Aristide, j'ai appris ça par une sœur qui a un frère à La Tuque. Il lui garde le journal parce qu'elle aime ben la lecture. C'est toé qui l'as trouvé. Ça m'a fait de la peine quand j'ai su ça. Notre père a jamais voulu faire de mal à personne. Y s'est laissé emberlificoter.

— Pourquoi t'as utilisé la dynamite ?

— Pour protéger notre famille et aussi Matthew. Le bâton que j'avais entre les mains venait du club. Le policier se rapprochait. J'avais peur que Matthew ait du trouble à cause de notre père. J'ai voulu lancer l'enquête dans une autre direction. Tout a mal tourné. Ça m'a pris trop de temps pour allumer la mèche. Y'a un gars qui m'a vue. J'me suis sauvée. Lui a essayé d'éteindre la dynamite. Quand ça a sauté, j'étais sûre qu'y était mort. C'était pas censé se dérouler de même. J'ai couru comme une folle jusqu'à la voie ferrée, pis j'ai descendu vers le lac. Je voulais faire un bout le long de la rive en chaloupe, pis me sauver dans le bois jusqu'à une ancienne cache de chasseur. Le vent s'était levé. J'ai chaviré, mais j'ai pu m'accrocher aux rames. J'ai quand même avalé pas mal d'eau. J'étais gelée. C'est Mikona qui m'a trouvée presque inconsciente sur la grève. J'suis restée avec eux autres le temps de me remettre. Après, j'ai préféré m'enfuir. J'étais certaine de faire la *run* entre le Wayagamac pis le lac Saint-Jean.

— C'est loin, Fabi. Je l'ai vu du haut des airs, en avion.

— En avion ?

Je lui expliquai l'offre de Mikona et notre randonnée dans les nuages.

— Toé, en aéroplane? dit-elle amusée par la nouvelle. J'en reviens pas!

— C'est rien à côté de ce que t'as fait: marcher pendant des jours en plein hiver!

— J'avais mon plan. Il suffisait que je remonte jusqu'à la *track* qui passe au lac Édouard. Je me disais que je pourrais sauter dans un train, pis me rendre au lac Saint-Jean. Je me suis aperçue qu'avec la neige, c'était pas si facile. Ça fait que j'ai marché pendant des jours en suivant la voie ferrée. J'ai mangé des perdrix, des lièvres que j'ai tués avec le fusil que le père de Mikona m'avait donné. J'ai aussi mâché de la gomme d'épinette, pis croqué des noix que j'ai trouvées dans un trou au pied d'un arbre. C'est en observant l'écureuil que j'ai repéré sa cachette. Le froid l'avait réveillé. Heureusement que j'avais des allumettes. Chaque soir, je me faisais une cabane de branches. J'allumais un feu, pis j'dormais collée dessus, enveloppée dans une peau d'orignal.

Je la contemplais et je comprenais pourquoi Matthew en avait été amoureux. Les lignes de son visage se rejoignaient à la perfection. Malgré une certaine maigreur, on y voyait la beauté d'une femme déterminée. J'avais envie de toucher ses cheveux, de les enrouler autour de mes doigts, comme je le faisais au creux du lit quand elle me racontait ses journées. Lorsque sa route avait croisé celle d'un ours ou d'un chat sauvage, je l'interrogeais naïvement:

— T'avais pas peur toute seule?

— C'est pas la première fois que tu me demandes ça. Tu le sais que j'ai jamais eu peur dans le bois. C'est ben plus dangereux quand y'a des humains. Tous les animaux savent ça, disait-elle en riant.

Elle me regarda dans les yeux, comprenant où j'étais dans ma tête. Sa main mutilée caressa ma joue. Je voyais bien qu'elle retenait sa tristesse pour l'empêcher de déborder.

— Mais pour tes mains et tes pieds ?

— C'est arrivé vers la fin. J'me pensais forte. L'hiver l'a été plus que moé. J'avais réussi à monter dans un train, qui s'est arrêté le temps de débarquer trois chasseurs, pis leurs bagages. J'ai sorti du bois comme une folle. Y faisait noir. J'ai tombé deux ou trois fois avant d'attraper les barreaux du marchepied. C'est là que j'ai perdu une partie de mes affaires sans m'en rendre compte. J'suis restée accrochée au wagon un bon bout. J'ai vu défiler une maison au fond d'un champ. Je me suis dit que j'approchais d'un village. J'ai décidé de sauter dans un banc de neige avant d'arriver à la gare. Ça a été une grosse erreur. J'étais encore à deux jours de marche de Chambord. La température a baissé comme jamais. J'avais pus d'allumettes. J'avais pus le choix d'avancer. Le vent s'est levé. La poudrerie s'en est mêlée. Je savais pus où j'étais. J'ai perdu le chemin de fer. Je continuais sans savoir comment. Je sentais pus mes pieds ni mes mains. J'ai abouti dans une clairière. Je me suis rendu compte que c'était un lac. J'ai marché le long de la rive. Le soleil s'est levé.

J'ai vu une lumière au loin, pis je me rappelle pus. Il paraît que c'est un trappeur qui m'a trouvée. J'étais en train de congeler sur le bord du lac Bouchette. J'étais presque rendue. Je me suis réveillée à l'hôpital, où les p'tites sœurs m'ont prise en charge, pis envoyée icitte. Je leur ai donné un faux nom en leur disant que je vivais avec des Indiens. J'ai fini par leur conter la vérité, parce que j'en pouvais pus de garder ça pour moé. Elles m'ont pas jugée. Elles ont dit que c'était au Bon Dieu de le faire. Si tu savais combien de fois je Lui ai demandé pardon. Après tout, je pense que j'ai payé, dit-elle en levant ses deux mains devant elle.

— Oh! Fabi. T'es vivante! C'est tout ce qui compte. Tu vas revenir avec nous autres. On va s'occuper de toé. On vit en ville asteure. J'ai une *job* à l'usine, Yvonne travaille pour la compagnie de téléphone. Francis est rentré de la guerre, pis y répare des montres. Marie-Jeanne a un grand jardin dans la cour.

Sans m'en rendre compte, je passais sous silence tout ce qui allait de travers. Je n'avais d'autre envie que de lui balancer du positif pour lui remonter le moral. Elle me laissa parler un bon moment avant de m'interrompre, comme s'il n'y avait qu'une chose qui lui importait.

— Pis Matthew, tu l'as revu?

Je rougis malgré moi. Devant ma sœur diminuée, je me sentais vache d'avoir flirté avec Matthew. D'avoir seulement pensé que je pouvais me substituer à Fabi. Je me rendais bien compte qu'elle ne l'avait pas oublié. Moi, je savais que lui non plus n'avait rien oublié, mais que l'idée qu'elle soit morte en décolorait le souvenir.

— Il t'a cherchée. Il a eu ben de la peine. Mais il nous a aidés. C'est lui qui m'a trouvé une *job* à l'usine. J'te jure qu'il a souvent parlé de toé. J'suis certaine qu'il aimerait ça te revoir.

Ma voix manquait de conviction. Elle était celle d'une rivale qui ne pensait pas un mot de ce qu'elle venait d'affirmer. Elle montait du gouffre qui s'était creusé au plus profond de moi-même.

— Regarde-moé comme il faut, Héléna, dit ma sœur en soulevant ses deux bras. Y'a pas un homme qui s'intéresserait à ça.

— Mais voyons. T'es toujours Fabi. T'es la même.

— Non. L'autre est encore au Wayagamac. C'est un fantôme qui court les bois, qui pêche, qui jase au lac pis au vent. C'est pas avec ma chaise à roues que je peux tendre des collets.

— Mais tu vas pas rester icitte tout le temps.

— Les sœurs parlent de m'amener à Chicoutimi. Leur couvent est plus grand. Je pourrais peut-être les aider un peu à la cuisine. Elles sont habituées avec les infirmes comme moé.

— Tu reviendras pas à La Tuque?

— Pour faire rire de moé par en arrière? Pour me faire montrer du doigt? J'ai pas envie qu'on m'envoie en prison pour ce que j'ai fait. Je l'ai, ma punition.

Mon corps s'était alourdi de fatigue. Je me levai en prenant appui sur le rebord de la fenêtre. J'étais venue à la rencontre de ma sœur, mais je n'avais pas cru un instant que je la trouverais diminuée. J'étais désemparée. Elle, si forte, si sûre d'elle-même, si belle et rayonnante, était maintenant réduite à l'inactivité et à la dépendance à son entourage. Comment était-ce possible que le malheur nous ait frôlés de son aile à ce point ?

— Qu'est-ce que j'vais dire à Marie-Jeanne, pis aux autres ?

— Tu leur diras que j'vais ben, que j'suis partie vivre au nord avec les Indiens, les loups, pis les ours. Comme ça, ils vont garder une belle image de la Fabi du lac. Comment va Francis ?

— En réalité, pas trop ben. Il a trouvé ça dur. Les bombardements, les morts, les blessés qu'il était obligé de ramasser au brancard. Je pense qu'y é malade. Il fait souvent des crises.

— Notre frère est pas un soldat. Y'a juste lui qui le savait pas. Tu l'embrasseras pour moé. Serre-le fort. Il m'avait promis de revenir et c'est moé qui suis pas là. Ça marche pas comme on veut, la vie. Tu devrais y aller là, j'suis fatiguée. Embrasse Yvonne, pis la mère pour moé. Surtout, dis-leur que j'suis ben.

— J'peux pas m'en retourner comme ça, pis te laisser icitte.

— Tu peux pas faire grand-chose, p'tite sœur. C'est déjà beau que tu sois venue me voir. En avion, à part de ça !

— J'te promets, Fabi, que j'vais revenir te chercher.

— Fais pas des promesses que t'es pas sûre de tenir. Jure surtout que tu diras rien de mon état, pis que ton *chum* non plus.

— Ouais. Lui, il sait rien encore. Y t'a pas vue. Mais toé aussi, tu vas me promettre de penser à revenir avec nous autres.

— J'peux te promettre d'y penser. Quant à le faire…

— Je t'aime, Fabi.

— Moé aussi, Héléna. Ben fort.

Notre étreinte dura longtemps. Je me sentais fondre entre ses bras comme un bloc de glace qui dégèle. Je notai son adresse en promettant de lui écrire. En quittant la chambre, j'avais l'impression de l'abandonner sur le Wayagamac dans une chaloupe sans rames un jour de grand vent. Je savais maintenant qu'elle était en vie, mais d'une vie que personne ne souhaite. Je pourrais enfin lever un coin du voile et révéler son existence. Me soulager d'un poids par le mensonge. C'était l'histoire de ma vie. Pour le reste, je comptais sur le temps qui, parfois, arrange les choses.

Quand il me vit, Edmond écrasa sa cigarette avec la pointe de son soulier.

— Pis, tu l'as-tu vue ? T'as ben les yeux rouges.

— Oui. Elle est un peu faible, mais elle va ben.

— C'est une bonne nouvelle, ça!

— Oui et non. Quand elle sera remise, elle va s'en aller plus au nord, avec les Indiens. Pour un bon bout.

— J'suis pas surpris, ça a toujours été une femme des bois. C'est ce que les gars disaient. Si elle est heureuse comme ça, c'est ben tant mieux. Ça te fait de la peine? dit-il en me prenant par les épaules.

— Ouais. Mais j'suis contente aussi de l'avoir revue. Ma famille pourra pas en dire autant. J'aimerais ça, retourner à l'Ermitage. J'pense que ça me ferait du bien de visiter la grotte, pis le chemin de croix.

— OK, mais demande-moé pas de réciter le chapelet! Mais avant, on va se trouver une place pour dîner. Moé, les affaires d'église le ventre vide, c'est pas mon fort!

— D'accord, mais je mangerai pas. Juste à penser qu'y va falloir remonter dans le ciel! J'veux te demander une chose, par exemple. Tu vas me promettre de jamais parler de Fabi à personne. Ce sera un secret entre toé pis moé.

Il jura en levant la main, comme au tribunal. Je me retournai avec discrétion. À la fenêtre de la chambre de Fabi, le rideau se remit en place. Je savais que je saurais mentir, puisque je pouvais déjà enlever la vie et que j'apprenais petit à petit à aimer.

Résidence Clair de lune, Trois-Rivières, hiver 2002

Héléna se souvient de cette journée de retrouvailles et de l'émotion complexe qui la troublait. Les yeux de Fabi miroitaient le lac et les souvenirs d'enfance. Ses membres mutilés témoignaient de la tragédie, de la fuite et de l'incertitude. À la joie de la revoir se mêlait le soulagement de sa décision de ne pas revenir. Héléna se sentait coupable en la quittant ce jour-là. Elle aurait dû insister pour ramener sa sœur. Matthew se serait occupé de lui trouver un bon avocat et, qui sait, de l'aimer malgré tout. Elle avait plutôt acquiescé au mensonge et à l'abandon, acceptant de bon gré le scénario de Fabi, qui lui laissait le champ libre auprès de Matthew. Comment n'avait-elle pas vu que c'était un autre bâton de dynamite qui risquait de lui éclater à la figure à tout moment?

— J'aurais dû écrire ce bout-là autrement.

— Ça s'est pas passé comme ça? demande madame Lafrenière.

— J'y ai pas fait la promesse de revenir la chercher. Ça m'est venu quand je l'ai écrit. Sur le coup, j'savais pas quoi dire, quand elle m'a dit qu'elle était fatiguée. J'suis restée là, à la regarder. Je l'ai serrée dans mes bras, pis je l'ai embrassée comme un Judas. J'avais presque hâte de sortir de la chambre. Je pensais à Matthew, en marchant dans le chemin avec Edmond.

— T'aurais pas pu la ramener de force de toute façon.

— Tu comprends pas. J'avais pas envie de la ramener. J'le sais aujourd'hui.

— Ça te donne quoi de te torturer avec ça? Tu peux rien y changer.

— T'as raison pour le passé, mais y reste un peu de futur.

— Qu'est-ce que tu veux dire?

— Que je pourrais au moins avoir du regret et me faire pardonner!

Madame Lafrenière pense que l'indulgence du petit curé ne sera pas la meilleure façon d'y parvenir. Retraité, en perte de mémoire, peut-il encore prétendre être le représentant de Dieu? Et même s'il l'est, acceptera-t-il de l'absoudre? Huguette préfère ne pas en découdre avec Héléna, déjà qu'elle semble avoir pris le petit homme de Dieu en grippe.

— Veux-tu que je vienne te chercher pour le spectacle demain?

— Non, la p'tite préposée va s'occuper de moé. J'vais voir comment je me sens après le dîner.

— Comme tu veux, moé je vais être là. J'te garde une place.

CHAPITRE 16

La Tuque, été 1941

Le lendemain de mon escapade au lac Saint-Jean, nous reçûmes de nouveau la visite du policier. J'avais les images de ma sœur mutilée dans la tête. Je balançais entre la joie de la savoir vivante et l'anéantissement devant son état. Mon cerveau bouillonnait en cherchant les mots avec lesquels il me faudrait mentir. J'entendis Marie-Jeanne pester contre Francis, qu'elle croyait encore dans l'embarras. Elle se trompait. C'était à moi qu'on voulait poser des questions. Ma mère s'installa dans sa berceuse, l'oreille aux aguets. Je répondis au policier debout dans l'embrasure de la porte. Il était frais rasé, mais sa barbe aux racines fortes et noires lui faisait des joues de truand.

— Josette Gagné, ça te dit quelque chose? me demanda-t-il en se carrant les épaules.

— Oui, on travaille ensemble à l'usine.

— C'est ça qu'on m'a dit. Tu sais pas où elle est?

Ses yeux n'avaient pas l'acuité envahissante de son prédécesseur. Ils étaient au contraire fuyants, timorés devant la tâche à accomplir. On sentait l'effort de chausser des bottines trop grandes pour lui. Son chef était un rapace hargneux qu'il ne réussirait jamais à imiter.

— Ben non. Pourquoi je saurais ça ? J'la vois juste à l'usine.

— C'est parce qu'elle est disparue, depuis deux jours. Son père est inquiet. Faut le comprendre, elle s'occupait de lui. Il est pas jeune, le bonhomme, pis y'é infirme. C'est quand la dernière fois que tu l'as vue ?

— On est dimanche. C'était jeudi, en fin d'après-midi, quand j'ai fini mon quart de travail.

— Elle a quitté l'usine comme d'habitude ?

— Ça doit. Vous devriez demander aux filles. J'étais pas là ce soir-là.

Il notait mes réponses dans un petit carnet à l'aide d'un bout de crayon. Il me fallait attendre un moment entre chaque question, le temps qu'il finisse d'écrire. J'avais l'impression de lui faire une dictée. Marie-Jeanne écoutait avec la main dans son tablier.

— C'est déjà fait. Il y en a une qui m'a dit que tu t'entendais pas très bien avec madame Gagné.

— Vous savez ce que c'est, la *shop*. Y'a ben des mauvaises langues, pis des cancans, dis-je en rattrapant quelques trémolos en fin de phrase.

— Ouais. C'est vrai. Mais y me semble que votre nom sort souvent. Au Wayagamac pour ta sœur, pis aussi ton père. Pour ton frère, y'a pas longtemps. Pis là pour une disparue. J'vais commencer à croire que t'es abonnée.

— C'est ce genre de commérage-là qu'on fait à l'usine.

Il sembla désarçonné par ma contre-attaque. Son crayon frotta le papier inutilement. Il referma son carnet d'un coup sec et le glissa dans sa poche.

— Des fois, dans la rumeur, y'a un brin de vérité, dit-il, fier à son tour de sa répartie. En tous les cas, si tu te rappelles quelque chose d'important, je pourrai revenir. Je connais le chemin. Je vous laisse le bonjour, madame, dit-il à l'intention de ma mère, en soulevant sa casquette.

J'avais remarqué que tout du long, il m'avait tutoyée. Sans doute pour bien souligner son autorité et la fréquence de nos rapports. Marie-Jeanne se leva pour le regarder partir.

— Les voisins vont encore jaser, dit-elle en tâtant son chapelet.

— Laisse-les faire, m'man.

— C'est vrai que tu te chicanes avec cette femme-là ?

— Va pas partir des rumeurs de même. Elle me porte pas dans son cœur, mais je fais avec. Elle est jalouse parce que j'suis la *boss*. C'est comme ça, à la *shop*. C'est tout !

— J'espère que c'est pas grave.

— M'man, tu devrais t'asseoir. J'ai quelque chose à te dire.

— C'est-tu par rapport aux poissons que t'as pas rapportés de ta partie de pêche ?

— Assis-toé. Ce serait mieux.

— Tu me fais peur, là. Qu'est-ce qui arrive ?

— Il arrive que j'suis pas allée pêcher hier. J'étais au lac Saint-Jean.

— Au lac Saint-Jean ! Jésus, Marie, Joseph ! Comment t'as fait ça ?

— J'ai pris l'aéroplane.

Cette fois, aucun son ne sortit de la bouche de ma mère. Je l'avais tétanisée. Transformée en statue. Pétrifiée. Je craignais pour la suite. Je cherchais les mots pour le dire. Elle me regardait avec des yeux ronds, comme si je m'étais métamorphosée en sorcière. J'articulai à voix basse.

— C'est au sujet de Fabi.

Je la vis pâlir, chercher à comprendre, retenir son souffle jusqu'à creuser ses joues, déglutir avec peine, puis dire une incongruité :

— Ils l'ont retrouvée dans le lac Saint-Jean ?

— Ben non, m'man. Ça s'peut pas. Le Wayagamac est ben trop loin du lac Saint-Jean. Non. Fabi s'est sauvée au lac Saint-Jean. Elle est pas morte !

— Sors la bouteille de brandy. J'ai des chaleurs.

Je lui en versai deux onces au fond d'une tasse. Elle le but en trois gorgées et trois grimaces. Elle s'en servait d'habitude pour renforcer son café. Un peu de couleur apparut sur ses joues.

— C'est une nouvelle, ça, Héléna. Une bonne nouvelle ! Fabi est en vie. Mes prières ont été exaucées. Quand est-ce qu'elle va revenir ?

— C'est là que ça se gâte. Elle s'en va au nord avec des Indiens pour chasser, pis pêcher avec eux autres. Ça va prendre du temps avant qu'on la revoie, si on la revoit.

— Mais où ça, au nord?

Je haussai les épaules, ne m'étant pas préparée à une telle question. Mes connaissances géographiques étaient plutôt minces. Je mentionnai le seul endroit qui me passa par la tête.

— Au nord de l'Abitibi.

— Mais comment t'as fait pour la retrouver?

— C'est par Mikona, la métisse, qui est venue ici l'autre soir.

Je lui racontai ce qu'elle avait besoin de savoir. Ce qui pouvait lui enlever le poids de l'incertitude et lui donner un espoir pour sa fille. Je passai sous silence les mutilations. Quand j'eus fini, elle se fâcha noir. Elle m'en voulait de ne pas l'avoir avertie avant. De l'avoir laissée se ronger les sangs d'inquiétude. Elle prit Francis à partie et vilipenda Yvonne, qui lui faisait des bébés dans le dos. Tout y passa, même le maudit mille piastres qu'elle menaça de brûler dans le poêle. Je l'avais rarement vue aussi fâchée. J'attendis la fin de l'orage pour appeler Yvonne. Je savais qu'il y avait un risque que la nouvelle fasse le tour de la ville. Ma sœur n'était pas si indiscrète, c'était sa voix qui l'était. Un peu d'émotion et son haut-parleur faisaient le travail. Elle insista pour informer Georges, je me chargerais de Francis. On convint de n'en parler à personne d'autre pour permettre à Fabi de refaire sa vie. Je préférais m'éloigner de la maison et de Marie-Jeanne qui boudait.

Je remontai le long de la voie ferrée, en direction de la gare. Je savais que je n'y croiserais que des enfants jouant près des rails ou, au pire, un vagabond attendant l'occasion de se faufiler dans un wagon vide. Je n'avais pas envie de voir un visage connu. Je pris la rue Saint-Joseph d'un bon pas, les yeux sur le trottoir. Je cognai à une porte close. En regardant par la vitrine de la future bijouterie, je vis que les travaux n'avaient pas beaucoup progressé. Je frappai plus fort sans résultat. J'allai entre les deux bâtisses pour m'essayer à la porte du logement. Une toile m'empêchait de voir à l'intérieur. Comme personne ne répondait, je tournai la poignée. Le battant s'ouvrit et une odeur de vomi me souleva le cœur. Je laissai la porte grande ouverte. Mon frère gisait sur son matelas posé à même le sol. Sa main trempait dans une flaque de vomissures, près d'une bouteille de rhum vide. Je passai le reste de la journée à tout nettoyer. Francis se réveilla à peine quand je le mis sous la douche. Il baragouina contre l'armée et se rendormit sur le sofa. Vers six heures, j'allai chercher de quoi manger. Son réfrigérateur ne contenait que du pain rassis, du lait caillé, du jus d'orange et du jus de tomate. À mon retour, il était en train de vomir dans la cuvette. J'attendis qu'il en finisse avec ses excès.

— On dirait que la nuit a été dure.

— C'est toé qui as tout ramassé? me demanda-t-il d'une voix pâteuse en examinant autour de lui.

— Ouais, j'ai fait le tour. T'es pas trop avancé dans tes travaux.

— Il a fallu que je répare quelques montres. Il est quelle heure, là?

— L'heure de t'asseoir. J'ai quelque chose à te dire. Mais avant, j'aimerais ça que tu m'expliques c'est quoi les bijoux que j'ai vus dans ton atelier?

— Y'a rien à expliquer. C'est du stock que j'vais vendre. Ça me fait penser que j'ai un client à voir à soir. Il veut offrir un bracelet en or à sa femme.

— T'as de l'argent pour acheter des bijoux?

— Commence pas à faire ta Marie-Jeanne. Tu connais rien au commerce.

— Ben, dis-moé d'où ça vient d'abord.

— C'est Max. Y me fournit la marchandise, j'la vends, pis j'y donne sa cote. C'est comme ça que ça marche, les affaires. J'te l'ai dit, y'é commis voyageur.

— Es-tu sûr que c'est pas du stock volé?

— Arrête avec tes histoires, pis dis-moé pourquoi t'es venue. J'fais rien de croche.

Sa main tremblait sur la boutonnière de sa chemise. Son teint verdâtre faisait peur à voir. Il évitait de me regarder dans les yeux. Pour y parvenir, il tournait en rond et s'appliquait à chercher l'introuvable. Il souleva le hamburger que j'avais apporté à son intention. Il grimaça, le reposa et pigea une frite huileuse, qu'il grignota comme une souris.

— Je t'apporte une bonne nouvelle.

— Dis-moé pas que la mère a accepté de me prêter son argent !

— Ça t'arrive-tu de penser à d'autre chose qu'à l'argent ?

— Oui, mais je suis pas sûr que ça m'aide ben gros.

— C'est à propos de Fabi.

Il se redressa et ses yeux rougis se braquèrent dans les miens.

— Je l'ai vue, hier. Elle est au lac Saint-Jean. Elle... va ben. Elle t'envoie ses salutations.

— Sacrament ! Elle aurait pu donner des nouvelles avant. Tout le monde pensait qu'elle était noyée. Elle revient quand ?

— Elle revient pas.

— Elle a peur ? D'abord, c'est ben elle qui a fait sauter la dynamite.

— Oui. Elle aime mieux s'en aller au nord. Partir chasser pis pêcher avec les Indiens.

À force de répéter le mensonge, il se coinçait dans ma gorge. L'image du fauteuil roulant et des membres mutilés créait un rétrécissement sur lequel les mots se déchiraient. Malgré son état, Francis en percevait les hésitations.

— Tu l'as vue où ?

— Dans... dans un restaurant. Elle était sur le point de partir.

— T'es allée là comment, toé ?

— En aéroplane.

— Wow! Tu te mouches pas avec des épluchures d'oignons! J'en reviens pas!

— C'est grâce à une amie indienne, pis à madame McCormick.

Je venais de faire dessoûler mon frère avec cette affirmation. Il me regardait avec les yeux sortis de la tête. Comment sa jeune sœur pouvait-elle fréquenter en même temps la dame la plus riche de la Mauricie et une Indienne?

— Est-ce que j'suis en train de rêver, moé là?

— Ben non, tout ce que j'te dis est vrai. Fabi est en vie. J'y ai parlé dans un restaurant à Chambord.

— J'le sais que t'es une bonne menteuse. Y'a juste avec moé que t'as de la misère à conter des pipes. Je sens qu'y a quelque chose d'autre que tu veux pas me dire. Tu l'sais comment je l'aime, Fabi, fait que dis-moé la vérité.

— Je l'aime autant que toé, dis-je en échappant quelques larmes.

— Tu l'sais, Héléna, quand j'ai appris qu'elle s'était noyée, j'ai viré à l'envers comme une crêpe dans la poêle. J'avais envie de tout crisser là, pis de revenir. Le commandant voulait rien savoir d'une permission. Il mangeait du «canayen-français» dans sa gamelle. Il voulait nous casser, l'écœurant. Le pire, c'est que j'pense qu'y'a réussi. J'aimerais ça, Héléna, voir Fabi. Ça me dérange pas de me rendre au lac Saint-Jean. Ça me ferait du bien de la prendre dans mes bras.

Je m'approchai de lui et le serrai contre moi, comme je l'avais promis à ma sœur. Il se mit à pleurer doucement, comme si son âme lui refusait ce droit. Je l'embrassai sur la tempe.

— C'est tout ce que je peux te donner de sa part, Francis. Elle est déjà partie pour l'Abitibi.

Nous restâmes de longues minutes l'un contre l'autre. Nous savions, lui, moi, comme Fabi, qu'il n'y avait pas de retour en arrière possible. Il nous fallait fuir chacun à notre manière, Fabi dans l'oubli, Francis dans les engrenages de ses fantômes et du temps, et moi, dans celui du mensonge et du crime.

Résidence Clair de lune, Trois-Rivières, hiver 2002

Le violoniste a les cheveux longs. Il les retient sur sa nuque à l'aide d'un gros élastique torsadé. Il se déplace à la même vitesse que la plupart des résidents. Son étui sous le bras, il salue chaque personne qu'il croise et serre les mains comme un politicien. Dans son sillage, le conteur, un gringalet à lunettes rondes comme des lunes, semble plus pressé de commencer. Il distribue avec parcimonie des sourires timides. La responsable des loisirs vérifie l'installation minimaliste : deux chaises derrière un micro sur pied.

Madame Lafrenière se lève et cherche son amie parmi la quarantaine de personnes présentes au spectacle. Elle sait par la préposée qu'Héléna a demandé à utiliser son fauteuil roulant. Comme la jeune employée est aux prises avec un changement de couche et retraite vers une salle de bain pour s'exécuter, Huguette décide de monter. Si elle en juge par la progression du violoniste, elle devrait avoir le temps de revenir avant que tout soit en place.

Le couloir est désert et la chambre d'Héléna aussi. Madame Lafrenière est perplexe. Elle a pris l'ascenseur et n'a pas croisé son amie. On a beau avoir perdu du poids, on ne disparaît pas avec un fauteuil de cette taille. Elle longe le corridor et entend le ronronnement d'un moteur électrique. Héléna sort d'une chambre et tourne dans sa direction.

— J'suis venue te chercher ! Ça va commencer, lui crie madame Lafrenière en se précipitant à sa rencontre.

— J'suis prête. On descend. Je voulais voir le p'tit curé, mais il est pas là. Pourtant, on m'avait dit qu'il irait pas au spectacle. J'y ai laissé un p'tit mot pour qu'y m'oublie pas.

— Je l'ai vu en bas. Il jasait avec madame Gervais.

— Dans ce cas-là, j'y parlerai une autre fois. J'ai pas envie que la Gervais m'entreprenne.

— Laisse-le donc tranquille, avec tes histoires. J'suis pas sûre qu'il comprenne tout. Son alzheimer progresse.

— Je m'en sacre qu'il s'en souvienne pus demain ! J'veux qu'il me donne sa bénédiction aujourd'hui.

— T'es croyante, toé?

— C'est juste au cas. L'éternité, c'est pas mal long!

— Oublie ça, pis pousse ta manette à fond, on va être en retard! T'as pas trouvé d'autre chose à mettre que ta jaquette à fleurs?

— J'l'ai presque pas étrennée! Elle est neuve. Tu me parqueras dans le fond si t'as honte de moé!

— Ben non. J't'ai gardé une place sur le côté, en avant.

— Une chance que la p'tite m'a coiffée.

— Ben du moins!

CHAPITRE 17

La Tuque, été 1941

Il s'écoula une semaine avant que des travailleurs, chargés de nettoyer le bord de la rivière de ses billots échoués, ne retrouvent le corps de Josette. Elle n'avait pas franchi le barrage comme je le pensais. Les tourbillons et la bôme flottante l'avaient sans doute retenue. C'est un des grands *boss* cravatés qui nous l'annonça avec une voix d'enterrement et une économie de mots. La nouvelle bouleversa les filles. J'essayai de prendre un air de circonstance, car je vis que certaines des ouvrières observaient mes réactions du coin de l'œil. Je n'allais quand même pas pleurer quelqu'un qui me haïssait et dont j'étais responsable de la noyade. La production s'en ressentit et je dus ramener l'ordre à plusieurs reprises. Chacune avait des suppositions farfelues, mais personne n'osa le pire, du moins ce jour-là.

En revenant, j'arrêtai chez l'épicier Bertrand. Le boucher m'emballa mon steak haché en monologuant sur la mort de la pauvre Josette et surtout sur son père à moitié invalide dont quelqu'un allait devoir s'occuper. Un employé de l'usine avait propagé la nouvelle avant moi. J'approuvais de la tête sans commenter. J'avais seulement le goût de sortir au plus vite.

À la maison, Marie-Jeanne était allongée sur son lit. Commençait pour elle une dure bataille contre son foie. Elle se frottait le haut de l'abdomen et se plaignait d'une douleur intense. Venant d'elle, ce ne pouvait être pris à la légère. Son corps était une forteresse qui semblait invulnérable aux assauts des maladies. J'appelai le docteur, qui passa dans la soirée. Il lui donna un médicament purgatif et la semonça sur ses excès alimentaires. Elle reçut les recommandations avec un brin de scepticisme. Avant d'aller au lit, elle se fit une bonne tisane de son cru à base de racines orangées cueillies dans une savane près du Wayagamac, sous un tapis de mousse, plusieurs mois auparavant.

À mesure qu'elle reprenait des couleurs, elle évacuait son besoin de parler. Le temps lui paraissait plus long maintenant qu'elle était seule à la maison. Je l'écoutais distraitement en essayant de repasser les points forts de ma journée. L'annonce de la mort de Josette avait causé tout un émoi. Mon inquiétude se situait cependant au-delà de ces considérations. Allait-on retrouver le chapeau de mon père ? Y avait-il un signe quelconque à l'intérieur qui permettrait de remonter jusqu'à moi ? Il était bien tard pour me préoccuper de ce détail, mais je pouvais encore éviter le pire. Je savais que Marie-Jeanne n'avait touché à rien de ce qui appartenait à Aristide, depuis notre arrivée sur la rue Roy. Culottes, bottes, chemises, gants étaient dans un sac, sous les outils et autres babioles ramassées par mon père dans le Wayagamac. Je devais me débarrasser des vêtements. De cette façon, il y aurait une possibilité pour qu'une autre personne puisse avoir utilisé le chapeau.

— Héléna, m'écoutes-tu? demanda Marie-Jeanne avec irritation.

— Oui, mais j'ai eu une grosse journée. J'suis un peu fatiguée.

— J'comprends, avec la fille qui s'est noyée. Pauvre petite. As-tu des nouvelles?

— Vous la connaissiez pas, m'man. Essayez pas de la plaindre. Comment ça se fait que vous savez ça, qu'elle s'est noyée?

— C'est vrai, j'ai oublié de te dire que le policier a appelé. C'est mon foie qui me fait tourner la tête. J'ai jamais eu de crise aussi forte que ça. Mais c'est de famille. Géraldine est pareille.

— Le policier? Qu'est-ce qu'y voulait?

— Te parler. J'y ai dit que tu travaillais pas demain. J'pense qu'il va te rappeler dans l'avant-midi.

— Il a rien ajouté?

— Non, à part que la p'tite s'était noyée.

— On verra ça demain. Pis arrêtez de dire qu'elle était petite, elle en faisait deux comme moé! En attendant, moé, j'vais me coucher. J'suis crevée. Bonne nuit, m'man!

Je patientai jusqu'à ce que Marie-Jeanne éteigne la lumière et commence à ronfler avant de me rhabiller.

Sur la pointe des pieds, je me rendis dans l'ancienne écurie. En tâtant dans le noir, je récupérai le sac. La solution la plus rapide était de le mettre dans le demi-grenier. Si le policier demandait à voir les affaires de mon père, il ne trouverait pas ses vêtements. Je pourrais toujours m'en débarrasser un peu plus tard.

Quand ce fut fait, je retournai me coucher. Fabi, Francis, Josette, Edmond, Matthew, le chef de police se succédèrent dans ma tête en une ronde infernale.

⁊

Comme prévu, le chef de police m'appela un peu avant le dîner. Cette fois, il me vouvoyait. J'en conclus que le passage de la disparition à la mort imposait un certain décorum.

— Bonjour, madame Martel. Vous savez qu'on a repêché le corps de madame Josette Gagné. Elle s'est noyée dans la rivière Saint-Maurice. Selon le docteur, elle était dans l'eau depuis plusieurs jours. C'est un travailleur de l'usine qui l'a aperçue, coincée entre des billots, sur la rive, en amont du barrage hydro-électrique. Un coup de chance. Avec le bois sur la rivière, on aurait pu jamais la retrouver. Comme vous êtes pas mal dans les dernières à l'avoir vue, avez-vous une idée de comment elle a pu se retrouver là ?

— Ben non, j'étais aussi surprise que les autres.

— C'est pas ben ben une place pour aller se baigner. D'autant plus qu'elle était tout habillée. On pense que ce serait un accident. Sauf qu'elle avait pas d'affaire sur le bord de la rivière. C'était pas là qu'elle travaillait. Vous voyez ce que je veux dire.

J'attendais une question qui ne venait pas. L'autre étirait le silence volontairement. Je l'imaginais griffonnant avec son crayon sur une page blanche de son carnet. Sa voix avait des accents d'innocence qui lui seyait autant qu'un veston à un crocodile.

— Elle vous a rien dit là-dessus?

— Josette se confiait pas beaucoup. Encore moins à moé.

— Vous avez pas eu connaissance qu'elle s'est blessée durant son quart de travail? Je vous demande ça parce qu'elle avait deux doigts de la main droite qui étaient cassés. Son père a affirmé qu'elle était pas blessée quand elle est partie à l'usine.

— Non, j'pense pas. On l'aurait vu. De toute façon, on tient un registre des accidents. Faudrait vous informer.

— J'ai déjà vérifié. Y'a rien d'écrit. Personne se souvient qu'elle s'est blessée.

Encore le silence. Il y prenait son pied. Pouvais-je l'en blâmer? Je connaissais, par ma seconde peau, le plaisir d'épier, de traquer, de voir approcher le moment où on tient la vie de l'autre entre ses mains.

— Il me reste à examiner le bord de la rivière en arrière de l'usine. Excusez-moé de vous avoir dérangée. Vous comprenez que, quand il y a mort d'homme… ou de femme, on doit faire enquête. Surtout si ça s'est passé sur les terrains d'une compagnie privée. Les assureurs sont pointilleux.

— Ouais, c'est sûr.

Quand je remis le combiné en place, je me demandai si le chapeau avait été une erreur.

Résidence Clair de lune, Trois-Rivières, hiver 2002

La porte de la chambre d'Héléna s'ouvre d'un coup. Madame Lafrenière s'amène avec une lettre à la main. Elle s'arrête bouche bée devant son amie à moitié nue. Une préposée lui nettoie le bas-ventre avec une débarbouillette.

— Ben, entre! Fais comme chez vous. Elle est en train de me frotter la lampe, mais y reste pus grand génie!

— Excuse-moé, j'aurais dû cogner, bredouille madame Lafrenière.

— Asteure que t'es là, assis-toé. Ça me fait rien, maintenant qu'on est devenues intimes.

La préposée ne peut s'empêcher de rire de la blague d'Héléna. Madame Lafrenière se met à rougir, mais ne peut détacher les yeux du moignon violacé qui marque l'amputation.

— Il paraît que ça guérit ben, dit Héléna en frottant sa cuisse. Le plus drôle, c'est que des fois, j'ai l'impression que je l'ai encore. Ça démange aussi. Je me demande ce qu'ils font avec le bout coupé. Y le gardent-tu au frette pour quand je vais me faire incinérer?

La préposée suspend son travail et réfléchit un instant avant de hausser les épaules devant ce questionnement trivial. Huguette grimace son ignorance avec dégoût. Le corps amaigri d'Héléna lui semble aussi troublant que la jambe disparue.

— En sortant de la salle à manger, la réceptionniste m'a hélée. Elle avait une lettre pour toé. On l'a adressée à ton appartement. C'est la poste qui l'a fait suivre.

— Si c'est de la publicité, tu peux la jeter!

— C'est écrit à la main.

— Mets-la sur ma table de chevet. Je regarderai ça plus tard.

— T'es pas curieuse de savoir de qui ça vient?

— Pas autant que toé!

Cette fois, la préposée éclate franchement de rire et range son matériel sur le chariot roulant.

— Voilà, madame Martel. Il me reste la couche, pis je vais mettre de l'onguent sur votre plaie. Allez-vous faire de la chaise roulante aujourd'hui?

— Je pense qu'on va la laisser au garage. Hier, les conteux d'histoires m'ont fatiguée.

— C'était bon, par exemple. J'ai ben ri. Pas vrai, madame Lafrenière? dit la jeune femme en roulant son chariot.

— Oui, j'ai aimé ça.

Huguette tourne l'enveloppe entre ses doigts. Elle est convaincue qu'enfin le fils d'Héléna se manifeste. Il n'y a aucune adresse de retour. Le cachet indique que la lettre a été postée à Acton Vale. Elle sait que c'est une petite ville des Cantons-de-l'Est. À voir l'épaisseur, il n'y a pas plus de deux ou trois feuillets. Elle redoute que son amie ne lui en partage pas le contenu. Peut-être aurait-elle dû l'ouvrir à la vapeur? C'est une méthode qui semble fonctionner dans les films. Il est trop tard à présent. Elle devra lui tirer les vers du nez. La préposée les salue à tour de rôle avant de quitter la chambre.

— Ça fait du bien, même si c'est un peu gênant, conclut Héléna, satisfaite de son bain à la mitaine.

— T'es sûre que tu veux pas la lire tout de suite? demande madame Lafrenière en lui tendant l'enveloppe.

— Non, d'habitude, j'fais une p'tite sieste avant le dîner. Donne-moé ça, t'as pas l'air d'avoir envie de la lâcher. Comme t'es là, fais-moé la lecture de mon livre avant que je m'endorme. Tu pourras revenir après-midi vers trois heures.

— Comme tu veux.

CHAPITRE 18

La Tuque, été 1941

Dans les jours qui suivirent, nos policiers latuquois en eurent plein les bras avec les assemblées politiques. L'Union nationale fit venir monsieur Duplessis et son discours enflamma ses partisans. Les libéraux chahutèrent et il y eut quelques arrestations quand ceux-ci lancèrent des cailloux et des bouteilles vides en direction de Maurice Le Noblet.

Je pouvais donc respirer un peu. La noyade de Josette passerait peut-être sous le tapis des préoccupations de l'heure. C'est durant ces quelques jours que j'écrivis ma première lettre à Fabi. Elle ne faisait qu'une page, mais je me souviens d'y avoir pris grand soin et beaucoup de plaisir. Je parlais de mon bonheur de la savoir vivante, du jardin de Marie-Jeanne, d'Yvonne et de Francis, de mon travail et d'Edmond. J'embellissais le tout. Rien n'allait de travers. Je m'appliquais à créer du bonheur. Les mots sortaient facilement de mon crayon et chacun d'eux m'enchantait. Ils étaient comme une petite graine semée qui germait sous mes doigts. Ils me rappelaient les heures heureuses passées à l'école et les espoirs démesurés des religieuses à mon égard. Cette correspondance raviva un désir de lire et d'écrire qui ne cessa de grandir. Par la suite, j'ai gardé toutes les lettres de Fabi.

C'est aussi durant cette accalmie qu'Edmond me fit un grand plaisir. Nous étions au début de juillet et il me proposa de pêcher dans le ruisseau du Wayagamac. Rien n'aurait pu autant m'enchanter. Il avait tout organisé avec le nouveau gardien de la *dam*, qu'il voyait à l'hôtel régulièrement. Un homme sombre et solitaire qui nous regardait toujours en espérant que nous n'ayons rien à dire. La conversation lui pesait comme un fardeau dont il fallait se débarrasser au plus vite. Edmond l'avait amadoué à la façon dont on attire un oiseau sauvage, à force de patience et de graines alléchantes. Dans son cas, plusieurs bières offertes avaient scellé l'entente. Il nous conduirait à l'aller comme au retour.

Je repris donc le *speeder* dans un petit matin brumeux rempli des gazouillements des mésanges et des moineaux. Je revis le tunnel et le Fer à cheval. Je parcourus le sentier qui menait à notre ancienne maison. Je gardai les yeux au sol en passant sur la falaise, là où j'avais attiré le chef de police. Edmond me précédait sans savoir que les émotions m'étreignaient. Le lac était tout près. Sa fraîcheur flottait autour de moi comme un murmure de bienvenue et se mêlait à l'odeur de mousse et d'humus qui montait de la forêt. Je laissai mon prétendant préparer nos cannes à pêcher.

Je voulais traverser la *dam* et voir le Wayagamac du bout du quai.

Tout était pareil. Le vent, les arbres qui m'entouraient, la chaloupe qui se balançait sur les vagues en grinçant. Je m'allongeai sur les planches grises et enfonçai mon bras dans l'eau. Elle était froide. Ma main toucha le fond et mes doigts ramenèrent une poignée de petites roches étincelantes. Les perles de Fabi. Je triai les plus belles, les plus rondes et les mis dans ma poche. Puis je regardai le rocher, le dos d'hippopotame, le repaire de ma sœur à jamais déserté.

— Héléna! Viens-t'en!

Edmond s'impatientait. Sans lui, je serais restée là toute la journée. À contempler le large. À espérer qu'en me retournant, tout serait rentré dans l'ordre.

— Dépêche-toé! Les « frappe-abords » me mangent!
— J'arrive!

Edmond me tendit ma canne à pêcher et je descendis sur la rive. L'eau miroitait en tourbillonnant autour des grosses pierres. En m'approchant des fosses avec lenteur, je voyais les ombres des truites qui agitaient gracieusement la queue pour se maintenir dans le courant. Il ne me fallut qu'une minute ou deux pour attraper les plus belles. Je les glissai dans ma besace qui, à ce rythme, bientôt déborderait.

J'avais le bonheur au bout de ma ligne. Je souriais à chaque prise réussie et j'invectivais les récalcitrantes qui se débattaient en replongeant dans l'eau. Je ne m'arrêtai qu'à l'endroit où le tuyau avait été réparé.

À l'ombre d'un bouleau, je vis Edmond qui sautait d'un rocher à l'autre et qui échappait autant de truites qu'il en ferrait. Il me rejoignit et jeta son reste de cigarette au ruisseau. Le mégot tournoya un instant avant d'être emporté par le courant.

— J'ai beau faire de la fumée, les maringouins pis les frappe-abords me lâchent pas!

— Plus tu les achales, plus ils vont te piquer, lui lançai-je en citant ma mère.

— J'suis pas sûr de ça, moé. Je pense plutôt qu'y sont impressionnés par les belles filles, pis qu'y se vengent sur leur *chum*.

— Eh que t'es beau parleur, Edmond!

— Ça dépend avec qui.

Je voyais qu'une émotion plus intense venait de le traverser. Ses joues étaient passées du rose au rouge et il ne savait plus quoi faire de ses mains maintenant qu'il avait jeté sa cigarette. Il regarda autour nerveusement. Il parla, mais sa voix avait changé.

— On dirait que c'est icitte qu'on a réparé le tuyau. On voit l'éboulement, pis le chemin qui sort de la forêt.

— Oui, la roche qui a brisé l'aqueduc est là-bas. C'est mon cheval qui l'a tirée avant de mourir.

— Ça devait être tout un animal! C'est pas un p'tit caillou, c't'affaire-là!

— Il s'appelait Ti-Gars. C'était un bon cheval.

— Y'é mort comment?

— C'est mon père qui l'a tué. Deux coups de fusil. Il avait une patte cassée. Aristide était fâché. On avait trop poussé Ti-Gars. Il est tombé dans la boue avec plein de sang autour de sa tête. Je l'entends encore renâcler avant de s'éteindre.

— T'avais l'air de l'aimer. Le cheval, je veux dire. Ton père, j'sais pas. Mais si ça te rend encore triste, j'suis là pour te consoler.

Il s'était rapproché de moi. Nous étions côte à côte sur une roche plate en surplomb d'une marmite de géant patiemment formée par l'érosion de l'eau. Je le sentais nerveux alors que le souvenir de Ti-Gars m'envahissait. Sans me prévenir, il m'embrassa gauchement et glissa une main sous ma chemise. Il s'empara de mon sein et le pétrit sans ménagement.

— Pas si fort! Tu me fais mal, me plaignis-je en me tortillant.

— C'est pas de ma faute. Tu m'excites trop, Héléna.

— Ben calme-toé, si tu veux pas te retrouver le cul dans l'eau!

— Avec la chaleur qu'y fait, ça serait pas une mauvaise idée.

Son invitation m'émoustillait et m'effrayait en même temps. Il n'était pas question de tomber enceinte comme ma sœur Yvonne. Son aventure était encore récente à mon souvenir. Je trouvais qu'Edmond était vite en affaires. J'enlevai mes bottines et mon pantalon, et m'avançai dans l'eau fraîche du ruisseau. Je prenais garde de ne pas mouiller ma culotte, de peur que Marie-Jeanne ne s'en aperçoive à mon retour. Edmond se jeta flambant nu dans l'eau la plus profonde.

— Viens-t'en, Héléna! Est bonne!

Je refusai d'un sourire gêné. Il barbota pendant un moment. Je me contentai de marcher de long en large avec de l'eau à mi-mollet. Son érection était visible sous l'eau claire. Je savais que je n'étais pas encore prête et je ne pouvais m'empêcher de penser à Matthew. Je retraitai vers la roche et avant que je me retourne pour me rhabiller, il s'avança vers moi. Son membre était tendu droit devant lui, turgescent et d'un rouge sombre. Je n'avais rien vu de semblable avant, sauf sur notre chien de ferme. Embarrassée, je détournai les yeux. Il parla d'une voix basse que je ne lui connaissais pas.

— T'as pas envie?

— Faut pas aller trop vite, Edmond. Pis reste pas de même trop longtemps, les maringouins vont se régaler.

Je m'éloignai pour enfiler mon pantalon. Je l'entendis sacrer, à voix basse, dans mon dos. J'allai m'asseoir plus loin, dos à lui, pour mettre mes bottes. Quand je fus prête à repartir, il boutonnait sa chemise et j'aurais dû voir dans ses yeux ce que mon cheval avait vu des hommes avant de mourir: que parfois, ils ne sont que des bêtes.

Notre retour se déroula sur un fond de malaise. Ni lui ni moi n'avions envie d'en parler. La journée se termina devant une platée de truites que Marie-Jeanne partagea avec nous, sans penser un seul instant à son foie fragile. Edmond retrouva son air coquin et moi, une certaine bonne humeur.

Résidence Clair de lune, Trois-Rivières, hiver 2002

Héléna regarde avec appréhension les deux biscuits vanillés posés devant elle. Ils ont remplacé sans avertissement les *Social Tea* habituels. Aurait-on trouvé plus économique que les célèbres biscuits rectangulaires pour la collation du matin ? Peut-être leur forme ovale enlève-t-elle quelques grammes dans l'assiette ? Elle en approche un de son nez. L'odeur de vanille est insistante. Elle le repose et boit une gorgée de thé Orange Pekoe acheté en vrac et provenant d'on ne sait où. Rien à voir avec le costaud thé noir que son père réclamait dès le lever. Il coulait dans la gorge comme une décoction de papier d'émeri. Deux lampées suffisaient à mettre en marche le plus paresseux des endormis.

Héléna sait que son crabe a repris de la vigueur. Avant d'être évincé, il avait posé une pince sur ses poumons et une autre sur son foie. Assez pour que la douleur reprenne vie, d'une note encore discrète, mais qui se muera certainement en symphonie. Quand Josette s'est enfoncée dans l'eau glacée, a-t-elle eu cette conscience de la fin? Était-ce pénible de mourir ainsi? Pourquoi ne s'était-elle jamais posé ces questions avant aujourd'hui? Est-ce la perspective de sa propre échéance qui change la donne? Ou le ressac du regret? Qu'importe, il aurait pu en être autrement. Sa fuite aurait pu être différente et tout ce qui en a résulté aussi.

— Héléna! As-tu su la nouvelle? dit madame Lafrenière en faisant irruption dans la chambre.

— Non, mais j'sens que ça tardera pas.

— Le p'tit curé. Monsieur Blais. Il est mort! Dans la nuit.

— C't'une belle mort. S'endormir, pis pas se réveiller.

— Comment tu sais ça qu'y s'est pas réveillé?

— Ben, tu viens de me dire qu'y é mort durant la nuit. Y'a des grosses chances qu'y dormait, pis qu'y s'est pas réveillé!

— C'est une p'tite nouvelle qui l'a trouvé. Il paraît qu'elle a eu tout un choc. Elle s'en venait faire son lit à matin.

— Quand on travaille avec des mourants, faut s'attendre à voir la mort.

— On dirait que ça a pas l'air de t'émouvoir.

— On va tous y passer, Huguette. J'pense que je t'apprends rien. Je trouve ça dommage qu'il ait pas voulu me pardonner avant. Faut croire que j'suis pas due! Pis, quand on y pense, c'est une belle mort de mourir subitement.

— Pourtant, il avait l'air comme d'habitude quand je l'ai vu au spectacle.

— Des fois la fin, ça vient vite. Fie-toé sur moé!

Madame Lafrenière contourne le lit et prend le manuscrit. Elle a envie d'ouvrir le tiroir de la table de chevet pour s'assurer que les comprimés de morphine y sont toujours. Elle ne peut s'empêcher de revoir Héléna sortant de la chambre du mort peu avant le spectacle. Pourquoi y était-elle entrée si le principal intéressé n'y était pas? Pour lui laisser un message écrit? Avec ce qu'elle lit dans le manuscrit, comment ne pas croire que son amie est pour quelque chose dans cette mort subite? Déjà qu'elle a trouvé bizarre le soudain désir de se déplacer en fauteuil roulant de façon autonome. Ses mains tremblent un peu à la recherche du signet. Il y a quand même une marge entre lire la description d'un meurtre et le frôler dans la vraie vie.

CHAPITRE 19

La Tuque, été 1941

Au plein cœur de la nuit, je crus rêver en entendant crier Francis. L'estomac encore lourd de mon repas du soir, je courais dans les bois en jaquette, poursuivant un cheval en rut, qui se prit dans un collet. Les hurlements de mon frère s'accompagnaient de bruits sourds et faisaient trembler les arbres alentour. J'émergeai d'un coup en m'assoyant sur mon lit. Marie-Jeanne criait : « Va-t'en ou j'appelle la police ! » Je me précipitai à la cuisine. Francis cognait dans la porte.

— CRISSE ! La mère ! Allez-vous me le prêter... votre maudit MILLE « PIASTRES » ! Ouvrez-moé !

— Héléna, appelle la police !

— Allez vous recoucher, m'man. Laissez-moé faire, j'vais y parler.

J'ouvris et Francis chuta sur le plancher. Ses vêtements étaient fripés et puaient le « rhum *and* Coke » à plein nez.

— Es-tu malade de faire du bruit de même en pleine nuit ?

— J'veux voir ma MÈRE ! cria-t-il en postillonnant.

— Elle est couchée. Assis-toé à table, pis prends sur toé! T'es encore soûl!

— Ch'est PAS la raison de ma VIJITE, vi-si-te!

— Commence par parler moins fort. J'vais te faire un café.

— Mets un peu de brandy, d'dans. Une goutte... une grosche goutte! J'sais que la mère en a dans l'bas de l'armoère. Cachée, COMME SON «ARGIN»! cria-t-il à l'intention de Marie-Jeanne.

— Eille! T'es pas à l'hôtel icitte, maudit sans dessein. Pis arrête de parler si fort, sinon j'appelle la police!

— Traite-moé pas de chans... dessans... de sans des-seins! Des seins! Ha! Ha! Téton ben bonne! Faut j'la conte aux gars à l'hôtel. HEY! J'ai été à' guerre, moé. BOUM! Les bombes. BOUM! BOUM! Pus de maisons. J'ai vu des «cadaaaavres»... assez «laittes» à pas dormir la «nuitte». Des p'tits enfants, pauv'es tits, en sang, tout seuls, qui pleurnichaient. Pus de père, pus de mère. ENTENDS-TU ÇA, LA MÈRE? Toé, t'as encore ton fils! Pis TU L'AIMES PAS! A m'aime pas, Héléna. Ma mère m'aime pus, dit-il en prenant l'air d'un bambin attristé.

— Bon, arrête les lamentations. Tu sais pus ce que tu dis.

— J'sais parfaitement che que je dis! On ramachait les troncs, oui madame... pis on cherchait les bras, pis les «bouttes» de jambes autour. Y'avait des étrons auchi. Troncs, étrons, maudit que j'suis drôle à soir!

Mais vous savez pas ce que «ch'est» que la guerre. Y'a juste moé qui chuis allé. R'garde, la 'tite sœur, j'ai des montres à réparer. TIC-TAC. J'sais comment faire. CHUIS BON, LA MÈRE! CHUIS MEILLEUR QUE VOUS PENSEZ! C'est ça qui va me ramener, Héléna. Tu l'sais, toé, que j'suis capable de faire de l'argent.

— Tiens, bois ton café. Ça va te replacer les idées un peu. T'es peut-être capable de faire de l'argent, Francis, mais t'es encore plus capable de le dépenser.

— Parle-moé pas de même, Héléna-a-a. Tu devrais me comprendre, t'es ma p'tite chhœur. Les montres, ça m'aide à ou-bli-er. «Cha» passe le temps, ajouta-t-il en se tordant de rire.

— Arrête tes farces plates! Moé, je trouve pas que ça te fait oublier grand-chose! Quand t'auras fini ton café, tu vas te déshabiller, pis te coucher dans l'autre lit. On ferme boutique pour à soir.

— Oui, mon commandant! me lança-t-il en portant la main à la tempe, avant d'éclater de rire, puis de se mettre à pleurer en gémissant.

⌒⌒

Au réveil, Francis était redevenu le petit garçon sage et repentant. Bien qu'il ne se souvînt plus de sa soirée, il lisait sur nos visages un plein chargement de reproches. Sa cigarette tremblait entre ses doigts. Sa tête oscillait comme pour retrouver un horizon stable. Je voyais sur ses lèvres les vibrations fugitives d'un monologue intérieur. À quelques pas derrière lui, Marie-Jeanne ruminait dans sa berceuse en sirotant sa tisane. Je ne savais qui, de Francis ou de son foie, lui causait le plus d'embêtements. Je préparai le café et en servis une tasse à mon frère. Nous restions chacun dans notre bulle sans savoir comment crever celle de l'autre. Marie-Jeanne fut la première à parler :

— Bon ! Encore la police ! Qu'est-ce qu'ils veulent à matin ? dit-elle en jetant un regard noir à Francis, après avoir écarté le rideau de la fenêtre.

— J'vais aller voir, c'est peut-être par rapport à la noyée, dis-je en ouvrant la porte.

En réalité, j'en étais persuadée. La certitude se transforma en inquiétude quand je vis que le policier tenait le chapeau de mon père à la main. Il était déformé et maculé de boue. Mon cœur s'affola et je le sentis battre contre ma cage thoracique. D'un rythme lourd, il me reprochait ma bêtise. Je refermai la porte derrière moi et allai à la rencontre du chef de police, qui me salua sans façon. En m'éloignant de la maison, j'espérais que ni Marie-Jeanne ni Francis n'entendraient notre conversation.

— J'suis passé pour vous voir à l'usine, mais on m'a dit que vous alliez rentrer pour vot' *shift* de quatre heures à minuit. En fait, après qu'on s'est parlé l'autre jour, j'suis allé examiner le bord de la rivière, près du convoyeur. C'est à peu près le seul endroit où y'a un accès à l'eau. À part ça, y'a pas mal de pitounes. C'est à cause de la bôme qui conduit le bois vers l'entrée du convoyeur. J'sais pas si vous voyez ce que je veux dire ? demanda-t-il en me tendant son premier piège.

— Je connais juste la place où je travaille, pis aux alentours dc la cafétéria. On m'a pas fait visiter l'usine. Mais pourquoi vous êtes là, à matin ?

Je savais que le chapeau était l'appât principal. J'évitais d'y poser les yeux. L'autre le tournait entre ses mains pour le rendre plus alléchant. Il surveillait mon regard, mon attitude ou une faille par laquelle il pourrait s'infiltrer.

— J'essaye juste de comprendre comment madame Gagné a pu se retrouver dans la rivière. J'étais avec un gars qui s'occupe des accidents de travail. On a fait le tour, pis on a vu qu'une couple de madriers de la passerelle étaient lousses. En zyeutant comme il faut, on s'est rendu compte qu'il manquait une vis, pis que les autres avaient des marques, comme si on les avait dévissées récemment. Le *foreman* a été catégorique : personne a réparé la passerelle. Fait que j'ai continué dc fouiner, pis j'ai trouvé ce chapeau-là. Il était coincé entre les pitounes, à moitié recouvert de boue, à côté du convoyeur. Je me suis informé aux équipes qui travaillent dans ce coin-là. Il appartient à personne. De toute façon, les gars portent des casques de sécurité.

Il fit sa pause calculée. Cet homme n'avait pas la bouche de truite de son prédécesseur, mais il l'avait sans doute observé. Il s'arrêtait à la fin d'une phrase et attendait avant de poursuivre. Combien de malfrats avait-il mis en boîte de cette façon ? Je n'en avais aucune idée, mais le manège m'apparaissait trop gros pour m'y jeter tête première. Il continua en soulevant le chapeau.

— Alors je me suis dit qu'il appartenait peut-être à quelqu'un qui savait ce qui s'est passé. Ce chapeau vous dit quelque chose?

— Non. Je l'ai jamais vu.

— C'est vrai qu'il est pas mal abîmé. Vot' père en avait un semblable, non? Je me rappelle au lac, quand on effectuait des recherches pour votre sœur, je le voyais partir avec son chapeau, pis son fusil, à cause de l'ours.

— Il doit ben y avoir une centaine d'hommes qui ont un chapeau de même en ville.

— Peut-être, mais y'en a combien qui ont une fille qui s'entendait pas ben avec la noyée?

— Josette faisait pas l'unanimité. Ça arrive souvent dans une *shop*. Je vous l'ai déjà dit.

— J'ai interrogé plusieurs des filles qui travaillaient avec Josette. Elles osaient pas trop parler, mais j'ai fini par comprendre que madame Gagné était jalouse de vous. Ça se pourrait-tu, ça?

— La jalousie, dans une *gang* de filles, c'est pareil comme les nuages dans le ciel, y finit toujours par y en avoir.

— Avez-vous gardé les affaires de votre père?

— Non, on les a données à un vagabond.

— Ça fait longtemps?

— Trois ou quatre semaines.

— Ouais. C'est pas facile à r'trouver, un vagabond. Je suppose que vous vous souvenez pas de ce qu'y'avait l'air.

— Un peu. Il était plutôt petit. Les cheveux longs. Il était sale. Ses vêtements étaient trop grands pour lui. Il puait l'alcool. Il a pas dit grand-chose, juste merci.

— Ça ressemble à ben des vagabonds. Il se tenait où ?

— Sur le bord de la *track*. Pas trop loin de la laiterie. Je l'avais aperçu quelques fois, en allant à l'usine.

— Bon, je vais aller voir de ce côté-là. On sait jamais.

Il regarda pensivement la voie ferrée qui longeait l'arrière des maisons, de l'autre côté de la rue Roy. On la franchissait en gravissant une petite butte couverte d'herbes et de buissons. Les enfants y jouaient souvent, au grand dam de leurs parents, qui craignaient que les locomotives ne les écrabouillent sur les rails. Sans parler des « hobos », ces vagabonds qui dormaient dans les wagons vides et qui pouvaient les enlever comme des Bonshommes Sept Heures. Certains d'entre eux quêtaient jusqu'aux pas des maisons. Ils s'éternisaient rarement. Le policier savait tout ça. Chercher dans cette direction revenait à perdre son temps. Son insatisfaction était visible et je sentais qu'il n'allait pas en rester là.

— Ça se peut que ce soit juste un accident. C'est les doigts qui me fatiguent. Deux doigts cassés, comme si on avait frappé dessus… ou qu'elle se serait battue… Pis les madriers… Sans parler de la jalousie. Pis il y a toé, la petite Martel, qui était là, au Wayagamac, on sait pas trop où, quand ta sœur jouait avec la dynamite. Celle qui a trouvé son père pendu. Celle qui est dans le décor quand sa collègue de travail se noie. Je pourrais aussi en ajouter en disant qu'elle a un frère qui est sur une mauvaise pente. La guerre l'a pas aidé, mais c'est pas une raison pour avoir des fréquentations douteuses. Mais c'est vrai que la ville est petite, si on se met à écouter tous les cancans, ça peut devenir compliqué.

— Je vois pas ce que mon frère, pis ma sœur viennent faire là-dedans, dis-je sèchement, après avoir constaté qu'il était moins bête que je ne le croyais.

— Je faisais juste réfléchir tout haut. Je pourrais te demander où t'étais le soir où elle s'est noyée.

— Faudrait me rappeler quel soir c'était.

— C'était un jeudi. Il y a deux semaines.

— Je travaillais de jour. Le soir, j'étais à la maison.

— Toute seule?

— Ma mère est toujours là.

— Je peux la voir?

— Elle file pas le matin. Son foie est malade. Pis mon frère est rentré tard. On a mal dormi.

— Vous étiez au courant pour le stock volé?

— Ça arrivait souvent que nos inventaires balançaient pas. Notre *boss* le savait.

— J'ai ouï-dire que madame Gagné était peut-être mêlée à ça.

— Si vous le dites.

— Dans sa case, on a trouvé une couple d'affaires qui appartenaient à l'usine. En questionnant à gauche pis à droite, y'a un gars qui m'a dit l'avoir vue sortir avec un sac en arrière de l'entrepôt, un soir. Mais la lumière était faible, y peut pas jurer que c'était elle.

Il semblait déçu de me fournir cette explication, d'autant plus que je n'avais rien à y redire, car elle m'était favorable.

— Bon, ben, je repasserai. J'vais y aller. Profitez du beau temps, des fois, les nuages arrivent plus vite qu'on pense.

Comment ai-je pu garder mon calme, alors qu'il était si près de la vérité? Je le devais sans doute à cette autre femme qui m'habitait et qui m'entraînait dans sa fuite. J'étais quand même rassurée qu'il ait levé la piste du matériel volé. Ça pouvait l'occuper et l'éloigner de moi.

Quand je revins à l'intérieur, Marie-Jeanne me questionna aussitôt :

— Qu'est-ce qu'y voulait?

— Juste deux ou trois affaires par rapport à la noyée.

— C'était quoi, le chapeau?

— Il pense qu'il appartenait à un vagabond.

— Viens pas me dire que c'était pas un accident!

— Ben non, m'man, allez pas partir de cancans! Y'en a ben assez comme ça. C'est parce que du stock a disparu à l'usine.

Elle posa sa tasse de tisane dans l'évier et se frotta le ventre en grimaçant.

— C'est-tu encore vot' foie qui vous fait mal?

— Le foie, ma p'tite fille, c'est comme la foi: quand on y'en demande trop, ça finit par nous torturer! T'as juste à regarder ton frère.

Je n'avais pas besoin des yeux de Francis pour me convaincre que ma mère me lançait un message: à trop vouloir mentir, je risquais de perdre sa confiance. Mais avais-je le choix?

∽

Je passai une partie de la journée à remettre mon frère sur pied. Je frottais et rangeais pendant que lui courbait son dos sur l'établi. Il était étonnant de voir que ses mains, si tremblotantes au lever, reprenaient de l'assurance et de la précision pour manipuler les engrenages et les ressorts. Il avait raison de dire que les montres représentaient une solution pour lui. Quand il refermait les boîtiers, ajustait l'heure et regardait la trotteuse s'animer, son visage s'éclairait d'un sourire. Il défiait le temps. Il l'obligeait à se remettre en marche. Il avait ce pouvoir. C'était la force de sa fuite.

Quand je le quittai pour mon quart de travail, il avait réussi à ne pas boire une goutte. Je savais que ça ne comptait pas vraiment. Lorsqu'il serait seul à la nuit tombante, ses fantômes reviendraient le hanter. Il aurait besoin à nouveau d'être entouré du brouhaha de l'hôtel et d'engourdir son esprit dans les vapeurs de l'alcool.

À l'usine, la rumeur courait depuis plusieurs jours que notre contrat tirait à sa fin. On voulait tout rapatrier à Montréal, près des fournisseurs. J'avais du mal à motiver les travailleuses à la production. Tout le monde avait besoin de son emploi. Chacune y allait de son hypothèse et je dus intervenir à de nombreuses reprises. Jamais je ne fus si soulagée de retourner à la maison.

Marie-Jeanne était assoupie dans sa berceuse. Je crus qu'elle avait eu une autre crise de foie. Je la touchai à l'épaule.

— M'man! Il est tard. Allez vous coucher.

— Hein? T'es là. J't'attendais, marmonna-t-elle.

— Pour quoi faire?

— Parce que c'est important, ma p'tite fille.

Je restai sur mes gardes, me préparant au pire.

— Il est revenu.

— Qui ça?

— Le policier. Il voulait me montrer un chapeau. Il avait l'air de penser que c'était à ton père.

Bien entendu, il ne m'avait pas crue. Il avait préféré revenir durant mon absence pour interroger ma mère. Il craignait sans doute que j'influence ses réponses. L'homme était tenace.

— Qu'est-ce que vous lui avez dit?

— Qu'Aristide traitait pas ses vêtements de même. Il était peut-être pas éduqué, mais son linge était propre. Ce chapeau-là avait traîné j'sais pas où. Il était tout crotté. C'est vrai que ça aurait pu être le sien, mais ça, je lui ai pas dit.

J'étais tellement soulagée que je faillis l'embrasser. Je ne pense pas qu'elle aurait compris mon enthousiasme.

— C'est pas tout. Il m'a demandé si j'avais encore les affaires de ton père. Il m'a dit que ça l'aiderait pour une enquête. Au sujet d'un vagabond.

— Vous l'avez pas emmené dans le hangar ?

— Qu'est-ce que tu penses ? J'y ai dit que mon mari était mort, pis que même six pieds sous terre, y'a personne qui fouillerait dans ses affaires. Il m'a aussi demandé si t'étais à la maison le soir où la petite est morte. J'y ai répondu que t'étais pas sorteuse. Quand t'es pas à l'ouvrage, t'es icitte. Il a pas insisté. Il est reparti.

— Vous avez ben fait, m'man.

— T'as rien à voir là-dedans, Héléna ?

— Ben non, maman ! C'est une enquête. Il va interroger toutes les filles à la *shop* de la même façon.

— J'ai pas envie d'avoir un autre coup de tonnerre sur la tête.

— Inquiétez-vous pas avec ça. Vous pouvez dormir sur vos deux oreilles.

— Ça, ça me surprendrait! Si je t'attendais, c'est pas juste pour la police. Je veux que tu me dises où sont les affaires de ton père.

Après le soulagement, je me sentais coincée comme un rat dans son trou. Il était clair qu'elle était allée dans l'ancienne écurie. À son âge, je ne pensais pas qu'elle se serait risquée à grimper dans la vieille échelle. Je n'avais pas le choix de continuer à mentir.

— Il y a de ça un bout, j'ai donné le linge de papa à un vagabond. Ce jour-là, vous étiez chez Géraldine.

— T'as pas fait ça! grogna-t-elle entre ses dents.

Je vis bien que ma mère souhaitait une autre explication. En fait, je le ressentis douloureusement. Sa main me frappa la joue en me laissant hébétée. Jamais, elle n'avait levé la main sur moi. La violence physique ne faisait pas partie de son arsenal. Mon père se chargeait de cette corvée et visait toujours mon arrière-train, sauf quand je me suis interposée entre lui et mon cheval blessé.

— Tu mériterais une bonne volée!

— Voyons, m'man! C'était juste des vieilles affaires. Ça traînait. Ça servait à personne. J'ai pensé faire une bonne action!

— Ça me servait à moé! C'est dans le sac que j'avais caché le mille piastres! Dans une enveloppe ben cachetée. Te rends-tu compte que t'as donné mille piastres à un «hobo»?

— Je le savais-tu, moé! Vous pourriez pas mettre l'argent à banque comme tout le monde?

233

— Pas quand on sait pas d'où ça vient. Quelles sortes d'enfants j'ai mis au monde? Vous êtes rien que bons pour faire des folies.

— Calmez-vous, on peut peut-être le retrouver.

— Tu sais ben qu'il doit être tout dépensé à l'heure qu'il est. Jésus, Marie, Joseph! Mille piastres à un vagabond! Qu'est-ce que j'ai fait au Bon Dieu pour avoir des enfants si sans-génie!

Je brûlais de lui dire que l'argent était encore au même endroit. J'aurais pu apaiser sa colère d'un coup, mais ce qui était dit ne devait pas être dédit. Revenir sur mon mensonge ne ferait que semer le doute concernant mon implication dans la mort de Josette.

Ma mère se coucha avec ce nouveau problème. Son foie n'allait pas apprécier. Je me mis à réfléchir à toute vitesse. Qu'allais-je bien pouvoir faire de ces mille dollars, maintenant que je ne pouvais les retourner à sa propriétaire?

Résidence Clair de lune, Trois-Rivières, hiver 2002

L'infirmière-chef gribouille dans un dossier. Elle semble préoccupée par la composition d'un pilu-lier particulièrement imposant. Madame Lafrenière attend le moment propice pour frapper le cadre de porte. Elle observe la jeune femme à la dérobée et se demande comment aborder la question qui la chicote.

Une main se pose sur son épaule et elle sursaute en retenant un cri.

— Vous entrez pas ? demande monsieur Lacoste tout sourire.

— Elle a l'air occupée.

— Elle l'est toujours. Ça fait ben des pilules, pis des prescriptions à comprendre.

— C'est sûr, mais vous pouvez y aller. J'suis pas pressée.

— Je venais juste prendre ma commande de la pharmacie. J'avais pus de médicaments.

— Rien de grave ?

— Non. C'est pour ma pression. Des fois, elle est un peu basse.

— Faut faire attention avec la pression, ça peut être dangereux. Regardez ce qui est arrivé à monsieur Blais, le p'tit curé.

— Ben oui, c'est arrivé subitement. Pourtant, il avait l'air comme d'habitude, la veille. Pas trop vite sur ses patins, mais dans son cas, c'était pas nouveau. Oups, j'pense qu'elle est libre. J'y vais.

Madame Lafrenière a la bouche sèche. Elle a du mal à déglutir. Comment s'informer sans attirer l'attention sur Héléna ? Elle prend quelques grandes inspirations et reste en retrait dans l'ouverture de la porte.

— Mes pilules bleues sont-tu dedans ?

— Tout est là, monsieur Lacoste. J'ai vérifié la commande moé-même.

— Merci, bonne journée.

Huguette lui jette un regard espiègle quand il passe près d'elle.

— Les bleues? Êtes-vous sûr que c'est pour la pression, monsieur Lacoste?

— C'est ça que mon médecin m'a prescrit. Je prends la couleur qu'on me donne, répond-il d'un air embarrassé.

— Faites attention que votre pression monte pas trop. Le bleu, c'est la couleur du ciel. Ça peut être dur de redescendre sur Terre avec ça.

— Parlant de redescendre, j'ai affaire en bas. J'vais y aller.

— Bonne journée! lance madame Lafrenière avec entrain.

L'infirmière, qui a entendu l'échange, la reçoit avec le sourire.

— Vous avez l'air en forme, madame Lafrenière. On voit que vous avez pas les bleus! dit-elle à la blague. Vous vouliez me voir?

— Oui. C'est juste un questionnement. C'est concernant monsieur Blais, c'est arrivé subitement. C'est ben triste.

— C'est sûr. On est toujours peiné de perdre un résident. Mais c'est la vie. On peut pas y faire grand-chose. La mort en fait partie.

— Oui, c'est vrai. Mais ça surprend quand on s'y attend pas. On dit que c'est son cœur qui a lâché.

— Il y a des grosses chances. Il avait un souffle au cœur depuis longtemps. Je peux ben vous le dire, il s'en cachait pas.

— C'est assez pour nous faire mourir de même, ça?

— Qu'est-ce qui vous inquiète, madame Lafrenière? Votre santé est bonne.

— C'est juste que j'me demande si c'était pas une question de médicament.

— J'comprends pas, dit l'infirmière en cherchant où son interlocutrice veut en venir.

— Ben, monsieur Blais était un peu alzheimer. Il aurait pu en avaler trop sans s'en rendre compte.

— C'est vrai que sa mémoire lui faisait parfois défaut, mais avec ce qu'il prenait comme médicaments, c'est pas une erreur qui lui aurait été fatale. Vous savez, il avait un pilulier comme à peu près tout le monde ici. Qu'est-ce que vous essayez de me dire?

— Oh rien! C'est juste que ça nous remue toujours, des affaires de même.

— C'est pas la première personne qui meurt à la résidence.

— Ben oui, c'est moé qui m'en fais trop. J'vais vous laisser travailler.

— Arrêtez de vous tracasser, pis profitez de la vie. Ça va toujours ben avec madame Martel?

— Oui, je m'en vais la voir tantôt. Pour sa morphine.

— Pardon?

— Non, je voulais dire pour sa lecture. C'est vraiment bon ce qu'elle a écrit.

Huguette s'empresse de rebrousser chemin. Ce n'est pas de cette façon que les interrogatoires se mènent et se concluent dans les films. Il lui reste à inspecter la table de chevet de son amie. Il est curieux qu'elle se fasse apporter sa morphine chaque soir, alors qu'elle ne la prend pas et la met de côté. Venant d'Héléna, le comportement ne peut être pris à la légère.

CHAPITRE 20

La Tuque, été 1941

Deux jours plus tard, Matthew réapparut à l'usine. Il nous annonça sans enthousiasme ce que nous avions deviné par l'absence de livraison de matières premières. Notre coin d'entreposage s'étiolait à vue d'œil. Nous allions toutes retourner à nos familles et à nos cuisines. Certaines avaient les larmes aux yeux, se demandant comment elles feraient pour joindre les deux bouts. La loi du chômage n'apportait pas autant de soutien que celle d'aujourd'hui et peu d'emplois étaient réservés aux femmes. Celles qui n'étaient pas mariées partiraient sans doute à la chasse au mari.

Notre dernier quart de travail se termina dans la tristesse. Chacune vida son casier et je me rendis compte que je ne reverrais pas la plupart de ces femmes. En cela, je n'étais pas différente de Josette. Mon statut de responsable m'avait éloignée de toute possibilité d'amitié avec elles. À moins que ce ne fût la rumeur que j'étais un peu trop proche de Matthew.

Je ne pouvais m'empêcher de penser à l'argent de mon père. Il nous permettrait de tenir le coup pendant un moment si la situation devenait vraiment difficile. Marie-Jeanne croirait que j'avais quelques économies.

Je pris le temps de saluer madame Bouchard avant de partir. Elle se désola de ne pouvoir me reprendre à la cantine, mon ancien poste étant occupé par une de ses nièces. J'avais un peu la larme à l'œil quand je m'éloignai de l'usine. Mes affaires tenaient dans un petit sac, que je soulevai sur mon épaule. La douceur de l'été me réconforta.

Toute à mes jongleries, je sursautai quand une auto couleur caramel s'arrêta à ma hauteur. L'homme au volant me fit signe d'approcher. Je reconnus Matthew. J'étais gênée, car un groupe de filles nous regardaient. J'ouvris la portière.

— Embarque, Héléna. J'vais te ramener.

J'hésitai un instant avant de me caler sur le large siège en cuir. Matthew embraya et son sourire apporta du rouge à mes joues. Je le remerciai du bout des lèvres. Il conduisait avec légèreté, en tournant fréquemment la tête dans ma direction. Son chapeau était relevé haut sur son front et sa cravate était dénouée.

— J'suis désolé de pas pouvoir vous garder. Je soupçonne qu'on a fait des pressions politiques, le gouvernement fédéral a cédé. Je m'en veux. J'ai rien vu venir. Tu as quelque chose en vue ?

— Non.

— Il faut garder espoir. T'es une bonne employée. Je pourrai te donner une lettre de recommandation.

— C'est gentil.

— J'avais hâte de revenir à La Tuque. Je m'y sens bien. C'est l'usine où j'ai vraiment appris le métier. C'est chez moi.

Il ne savait pas pour Fabi. J'aurais pu le lui dire. Rien ne sortait de ma bouche. L'odeur du cuir, de la cigarette et de son eau de Cologne me faisait tourner la tête. Je ne pouvais pas nier que Matthew produisait sur moi une attirance dont je ne pouvais me libérer. Sa présence, à moins d'un mètre de moi, me troublait. Chaque centimètre de mon corps le criait. Je l'écoutais sans l'entendre. C'est à peine si je vis Edmond du coin de l'œil. Il était adossé à la galerie de l'hôtel, à prendre sa pause et à fumer une cigarette.

— Est-ce que tu m'écoutes, Héléna?

— Heu… oui.

— Comme je te le disais, je vais prendre deux jours de congé. J'pensais aller au Wayagamac, au club. Ça te dirait de m'accompagner? On pourrait y aller à cheval à partir de la ferme des Gagnon. On partirait demain matin. On reviendrait le lendemain dans la journée. Ça serait une occasion pour toi de revoir le lac.

Je ne m'attendais nullement à une telle proposition. Elle me chavira. Deux jours en sa compagnie. Jamais je n'aurais espéré cela, même dans mes rêves les plus fous. Je passai la soirée à me préparer, à choisir ce que je porterais, comme si j'étais invitée à un bal. Pas un seul instant je ne pensai à Edmond. J'étais Cendrillon, mon carrosse m'attendait et peu importe

si Marie-Jeanne s'était transformée en marâtre mar-
raine, je n'allais pas rater mon prince charmant.

༄

Le temps était magnifique. Matthew examinait les
chevaux et les selles avec minutie. Le fermier avait
tout préparé, même des provisions pour la route. Sa
femme et leurs enfants vinrent nous saluer. À l'aune de
leurs regards, j'avais l'impression d'être la concubine
d'un roi. Matthew m'aida à me hisser sur mon cheval.
Mes cheveux libres retombaient sur mes épaules. Je
sentis sa main frôler ma cuisse. Il me tendit les rênes
et vérifia une dernière fois la solidité des sacoches.
Puis nos montures partirent au pas côte à côte. Il
n'y avait pas un souffle de vent. C'était un matin de
juillet comme je les aimais. Avec les fleurs sauvages et
les bourdons, les oiseaux qui virevoltaient dans l'air
chaud et les franges de nuages diaphanes qui s'effilo-
chaient dans le ciel bleu.

Rendu au milieu du champ, Matthew fouetta son
cheval en criant. J'asticotai le mien pour ne pas être
en reste. Notre galopade se poursuivit jusqu'à l'orée
du bois. J'immobilisai ma monture à quelques pas de
la sienne.

— Tu te débrouilles bien, me dit-il en connaisseur.

— On a toujours eu un cheval.

— Monter un cheval de trait a rien à voir avec
ceux-ci.

— L'important est de savoir leur parler, dis-je en tapotant le flanc du mien.

— Devrais-je me méfier de ce pouvoir? demanda-t-il en riant. On continue par le sentier, jusqu'à la Petite rivière Bostonnais.

— J'te suis.

Le trajet sous les arbres fut un enchantement. Les zones d'ombre et de soleil se succédaient sans que je puisse détacher mon regard de Matthew. J'en étais amoureuse. Chaque minute qui s'écoulait renforçait mon sentiment. J'en oubliais notre différence. Lui était instruit, côtoyait les ministres, les riches propriétaires de compagnies et le gratin de la population. Moi, je n'avais qu'une cinquième année, j'étais sans emploi et je ne fréquentais personne. Que pouvait-il espérer d'un tel décalage? Mais à ce moment-là, je ne m'en souciais pas vraiment. Nous étions là, lui et moi, sur nos montures, à flanc de montagne et rien d'autre ne comptait.

Le sentier redescendit pour aboutir à un passage à gué. Sans renâcler, les chevaux s'y engagèrent. L'eau transparente avait une couleur orangée, que des taches d'algues vertes découpaient de motifs irréguliers. Un poisson déguerpit et se cacha sous une roche. Mon cheval se cabra légèrement pour gravir la pente de sable blond.

Nous continuâmes d'avancer jusqu'à l'heure du dîner. Nous fîmes halte près de la marmite d'un ruisselet rocailleux. Les chevaux s'y désaltérèrent pendant que nous préparions le goûter. Le panier d'osier nous servit de table. Assis à même le sol, Matthew déboucha une bouteille de rouge. À part quelques martinis, je n'avais aucune expérience de l'alcool. J'acceptai quand même le gobelet comme si de rien n'était.

— C'est un endroit merveilleux, dit-il en prenant une bonne lampée. Je me suis souvent arrêté ici. On y'é loin de la production, des problèmes et de la politique. Le temps est au ralenti. Ça me fait du bien.

— T'aimes pas ce que tu fais à l'usine?

— Je dirais pas ça. J'ai vu mon père travailler dans des scieries, pis dans les pâtes et papiers toute sa vie. Jeune, il m'emmenait avec lui et mon frère Allen. On visitait les concessions forestières et, à quinze ans, j'avais vu tous les départements de l'usine de Berlin, au New Hampshire. J'étais fasciné par toutes ces machines et ces hommes qui transformaient des billes de bois pour en faire du papier. Mon destin s'est forgé de lui-même. J'ai pas l'impression de l'avoir choisi.

— Pourtant, on dirait que t'as ça dans le sang. Quand tu parles, tout le monde écoute!

— Ça a pas toujours été facile. Diriger des centaines d'hommes demande de s'organiser et d'y mettre du temps. Heureusement qu'Allen s'occupe de la politique et des finances. Il a tout repris de main de maître à la mort de mon père. Et pis, les ouvriers ont changé. Ils parlent de plus en plus de syndicat. Ça va juste nous apporter du trouble.

— J'sais pas comment tu fais.

— De temps à autre, je viens ici. Le club a toujours été, pour nous, un havre de paix. Mon père s'est impliqué dans sa création pour protéger la nature autour du Wayagamac. Il pensait que certains coins de forêt sont comme des sanctuaires.

— Mon père à moi disait que les clubs existent seulement pour les riches, que c'était pas juste que tout le monde puisse pas en profiter.

— C'est un point de vue. Il y a rien de parfait. N'empêche qu'on est là aujourd'hui… pour en profiter. Mais parlons un peu de toi. Comment allez-vous vous tirer d'affaire, toi pis ta mère?

— J'ai un peu d'économies, ma mère aussi. C'est pas grand-chose. J'vais trouver un autre travail. On est habituées à vivre avec peu.

— Ouais, sauf que ça change vite. La ville va se développer rapidement, tu vas voir que ça coûte plus cher qu'à la campagne. Tu voudras sortir, t'acheter des robes, des souliers, aller danser, manger au restaurant. Quand on goûte au progrès, on peut pus s'en passer et on en veut toujours plus!

— Ah! Ah! tu parles comme un patron.

— Quand tu ris, tu me fais penser à Fabi.

Pendant un court instant, il n'y eut que le froissement des feuilles dans la cime des arbres et le murmure du ruisselet. Fabi avait habité ces lieux et l'évocation de son esprit exigeait une pause. Matthew pour en apprécier le souvenir, moi pour manipuler le présent. Ma lâcheté n'avait d'égale que mon désir pour cet homme beau et riche qui me regardait avec tendresse. Que penserait-il de moi quand il apprendrait que Fabi était vivante? Pourrait-il encore me voir de la même manière? Je n'avais pas envie d'y penser. D'une certaine façon, j'étais en train de manquer de loyauté envers ma sœur. Je me sentais déchirée par mes émotions.

— C'est le vin qui me porte à rire. J'suis pas habituée.

— Tiens donc! Et à quoi d'autre pourrais-je bien vous initier, jeune fille?

Je me sentis rougir jusqu'aux oreilles. Comprenant le sans-gêne de sa question, Matthew me tendit quelques raisins, qu'il déposa au creux de ma main en effleurant le bout de mes doigts.

— À la bonne nourriture, peut-être. Il y aura de la truite farcie aux abricots et aux amandes pour le souper. C'est la spécialité du cuisinier. Un pur délice!

Je ne pus m'empêcher d'éclater de rire. Il avait l'air d'un gamin qui vient de se tirer d'un mauvais pas. Le reste de notre repas se déroula dans la bonne humeur. J'avais la tête qui tournait quand je remontai en selle. Beaucoup à cause de l'alcool, mais aussi pour les larges mains qui entourèrent ma taille et me soulevèrent sans effort.

Il était près de trois heures quand nous atteignîmes le camp principal.

◦◦

Matthew ne m'avait pas menti. Le souper fut divin. Du potage jusqu'au dessert, mes papilles se régalèrent. Nous étions seuls dans la salle à manger. Un groupe d'une dizaine de personnes arriverait le lendemain soir pour un séjour d'une semaine. Un autre venait de quitter le club le matin même. Dans l'entre-deux, la grande maison, bâtie pièce sur pièce, baignait dans un silence feutré. Par la fenêtre, je voyais le lac et la lumière du soleil couchant se refléter sur la montagne. Bientôt, la noirceur envelopperait les rives et les étoiles se mireraient dans l'eau.

Matthew me parlait de sa vie écartelée entre le Québec et les États-Unis. Il racontait son New Hampshire natal, New York ou Montréal avec une sorte d'enthousiasme enfantin. Je le suivais dans les grands hôtels, les restaurants, jusqu'au sommet de la statue de la Liberté, où je voyais les gratte-ciel à travers ses yeux. Je riais avec lui de ses erreurs, de ses réussites et je l'accompagnais dans ses rencontres avec les gens importants. Il parlait de La Tuque et de ses ouvriers de l'usine avec un attachement sincère. J'étais sa femme, ce soir-là. Nous étions un couple en vacances. Je ne fus donc pas surprise de prendre son bras quand il m'invita à marcher sur la grève.

La veillée était d'une douceur exceptionnelle. Je le sais pour avoir habité près du lac. Dès que la brunante s'amenait, une fraîcheur montait du sol. Comme si le lac reprenait ce que le soleil lui avait volé durant le jour. Nous n'avions qu'une dizaine de soirées comme celle-là au Wayagamac. Mon père sortait sur la galerie, Marie-Jeanne s'installait à ses côtés. Fabi et moi, on apprenait à tricoter, on écossait les pois ou on équeutait les fraises. Ce n'était pas une corvée pour nous, c'était le bonheur. Nous étions ensemble au paradis.

À mesure qu'on s'éloignait du camp, ma main descendit jusqu'à la sienne. Mes doigts glissèrent un à un entre les siens. Je rêvais et j'allais m'éveiller. J'en étais certaine. Je n'ai aucun souvenir d'une conversation à partir de ce moment. Peut-être était-ce l'effet de l'alcool ou de mon élan amoureux ? Je sais seulement que je relevai la tête et qu'il m'embrassa avec douceur. Je sentis sa main dans mes cheveux et sa bouche se presser à nouveau contre la mienne. Il caressa ma nuque et me murmura quelque chose à l'oreille. J'aimerais m'en souvenir, mais je crois bien que j'étais au bord de l'évanouissement. Il me serra contre sa poitrine et son cœur battait à tout rompre.

Mes jambes furent lourdes pour monter l'escalier. Le vin me faisait tourner la tête. Je n'étais plus moi-même. J'entendais résonner son pas synchronisé au mien. J'entrai dans la chambre dans un état d'excitation qui me paralysait. La flamme des lampes à l'huile tremblait autant que moi. Mes doigts étaient gourds et il me fallut son aide pour me déshabiller. Je riais bêtement et il me touchait comme si mon corps était fait de porcelaine. Il prit le temps de m'apprivoiser. Je fis de même. D'une main experte, il explorait ma peau en l'effleurant. Je frémis sous sa main quand elle frôla mon sexe. Et encore, simplement à l'odeur de son corps qui m'enivrait mieux que le vin. Quand il entra en moi, je crus que le monde venait d'éclater. Pour cette première fois, mes craintes de jeunes filles étaient anéanties par l'autre. Elle m'attirait sans cesse sur des terrains inconnus. Elle était un cheval sauvage et son enclos une barrière à franchir pour goûter la liberté.

Au réveil, Matthew était toujours là. Il me regardait avec une idolâtrie contemplative. Il tira la couverture et embrassa mon ventre chaud. Sa main caressa mon visage et je me lovai contre lui. J'aurais voulu demeurer ainsi pour l'éternité. Ce n'est que plus tard, quand je le rejoignis au déjeuner, que j'eus le sentiment profond que celle qui m'habitait avait assassiné Fabi.

ᘒᘒ

Je restai un long moment debout sur la galerie. J'avais l'impression de rêver. J'allais me réveiller dans mon lit sur la rue Roy. Marie-Jeanne se bercerait devant la fenêtre. Je m'habillai en essayant d'empêcher le jour d'effacer mes fantasmes.

Pourtant, les chevaux étaient bien réels devant moi. Le lac s'étirait au soleil et Matthew me souleva avec le même entrain que la veille. Ma monture avança dès que l'autre se mit en marche. J'avais envie de rester. Mes mains tenaient les rênes mollement. Je refusais le retour à La Tuque. Je craignais que la ville gâche tout. J'avais peur du sentiment de culpabilité qui grandirait en moi. Je m'étais offerte à un homme en dehors du mariage. Je craignais les conséquences de mon acte, tout en les repoussant dans ma tête. Sans le Wayagamac, la magie disparaîtrait. Je redeviendrais la petite Héléna sans travail. Matthew serait avalé par son usine, moi, par ma famille.

Cette impression prit tout son sens lorsqu'il me déposa devant chez moi. Il énonça ce que je ne voulais pas entendre.

— Ça a été magnifique, Héléna. Merci d'avoir accepté mon invitation. Je suis pas près de l'oublier. Tiens-moi au courant pour Fabi. Tu peux me joindre par ma secrétaire à l'usine, n'importe quand. Je commence à croire qu'elle a peut-être survécu à la noyade. Bonne chance pour te trouver un emploi. Si j'ai quelque chose pour toi, je te le ferai savoir. Salue ta mère de ma part.

Puis il m'embrassa sur la joue. Pas de mots doux. Pas de promesse. Je me sentais comme un trophée qu'on vient d'accrocher au mur.

Résidence Clair de lune, Trois-Rivières, hiver 2002

Huguette fait une pause dans sa lecture. Elle observe son amie, qui semble s'être envolée par la fenêtre. Ses joues ont pris de la couleur. Sa respiration s'est allégée. Le souvenir est un rafraîchissement pour son corps.

— Veux-tu que je relise ce bout-là?

— Hein? Pourquoi?

— Ben, parce que ça a l'air de te faire plaisir.

— C'est vrai que c'était une belle première fois, mais j'étais en maudit quand il est parti dans son gros char.

— T'avais pas peur de tomber enceinte?

— Ben sûr. Mais pas sur le coup. J'imagine que c'était à cause du vin pis de l'impression que j'avais de vivre un rêve.

— Il va-tu revenir?

— Tu verras ben! J'suis pas pour te conter la fin! Pis toé, comment c'était, la première fois?

Huguette est surprise par ce retournement. De quelle première fois pourrait-elle lui parler? Du ratage douloureux avec cet Hervé à moitié soûl qu'elle avait accepté d'accompagner à une noce, alors qu'elle venait d'avoir vingt ans? Il l'avait entraînée chez lui, déshabillée et prise en ahanant, comme s'il y avait une porte à défoncer. Ou de cette fois si délicieuse, alors qu'elle n'avait que seize ans et que la belle Lucie l'avait embrassée en sortant la langue? C'était sa meilleure amie. Elle ne savait pas à l'époque qu'elle avait ce penchant pour les filles. Toutes deux aimaient l'école, la bicyclette et rêvasser de mariage et d'enfants. Ensemble, elles devenaient des moulins à paroles. Elles passaient les après-midi pluvieux dans la chambre de Lucie et s'inventaient des vies extravagantes. Huguette ne se souvient plus exactement de ce qui avait précédé l'instant magique. La bouche de son amie s'était collée à la sienne et son univers avait basculé. Assises sur le bord du lit, ni l'une ni l'autre ne pouvaient plus s'arrêter. Leurs mains couraient d'elles-mêmes sur le corps de l'autre. La crainte d'être surprises pimentait la découverte. Elle se rappelle très bien l'explosion de bonheur dans tout son être. Puis cette chape de culpabilité qui ne l'avait plus quittée de toute sa vie. Du rejet familial, quand, à la fin des années soixante-dix, après avoir rencontré Béatrice, elle avait avoué son attrait pour les femmes à ses parents. La froideur manifestée avait refermé la porte de son placard avec fracas. Toutes ces années perdues à se demander si elle était normale. Quel gâchis !

— C'était un peu comme toé. Du bonbon pis de l'amertume, résume madame Lafrenière d'un sourire triste.

— Dans ce cas-là, t'es aussi ben de continuer à lire. Pis apporte-moé un peu d'eau, j'ai les lèvres sèches.

CHAPITRE 21

La Tuque, été 1941

Il s'écoula deux jours pendant lesquels je laissai le fiel décanter. J'avais de plus en plus la certitude de n'avoir été qu'une aventure pour Matthew. Je m'étais conduite comme une sotte qui croyait aux contes de fées. Je mis mon étourderie sur le compte de l'alcool. Il me fallait un coupable. Restait à ne pas tomber enceinte comme ma sœur Yvonne. Ce serait le bouquet! Bien que j'eusse le sentiment que l'autre part de moi-même ne rejetait pas ce scénario. Ne serait-ce pas la meilleure façon de m'attacher Matthew à jamais? Je me frottai le ventre en supputant cette idée saugrenue.

Une vague de chaleur colla le thermomètre dans les sommets. Je suais à rien. Marie-Jeanne s'éventait avec un livre, qu'elle parcourait de temps à autre. Je voyais à son expression que son foie la faisait souffrir. Elle ne me parlait que pour l'essentiel. Mon escapade au Wayagamac et la disparition de l'argent d'Aristide étaient difficiles à digérer. Les deux évènements coup sur coup l'avaient plongée dans une colère sourde qui refusait de s'évacuer.

Je soupçonnai qu'Edmond n'était pas dans de meilleures dispositions. Je n'avais aucune nouvelle de lui, mais j'étais certaine qu'il rongeait son frein. Il ne méritait pas ce que je lui avais fait. Plus j'y pensais, plus je m'enfonçais dans la culpabilité.

Fabi m'écrivit une première lettre. Elle me remerciait pour les quelques perles de lac que je lui avais envoyées. Elle les portait à son cou, dans un petit sachet, comme un talisman. Bien qu'elle n'eût pas mon talent pour l'écriture et la lecture, elle se débrouillait. Elle m'expliquait que les sœurs l'avaient bien accueillie à Chicoutimi. Là-bas, les déplacements en fauteuil roulant étaient plus faciles. Les corridors étaient larges et sa chambre, sur le même étage que la cuisine. Elle commençait à reprendre de la force dans les bras et les jambes. Elle aidait un peu la cuisinière et apprenait le métier à tisser. Ses journées étaient interminables et elle me demandait des nouvelles de la famille et de Matthew.

Je m'enfermais dans ma chambre pour rédiger mes réponses. Je lui parlais de la famille sans forcer sur les détails. J'insérais de longs passages où j'étalais nos souvenirs complices près du lac. Je prenais de l'assurance avec les mots. J'y mettais tout l'amour que j'avais accumulé durant son absence. Je fleurissais le papier d'élans de tendresse. Elle me manquait terriblement. Peu importe Matthew, dans ces moments-là, je l'aurais voulue à mes côtés.

Résidence Clair de lune, Trois-Rivières, hiver 2002

— Parlant de lettre. As-tu eu des bonnes nouvelles dans celle que je t'ai apportée? demande Huguette en levant les yeux du manuscrit.

— Je l'ai pas encore ouverte.

— Pourquoi? C'est peut-être ton fils. Veux-tu que j'te la lise?

— J'aime mieux que tu continues mon livre. La lettre va attendre dans mon tiroir. C'est pas pressé.

— Ton livre, tu le connais par cœur. La lettre, tu sais pas ce qu'il y a dedans. Il me semble que le choix est facile à faire.

— J'suis encore capable de faire mes choix. Fait que j'aimerais ça que tu finisses le Chapitre avant qu'on m'apporte le souper. Imagine-toé donc qu'il y a du poulet « cachitor ». Avec un nom de même, les préposées vont virer folles à changer des couches jusqu'à tard le soir.

— Arrête donc! C'est du poulet *cacciatore*. Ça s'appelle aussi du poulet chasseur.

— Ils devraient se contenter du poulet frit. Quand ils nous l'apportent, y porte mieux son nom. Envoye! Continue de lire, ramène-moé sur la rue Roy.

La Tuque, été 1941

Quand je revins de poster ma lettre, tante Géraldine était assise près de Marie-Jeanne sur la galerie. Toutes les deux sirotaient un verre de limonade. Un plat de biscuits et de sucre à la crème était posé sur une table pliante entre leurs deux chaises.

— Héléna! J'suis contente de te voir. J'disais justement à ta mère que c'était pas drôle de perdre sa *job*.

— C'est des choses qui arrivent, ma tante.

— En tous les cas, si vous êtes dans le trouble, appelez-moé. La famille, faut que ça serve!

— On va se débrouiller. Inquiétez-vous pas.

— Il paraît que t'es allée au Wayagamac?

Je jetai un œil à ma mère, qui baissa les yeux sur son tablier. Comment avait-elle présenté mon escapade avec Matthew?

— Ouais, j'ai eu une invitation.

— Du grand *boss* de l'usine, on rit pus!

— C'tait juste parce qu'il nous connaissait. Il aimait ben Fabi.

— J'te dis qu'elle nous a fait toute une frousse! Je peux comprendre qu'elle veuille rester cachée, mais de là à nous laisser penser qu'elle était morte. Partir avec les Indiens, tu parles d'une idée! Comment t'as su ça, toé?

Je constatai que ma mère n'avait pu s'empêcher de s'étendre sur le sujet. Je n'avais aucune envie de relater cette histoire dans le détail. Je me contentai des grandes lignes. Géraldine n'apprit rien de nouveau. Elle sembla déçue, parla de la chaleur qui l'accablait, commenta avec des éclats exagérés le jardin de ma mère, puis revint comme une abeille butineuse à sa première idée.

— Tu devais être contente de revoir le lac?

— Oui, c'est sûr.

— T'as couché là?

Il était clair qu'elles en avaient parlé de long en large avant mon arrivée. Marie-Jeanne avait maintenant une alliée pour me tirer les vers du nez.

— Ben oui, ma tante. J'ai couché au camp principal. Y'avait pas personne au club, ça fait qu'y'avait des chambres en masse. Au cas où ma mère vous l'aurait pas dit, on a fait l'aller-retour à cheval. Pis y'a rien de plus à rajouter!

— Fâche-toé pas, Héléna. C'était juste pour parler. Faut comprendre Marie-Jeanne, elle est un peu inquiète. T'as juste dix-neuf ans.

— Si ma mère est inquiète, elle a juste à me le dire elle-même. Elle a jamais eu la langue dans sa poche.

— Si ton père était encore là, tu te comporterais pas de même, ma p'tite fille! éclata Marie-Jeanne, le visage cramoisi.

— Ça adonne qu'y'é pus là! Pis que j'suis toute seule avec vous pour m'occuper de tout. Je travaille, je fais du ménage icitte, j'ai pris soin de Francis, pis d'Yvonne quand elle était à l'hôpital. J'suis assez grande pour m'occuper de mes affaires. Il me semble que c'est clair!

Ma réplique avait sonné comme une charge de cavalerie. Marie-Jeanne battit en retraite, claqua la porte de la maison et alla s'enfermer dans sa chambre. Ébranlée, Géraldine cherchait à voir si mon envolée avait attiré l'attention des voisins. Rassurée, elle me prit le bras et me fit asseoir sur la galerie.

— Calme-toé, Héléna. Tu l'sais que ta mère a le foie fragile. J'suis pareille. C'est de famille. Quand je suis énervée, ça gonfle. J'te dis que c'est douloureux. Marie-Jeanne est pas juste inquiète pour toé. Fabi, ton père, Yvonne, Francis, tu trouves pas que c'est assez de problèmes? A veut juste être sûre que tu te mettras pas dans le trouble.

J'avais envie de lui répliquer que c'était trop tard. J'étais dedans par-dessus la tête, depuis que ma main avait trouvé la dynamite cachée par Aristide.

— Inquiétez-vous pas, ma tante. Ça va finir par se placer. Pour Fabi, faut pas lui en vouloir. Elle avait pas le choix. J'vous demanderais juste d'être ben discrète là-dessus.

— Tu me connais, Héléna. Une huître, pis moé, c'est pareil. Quand c'est fermé, c'est pas ouvert!

— Je savais que vous me comprendriez. Je veux pas vous envoyer, mais je suis un peu fatiguée. J'aimerais ça m'étendre. Ça doit être la chaleur.

— Ouais, moé aussi, j'vais y aller. Faut que je fasse à manger à mon mari. Tu salueras ta mère.

Cette conversation n'avait rien fait pour me rafraî-chir. Mon corps était couvert de sueur et je me sentais lourde comme un éléphant. Je m'enfermai dans notre petite salle de bain et je me lavai à l'eau froide avec une débarbouillette.

CHAPITRE 22

La Tuque, été 1941

En soirée, je me rendis à la bijouterie. Rien n'avait bougé depuis la dernière fois. J'eus beau cogner, personne ne répondit. À contrecœur, je me dirigeai à l'hôtel Royal, près de la gare. Je risquais d'y rencontrer Edmond, mais je ne connaissais pas de meilleur moyen pour trouver Francis.

Je n'avais pas vraiment envie de l'affronter à l'intérieur de l'établissement. J'attendis qu'il sorte en faisant les cent pas près de la voie ferrée. Quand je le vis avec des caisses de bière dans les bras, je traversai la rue en courant. Il fit semblant de m'ignorer et continua à les empiler sur un chariot.

— Salut, Edmond.

— Tiens, tu te souviens de moé.

— Je pourrais te dire la même chose, tu sauras !

— Peut-être, mais moé, je me promène pas avec une autre fille dans un gros char.

— C'était juste mon *boss*. Il est venu me reconduire à la maison.

— Fais-moé rire. Une belle fille comme toé.

— Tu vas pas être jaloux ?

— Moé, jaloux? Pantoute! Mais quand je sors avec une fille, j'sors pas avec une autre.

— Tu vas pas faire une histoire pour un *lift*?

— Ça commence de même des fois.

J'étais flattée par sa jalousie. Il ne me parlait pas du Wayagamac, donc je supposai qu'il ne savait pas que je m'y étais rendue avec Matthew. Autant profiter de cet avantage.

— Tu t'en fais pour rien. Qu'est-ce que tu dirais si on allait aux vues? Ça me changerait les idées.

— J'vais y penser.

— En attendant, dis-moé donc si mon frère est icitte.

— Ça fait une couple de jours que je l'ai pas vu. J'pense qu'y se tient à l'hôtel Saint-Roch, asteure. C'est plus proche de sa bijouterie.

— Au Château blanc? J'suis jamais allée là.

— C'est pas la même *gang*, mais ça boit autant.

— J'vais aller m'informer là-bas.

— J'te rappellerai pour les vues.

— OK. Salut!

Je fis demi-tour et me dépêchai de me rendre à l'hôtel Saint-Roch. Je passai une première fois sans m'arrêter et, à la deuxième, j'apostrophai un client vêtu d'une salopette. Il avait l'air d'avoir commencé à picoler depuis déjà un moment.

— Excusez! Vous connaîtriez pas Francis Martel, par hasard?

— Je te reconnais, toé. Tu travaillais à la cantine à l'usine.

— Ouais, c'est ça. Je cherche mon frère. Il doit être en dedans. Il est pas ben grand. Il porte toujours un veston, pis…

— J'sais c'est qui. Il répare des montres. Tu viens juste de le manquer. Y'é reparti avec un homme qui l'aidait parce que ton frère avait de la misère à marcher.

— Merci.

— Y'a pas de quoi, mam'zelle !

Je me dépêchai de retourner à la bijouterie. On voyait de la lumière par la porte de côté. Je cognai puis entrai.

— Tiens, t'arrives à point, la p'tite. Ton frère a justement besoin d'une nounou.

Maximilien me pointait le lit. Francis y était couché de travers et tentait de se redresser. Je remarquai qu'il saignait à la lèvre et avait un bleu près de l'œil.

— Mon Dieu, qu'est-ce qu'y'a eu ?

— Rien de ben grave. Un p'tit accident. C'est pour pas qu'il oublie d'être correct avec ses amis. Je pense ben qu'y'a compris.

— Vous pouvez partir, je vais m'en occuper.

— Il est chanceux d'avoir une belle petite paire de fesses pour prendre soin de lui.

— Sortez !

— Oh! Pis maligne, à part de ça! Quand y reprendra ses esprits, dis-y que j'y donne une journée, pas plus.

Maximilien franchit la porte en me faisant un clin d'œil. J'aidai mon frère à s'asseoir et j'appliquai une débarbouillette d'eau froide près de son œil.

— Dans quoi tu t'es fourré, Francis?

— Donne-moé un peu d'eau… j'ai mal au cœur.

— Quand est-ce que tu vas arrêter de boire? Ça a pas de bon sens.

— Prends les… montres dans ma poche. Mets-les… sur mon établi.

— Laisse faire les montres, pis enlève ton veston. Tiens, bois ton eau.

Je ressentis une grande tristesse pour lui. Sa chemise était tachée, ses vêtements froissés, ses souliers poussiéreux. Ses cheveux étaient défaits et sa barbe datait de deux jours. Où était mon frère espiègle et enjoué? Dans quoi s'enfonçait-il?

— C'est Maximilien qui t'a fait ça?

— C'est rien.

— C'est pas rien! C'est tellement enflé qu'on te voit pus l'œil. Il a dit qu'il te donnait jusqu'à demain. Pour quoi?

— Il m'a prêté un peu d'argent. Pour me lancer en affaires, m'installer.

— Tu y dois combien?

— Ce serait pas arrivé si la mère couvait pas son argent comme une grosse poule entêtée.

— Combien? insistai-je.

— Pas loin de mille piastres.

— Mille piastres! Ça a pas de bon sens! À quoi t'as pensé? Tu t'es mis dans la marde!

— Chicane-moé pas, Héléna. J'vais y rembourser son maudit argent. Pis, arrête de crier, j'ai mal à tête. On dirait que les câlisses de bombes sont encore là. Ça résonne tout le temps. J'pense que je vais me coucher un peu. On verra ça demain.

Après l'avoir bordé, je nettoyai une fois de plus son appartement. Je savais que je pouvais régler son problème d'argent. Celui dans sa tête était plus difficile à solutionner. Mon frère était un héros de guerre, mais il ne le savait pas. Il en avait rapporté les bombes, la détresse et l'horreur. Comment lui reprocher ses faux pas, alors qu'il tentait seulement de reprendre pied dans la vie?

Un violent orage avait tenu Marie-Jeanne éveillée une partie de la nuit. Comme d'habitude, elle avait aspergé d'eau bénite les fenêtres principales. Je l'entendais prier à voix basse entre les coups de tonnerre. Je craignais plus pour mon frère, pour Fabi et pour moi-même que pour la foudre descendue du ciel. Je n'osais plus utiliser les images de Matthew pour m'endormir tellement son attitude m'avait déçue. Je me massais le ventre en espérant que rien n'y croissait. Je regrettais cet aveuglement qui m'avait poussée au fond de son lit.

L'odeur du bacon et des œufs frits me sortit du sommeil. Malgré son ressentiment, Marie-Jeanne ne manquait pas à son devoir de routine. La table était mise pour deux, le café fumait et elle me servit sans humeur.

— Ta sœur a téléphoné tantôt. Ça doit être ça qui t'a réveillée. Elle s'en vient.

— Yvonne? De bonne heure de même? Elle est-tu malade?

— Elle a dit que c'était important. Il fallait qu'elle nous parle.

Je n'avais pas vraiment envie qu'on en rajoute. J'avais mon quota. Francis était au premier rang de mes priorités. Je devais le remettre sur les rails et pas plus tard que le jour même. Maximilien ne m'apparaissait pas comme quelqu'un qui parle au travers de son chapeau.

Je venais de ranger les dernières assiettes dans les armoires quand ma sœur entra sans cogner.

— BONJOUR, VOUS AUTRES! C'est plus frais à matin. La maudite chaleur nous a lâchés. COMMENT ÇA VA?

Ma mère et moi répondîmes par un petit signe de tête appuyé d'un «ça va» sans conviction. J'offris le restant du café à Yvonne. Elle prit place à la table et posa sa sacoche en plein centre.

— On a eu un BON ORAGE, CETTE NUIT. J'pensais que mes CHÂSSIS ÉTAIENT POUR CASSER. Avez-vous eu de LA MISÈRE À DORMIR ?

— Dis-nous donc ce que t'as à dire au lieu de nous faire cailler, dit Marie-Jeanne en se frottant l'abdomen.

— VOUS AVEZ ENCORE MAL À VOT' FOIE ?

— Laisse faire mon foie. Arrête de crier, pis parle !

— Mon Dieu, VOUS ÊTES BEN À PIC À MATIN ! J'ai quasiment envie DE REPASSER.

Je crus bon d'intervenir avant que ma mère ne déverse son excès de bile sur ma sœur.

— Ben non, vas-y, Yvonne. T'es là. On t'écoute.

— C'EST UNE BONNE NOUVELLE ! J'ME MARIE !

Devant notre absence de réaction, ma sœur souriait béatement et nous regardait à tour de rôle. Son opulente poitrine se soulevait en vagues successives sous l'émotion du moment. Ses yeux clignaient plus rapidement, comme pour chasser la buée qui s'y cristallisait. Toute petite, elle rêvait déjà de se marier. Fabi me racontait qu'elle la mêlait à son jeu préféré : la célébration du mariage. Elles se fabriquaient de longues traînes en assemblant grossièrement des poches de jute. Fabi était à la fois le curé et le marié. Elle lui passait au doigt un écrou rouillé et lui jurait fidélité. Yvonne était une princesse en puissance. Elle devint cette âme éclatée prête à tout pour y arriver.

— Félicitations, la sœur.

— Ça a pas l'air DE VOUS EXCITER LE POIL DES BRAS!

— Espère pas qu'on fournisse pour la noce, dit ma mère en me jetant un regard de reproches.

Je recevais le même traitement que son défunt mari. Aucune occasion n'était ratée pour me rappeler ma faute. L'argent que j'avais perdu aurait pu servir pour aider Yvonne. Je devais m'en sentir coupable.

— J'vous ai rien DEMANDÉ! JE GAGNE MON ARGENT. JE VAIS EN METTRE DE CÔTÉ, pis Antoine a un bon salaire. ON VA FAIRE ÇA COMME IL FAUT.

— À voir comment il vide mes pots de confiture, ça risque de coûter cher!

— VOYONS DONC, M'MAN! Antoine aime manger. IL TRAVAILLE FORT. IL DIT QUE J'Y FAIS LA MEILLEURE CUISINE!

— Tu restes pas avec, toujours?

— M'MAN! Vous le savez QUE JE RESTE CHEZ MADAME PATERSON. Elle me laisse UTILISER SA CUISINE DE TEMPS EN TEMPS. ELLE EST ASSEZ FINE!

— C'est pour quand, ton mariage?

— ON PENSAIT À CET AUTOMNE. On est pas encore sûrs.

— Tu le sais que la guerre est loin d'être finie, ma p'tite fille.

— ON S'INQUIÈTE PAS AVEC ÇA. Antoine fait un peu d'asthme. IL VA ÊTRE DISPENSÉ.

— Il va pas te mourir dans les bras, toujours ? s'inquiéta ma mère.

— Bon, J'VOIS QUE VOUS ÊTES PAS PARLABLE À MATIN.

— Pis moé, j'trouve que tu vas pas mal vite, après ce qui t'est arrivé avec ton commis-voyageur du lac Saint-Jean !

Cette fois, Yvonne ne put retenir ses larmes devant la pique de Marie-Jeanne. Elle se leva en crochetant sa sacoche sur sa hanche. Elle récoltait l'amertume que j'avais semée. Elle ne le méritait pas. Son Antoine n'était pas le plus beau prince charmant, mais il m'apparaissait le meilleur candidat pour qu'enfin elle trouve son bonheur. Quand je fis mine de sortir derrière elle, elle leva la main pour me stopper. Je n'insistai pas. Elle s'en remettrait. Francis m'inquiétait bien plus.

Résidence Clair de lune, Trois-Rivières, hiver 2002

Le jeudi est un jour fébrile. Sitôt le dîner terminé, trois autobus jaunes se rangent dans la cour arrière. Autant de groupes se forment, prêts à y monter. L'un filera au centre commercial Les Rivières pour le magasinage, le deuxième emmènera les quilleurs à la salle du boulevard des Récollets et le troisième permettra de se ravitailler à l'épicerie Metro. Pendant presque trois heures, les couloirs et les espaces communs seront désertés.

D'habitude, Huguette Lafrenière ne manque pas ce rendez-vous hebdomadaire. Elle alterne entre les autobus d'une semaine à l'autre. Aujourd'hui, elle n'arrive pas à se décider. Son esprit la ramène sans cesse sur l'étage de son amie. La mort subite du curé Blais est-elle en relation avec les pilules de morphine qu'Héléna garde dans sa table de chevet ? Serait-elle capable, dans son état précaire, de planifier et d'exécuter la mort de quelqu'un ? Cela expliquerait la motivation pour le fauteuil motorisé. Après tout, elle l'a vue sortir de la chambre de monsieur Blais l'après-midi précédant la nuit où il est décédé. Comme il était déjà en bas pour le spectacle, elle avait eu beau jeu de mettre la morphine dans son pilulier, dans son verre d'eau ou dans de la nourriture. Le cerveau d'Huguette puise à plein régime dans sa filmographie intérieure pour alimenter ses craintes. Au lieu de se diriger vers la sortie et les autobus, elle prend le chemin de l'ascenseur. La première étape consiste à examiner la scène de crime. Elle y trouvera peut-être le mot laissé par son amie. Ce serait une preuve de sa bonne foi.

Le couloir est désert. Elle marche en longeant le mur jusqu'à la porte close. Coup d'œil à gauche et à droite. Rien à signaler. Elle pousse le battant. Elle se retrouve face à face avec une femme obèse qui porte une boîte de carton. Derrière elle, un homme vide la garde-robe et remplit des sacs-poubelle. Ils travaillent en silence sans se presser.

— Oui? demande la femme en s'immobilisant.

Huguette a l'air d'une anorexique à côté d'elle. Les bourrelets fleurissent de partout et ses yeux ont l'air minuscules, enfouis sous les paupières gonflées. La bouche entrouverte attend une réponse.

— Vous videz la chambre? constate madame Lafrenière.

— Ben oui. On nous a dit qu'on pouvait tout prendre.

— Vous êtes de la famille?

— Ben non. On est bénévoles pour la Saint-Vincent-de-Paul. On ramasse tout. Le camion est en route. Vous voulez quelque chose?

— Vous auriez pas trouvé un p'tit mot écrit pour monsieur Blais? Sur sa table de chevet ou son bureau?

— Quand on est arrivés, le ménage était fait. C'était-tu important?

— Non, c'est pas ben grave. Excusez-moé.

Décidément, Huguette manque de synchronisme. Trop tard à l'appartement d'Héléna, trop tard à la chambre de monsieur Blais, trop tard pour penser à ouvrir la lettre mystérieuse remise à son amie, elle semble vouée à n'être qu'une spectatrice incapable de profiter des entractes pour prendre le pas sur le metteur en scène.

Elle hésite, car il est peut-être encore temps de monter dans un des trois autobus. À moins qu'elle n'en profite pour jeter un œil à la table de chevet d'Héléna. Si la morphine est toujours là, c'est que le manuscrit de son amie commence à lui faire tourner la tête.

Elle sait qu'après le repas du midi, Héléna s'assoupit pour une heure ou deux. Elle entrouvre donc la porte avec précaution. Les rideaux tirés lui confirment que la routine est respectée. Elle se glisse dans la chambre sur la pointe des pieds. Un léger ronflement est perceptible. Osera-t-elle contourner le lit et s'approcher de la table de chevet? Elle glisse sur ses mocassins comme une Sioux sur un lit de mousse, pendant qu'elle sent crépiter en elle les flammèches de l'interdit. Sa main se tend vers la poignée du tiroir, qui se déplace sur ses rails avec un bruit de roulettes mal lubrifiées. La lettre est là, perchée sur un pot de crème pour les mains, entourée d'une brosse à cheveux, d'un peigne, d'une boîte de mouchoirs, d'un paquet de gomme à mâcher, de quelques sachets de sucre et de plusieurs bouteilles de pilules. Quelle est celle avec la morphine? Huguette se souvient que le contenant était identique à celui du Tylenol. Elle farfouille du bout des doigts, localise les Tylenol et voit le flacon recherché dans lequel il n'y a qu'une pilule.

— Hum! C'est toé, Huguette?

Son amie grogne et tourne la tête dans sa direction. Vite! trouver une parade pour expliquer sa présence.

— J'voulais pas te réveiller! J'étais juste venue t'emprunter ta brosse à cheveux. La mienne est cassée.

— Prends-la, elle est dans mon tiroir. Il est quelle heure?

— Un peu passé une heure. J'm'en vais, là. Tu peux te rendormir.

— J'étais en train de faire un rêve. J'étais au lac. T'étais là aussi. On se baignait toutes nues dans l'eau. Il y avait plein de monde qui nous regardait sur la rive. C'est fou, hein?

Madame Lafrenière tient la brosse d'une main et la poignée du tiroir de l'autre. Son souffle ténu est suspendu aux lèvres de son amie, qui continue de parler en gardant les yeux fermés.

— Toé, tu les vois pas, parce que c'est mes fantômes. Mon père, le chef de police, Josette...

— Le curé est-tu là? demande Huguette dans un élan d'inspiration.

— Ouais, le vicaire avec ma sœur...

— Pas lui, l'autre.

— Jeff...

— Qui?

Mais Héléna est retournée dans les bras de Morphée. Son souffle siffle avec régularité. Huguette pense qu'elle a dû prendre un somnifère. Elle referme le tiroir non sans avoir examiné la lettre à nouveau. À part l'oblitération qui indique qu'elle provient d'Acton Vale, dans les Cantons-de-l'Est, il n'y a rien qui puisse renseigner sur l'expéditeur. Quand Héléna va-t-elle se décider à l'ouvrir?

Elle repart avec la brosse. Elle sait maintenant que les pilules de morphine ont disparu. Pourquoi ? Peut-être son amie les a-t-elle prises, bien que ce soit impensable vu la quantité ? Combien y en avait-il dans la bouteille ? Plusieurs, c'est certain. Dix ? Moins de dix ? Plus de dix ? Elle ne s'en souvient pas. Elle pourra toujours l'interroger discrètement à sa prochaine séance de lecture. Pour l'instant, elle aimerait en savoir plus sur la lettre. Que font les enquêteurs dans les films ? Ils consultent leurs fichiers ou bien demandent l'aide d'un spécialiste. Elle n'en a pas sous la main. Par contre, il y a une salle avec trois ordinateurs au sous-sol. Elle n'y connaît rien, mais elle a souvent entendu dire qu'on pouvait trouver ce qu'on voulait sur l'Internet. Elle ne perd rien à tenter le coup.

CHAPITRE 23

La Tuque, été 1941

Francis était penché sur son établi qu'éclairait une lampe de bureau rectangulaire. Le dos voûté, il observait l'intérieur d'une montre en se servant de la loupe devant son œil. On aurait dit une sorte d'insecte cyclope examinant sa proie. De ses doigts effilés par le prolongement des pinces à ressort, il en fouillait les entrailles. Il en sortait des organes de métal, qu'il posait avec précaution sur la surface feutrée. Puis il étudiait le patient. Il testait ses rouages, ses engrenages et la présence de poussière. Il remplaçait ses maillons faibles. Il nettoyait ses pièces et les huilait. Tout le temps que durait l'opération, il ne cessait de sourire, absorbé par sa tâche. Sa main était sûre, ses gestes précis, son âme en paix. Quand le fil des heures reprenait son mouvement, il relevait la tête, satisfait. Puis il ajustait les aiguilles à même les cadrans et les horloges qui l'entouraient. La mécanique du temps était toute sa vie.

Pendant qu'il s'activait, je nettoyai la vitrine de la bijouterie, les comptoirs et les planchers. J'avais au fond de ma poche l'enveloppe avec l'argent de

Marie-Jeanne. Jamais je n'en avais eu autant en ma possession. Sa provenance illicite pesait lourd contre ma cuisse.

Francis resta à jeun jusqu'au souper. Sa nervosité augmentait à vue d'œil maintenant qu'il ne savait plus comment occuper ses mains. Il s'approchait de la bouteille de rhum, la soulevait, puis la reposait en soupirant. J'avais exigé cet effort de sa part pour lui venir en aide. Il s'y pliait en grognant comme un ours en cage privé de sa liberté.

— Comment t'as fait pour convaincre la mère de me prêter l'argent? me demanda-t-il après avoir ouvert deux portes d'armoire inutilement.

— Je t'ai dit de pas me poser de questions là-dessus.

— Tu l'as pas volé, toujours?

— Tu t'inquiètes de ça, mais pas de savoir d'où proviennent les bijoux que ton grand escogriffe de Maximilien t'apporte!

— Il m'a dit que c'était du stock qui se vendait pas à Montréal.

— Ben moé, c'est de l'argent qui sert pas à La Tuque! Pose pas de questions, pis contente-toé de faire marcher ta bijouterie. Tu me le remettras comme tu pourras. Pis pas un mot à Marie-Jeanne!

— T'as changé, ma sœur. Des fois, j'ai l'impression que t'es plus vieille que moé. Parle-moé encore de Fabi. Comment elle était?

— Elle était bien. Je l'ai pas vue longtemps, elle s'en allait dans le nord.

— Elle t'a parlé de moé ?

— Je te l'ai déjà dit. Elle m'a demandé de t'embrasser à sa place. Elle aurait aimé ça te revoir. Mais si elle revient par icitte, on va l'arrêter.

— J'comprends pas pourquoi elle a essayé de faire sauter la *dam*. Ça a pas de bon sens, cette histoire-là.

— Elle veut rien dire là-dessus. Elle voulait pas faire de mal à personne. C'était un accident.

— On joue pas avec la dynamite par accident ! Ça a rapport avec notre père ?

— J'en sais pas plus.

— J'y avais promis que j'reviendrais de l'autre bord. J'aurais aimé ça qu'elle soit là. Elle me manque.

C'était une façon comme une autre de sous-entendre qu'il la préférait. Elle était sans doute pour quelque chose dans sa difficulté à reprendre pied. À nos yeux, Fabi était une sorte d'icône. Elle avait hérité de la beauté, de la force et d'une détermination à toute épreuve. C'était elle, le cœur de notre famille. Mon père le savait depuis longtemps et avait abusé de sa présence. Il suffisait de la côtoyer pour être envoûté. Je venais de le vérifier avec Matthew. Lui offrir mon corps ne semblait pas l'avoir détourné de son désir pour ma sœur. Même absente, elle se dressait entre nous.

Comme promis, Maximilien se pointa après le souper. La nervosité de Francis monta de plusieurs crans. Je n'en menais pas large moi non plus. L'homme se servit un verre de rhum sans même le demander.

Il en offrit un à Francis, qui refusa. Il leva le sien et le cala d'un coup. Puis il le remplit à nouveau avant de tendre le menton dans ma direction. Ses yeux se braquaient sur nous comme s'ils étaient chargés de chevrotines.

— C'est ta sœur qui te gêne? Je peux la mettre à la porte si tu veux. On a des choses à discuter, toé pis moé, dans le blanc des yeux.

— Y'aura pas de discussion! dis-je en sortant l'enveloppe de ma poche. Le ton de ma voix me semblait ridiculement haut perché.

Maximilien haussa les sourcils en signe d'interrogation. Francis s'agrippait au dossier d'une chaise et ses jointures rougissaient sous l'effort. Je me raclai la gorge avant de poursuivre.

— Mon frère va vous rembourser, pis vous sacrez votre camp! On veut pus vous revoir!

Les mots tremblaient sur mes lèvres. J'espérais le secours de l'autre femme en moi, mais elle restait tapie bien au fond, derrière sa porte close. Elle n'avait pas ce genre de courage. Personne n'allait mourir dans cette pièce, alors elle m'abandonnait à mon problème.

— T'as mon argent? demanda Maximilien, surpris.

— Vous avez juste à compter. Prenez-le, pis remettez pus jamais les pieds icitte.

— C'est ta sœur qui aurait dû s'enrôler dans l'armée, mon Francis. Elle a du chien! Donne-moé ça! dit-il en m'arrachant l'enveloppe des mains.

Maximilien compta les billets sur la table de la cuisine. Satisfait, il les glissa dans la poche de sa veste. Il souriait méchamment en nous regardant l'un et l'autre.

— C'est une bonne affaire de faite. Mais tu te rappelles, Francis, qu'on devait être associés. Je t'apporte du stock. J'te fais un bon prix, pis j'prends ma cote sur les ventes. J'pense que c'est clair !

— Oubliez ça, asteure, mon frère pis moé, on est partenaires.

— C'est vrai ça, Francis ? Tu me lâches ? Pourtant, je pensais qu'on était des *chums*. Tu sais que j'ai pas investi dans ta *business* pour me retrouver le cul à l'eau. C'est grâce à moé si t'as une boutique. J'm'attends à plus de reconnaissance !

Francis transpirait abondamment. Il n'osait pas lever les yeux. Il fixait le verre de boisson posé sur la table. Malgré mon attitude frondeuse, j'avais peur de cet homme. Il exhalait la violence. Lorsque son regard me toisait, je me sentais rapetisser sous le poids de ses intentions.

— Tiens, bois un coup. Ça va te replacer les idées, dit Maximilien en calant son rhum d'un trait.

Mon frère luttait contre ses démons. Ses mains tremblaient et son visage était d'une pâleur mortelle. Il finit par articuler péniblement.

— Merci pour ton aide, mais j'en aurai pus besoin à l'avenir.

— C'est la p'tite crisse qui t'a mis ça dans la tête ? T'es mieux de ben réfléchir. J'suis pas quelqu'un qu'on laisse tomber comme ça. Quand on est ami avec moé, c'est pour longtemps !

— On vous a remboursé. Sacrez votre camp ! dis-je en raclant mes dernières miettes de courage.

— OK. Pour cette fois icitte. Mais y'en aura d'autres !

Après son départ, Francis se précipita sur la bouteille de rhum. Il se versa une rasade, qu'il but d'un coup. Il me regarda bizarrement quand je lui demandai de m'en servir un.

&

Il s'écoula quelques jours pendant lesquels je cherchai à me dénicher un emploi. Je ne pouvais plus compter sur le magot d'Aristide et nous allions devoir vivre sur nos maigres réserves. Même si nous étions habituées à la frugalité, nous n'avions plus la proximité du lac et de la forêt pour subvenir à l'essentiel. Cependant, notre jardin nous fournirait des légumes à volonté. Malgré ses crises de foie à répétition, ma mère continuait de s'y activer. Le matin et le soir, je la voyais accroupie entre les rangs d'oignons ou de haricots jaunes. Avec patience, elle bichonnait les plants, les redressait et les taillait au besoin. Sans doute que la satisfaction éprouvée dépassait largement celle que lui procuraient ses enfants. Avec nous, rien n'allait comme elle le voulait. Jusqu'à son Georges, le satellite le plus éloigné de la famille, qui ne semblait pas pressé d'avoir des enfants. Elle lui soupçonnait un problème de capacité. Comment était-ce possible, alors qu'elle-même avait eu neuf enfants? La grippe espagnole lui avait-elle arraché les meilleurs? Elle en parlait peu, mais je savais qu'une partie de ses prières était destinée à ses trois petits qu'elle avait perdus coup sur coup, et à son Aldéric, âgé d'à peine seize ans, qui était mort noyé dans le lac Saint-Louis.

Edmond recommença à me tourner autour. Il semblait avoir passé l'éponge sur l'épisode du «gros char qui emmène sa blonde» et il m'invita aux vues au théâtre Empire. On y jouait un film français, *Le jour se lève*, avec Jean Gabin et Arletty. Un drame passionnel qui m'arracha des larmes. Edmond me consola en me prenant la main. Matthew était au loin et avait perdu son pouvoir d'attraction. Notre aventure au Wayagamac s'était terminée abruptement et semblait être sans lendemain. Aussi, je restai surprise quand la secrétaire de Matthew me téléphona, quelques jours plus tard, pour m'offrir un travail. Le cuisinier du club s'était blessé au poignet. Matthew me proposait de l'aider dans ses tâches pour une semaine au même salaire que j'avais à l'usine, mais payé sur vingt-quatre heures. Je ne pouvais pas refuser, d'autant plus que je serais près du lac à nouveau.

Marie-Jeanne râla un peu et se plongea le nez dans un livre. Elle marmonna qu'elle saurait s'occuper de tout pendant que je couraillerais. Edmond râla beaucoup et je dus user de mes charmes pour le convaincre que j'allais y travailler. Il se calma quand je mentis en lui assurant que le *boss* de l'usine était aux États-Unis. En réalité, je n'en savais rien.

Je me rendis au Wayagamac au début du mois d'août, en compagnie d'un employé du club. Je restai sur la grève un long moment à me remplir les yeux de soleil, d'espace et de vagues, qui venaient mourir à mes pieds. Fabi se tenait à mes côtés, émanant des sapinières, des roseaux, des portages ombragés, du murmure des ruisseaux, des lacs perdus au creux des montagnes. Elle se matérialisait sur le sable chaud. Solide et fière, elle pointait le large en riant. J'y voyais la grosse chaloupe tanguer dans la houle, puis reprendre le dessus sous la poigne de ma sœur. Le Wayagamac avait façonné Fabi. Elle était la plus belle de ses perles. S'en éloigner l'avait punie. Il n'y avait qu'en ces lieux qu'elle pouvait exister.

Une voix grave et coupante me tira de ma rêverie. De sa main valide, le cuisinier me fit signe de m'approcher. Il était gros et joufflu, comme je l'avais imaginé. Son bras en écharpe reposait sur son ventre dodu. Son œil gauche était presque fermé par la fumée de son mégot suspendu à la commissure de ses lèvres. De son autre, il me toisait en penchant la tête sur son épaule. Son visage rougeaud semblait sur le point d'exploser. Il frotta sa main enfarinée contre son tablier.

— J't'attendais. Dépêche-toé, j'ai de l'ouvrage. Une *gang* de six arrive à soir. Y'a des légumes à couper pis de la vaisselle à laver. Tu peux m'appeler Tom. Toé, c'est Héléna Martel, la plus jeune des filles d'Aristide, j'me trompe pas ?

J'acquicsçai de la tête avant d'entrer dans la cuisine qui fleurait bon les épices. La chaleur infernale me scia les jambes. Je déposai mes affaires dans un coin et enfilai un tablier accroché à un clou. Tom me montra un tas de légumes et me mit un couteau dans la main. À tout bout de champ, il me demandait de lui venir en aide, soit pour prendre une casserole sous le comptoir ou sortir la lèchefrite du four pour touiller le ragoût de chevreuil. Je compris rapidement que mon travail ne serait pas une sinécure. La cuisine était minuscule, la chaleur étouffante et la corpulence de Tom encombrante. De plus, il ne se privait pas de m'utiliser.

Je m'activai jusqu'au souper. J'entendais des rires et des éclats de voix dans la salle à manger. Tom multipliait les ordres pour que tout soit prêt à temps. Il sortit un plateau et j'y déposai six bols de soupe à la perdrix et à l'orge perlé. Bien entendu, je dus faire le service à la grande table. Les hommes y discutaient avec entrain en levant leurs verres de bière. Concentrée à ne rien renverser, je fis la distribution. Rendue au dernier, je sentis qu'on me prenait le bras avec fermeté.

— Encore toé ! Tabarnak, t'es partout !

Je restai de glace en reconnaissant Jeffrey, l'homme que nous avions failli noyer, ma sœur et moi. À ses côtés, monsieur Pettigrew enfournait sa soupe avec gourmandise.

— J'vois qu'on t'a remise à ta place : dans la cuisine ! ajouta Jeffrey assez fort pour être entendu de tous.

La boutade fut accompagnée de quelques rires. Je me dégageai d'un coup sec et retournai aux chaudrons. Le reste du repas fut un calvaire pour moi. À chacune de mes apparitions, Jeffrey ne manquait pas de m'asticoter, au point où d'autres convives crurent bon intervenir pour le réprimander. Jeffrey quitta la table en titubant. J'attendis qu'il soit à l'extérieur pour desservir.

Tom me donna congé vers les onze heures du soir. Il me montra ma chambre, qui était attenante à la cuisine. Je devais traverser la réserve de nourriture pour y accéder. Rien à voir avec celle que j'avais partagée avec Matthew à l'étage. Il y avait de l'espace pour un lit de camp, une chaise et une petite commode. La moustiquaire de la fenêtre était trouée à deux endroits. Les brûlots allaient me dévorer tout rond. Je m'enfouis sous les couvertures et sombrai dans un sommeil profond. L'autre femme apparut dans mes rêves. Elle regardait, avec malice, le sourire se faner sur les lèvres de Jeffrey.

Résidence Clair de lune, Trois-Rivières, hiver 2002

— Il reste deux jours avant le printemps, dit madame Lafrenière en levant les yeux du manuscrit.

— Moé qui pensais pas passer l'hiver!

— Tais-toé donc! Bientôt, tu vas voir les bourgeons, pis les fleurs. La chaleur du soleil va te faire du bien.

— Crois-tu aux fantômes, Huguette?

— Pourquoi tu me demandes ça?

— Parce que depuis que ma jambe est pus là, elle recommence à me faire mal. Ça part en bas du genou, où y'a pus rien, pis ça remonte jusque dans la cuisse.

— Si t'as de la misère à endurer, prends ta morphine. T'en as en réserve dans ton tiroir.

— Non, j'ai encore besoin de garder toute ma tête. J'suis capable de « toffer ».

Huguette accueille le mensonge sans broncher. Elle sait qu'il n'y a plus qu'un seul comprimé dans la bouteille de plastique.

La télé muette montre des vedettes qui s'esclaffent autour d'une grande table. Elle reconnaît le comédien Marc Labrèche, l'humoriste Lise Dion et l'animateur Patrice L'Écuyer. Il n'y a pas si longtemps, Huguette aurait écouté cette émission bien calée dans son fauteuil. Elle en aurait reparlé au déjeuner avec les autres en bas. Le papotage superficiel se serait terminé avec le café trop fade. Peut-être madame Gervais l'aurait-elle invitée à marcher à l'extérieur ou se serait-elle simplement jointe à un groupe pour passer le temps. Rien ne serait venu troubler la quiétude des jours.

Maintenant, elle est envoûtée par l'histoire d'Héléna. Elle ne peut plus s'en détacher. Est-ce de l'amour ou une fascination morbide pour la femme qui se cache en elle? Comment a-t-elle pu traverser la vie sans être démasquée? Huguette n'a-t-elle pas fait de même pour son attirance envers les femmes? N'a-t-elle pas cherché à retracer où tout cela avait commencé? N'a-t-elle pas vécu deux vies? L'une au grand jour et l'autre dissimulée sous les apparats de la normalité? Elle aussi pourrait faire une liste des cadavres amoureux abandonnés derrière elle. Il se trouverait bien quelqu'un pour s'émerveiller que personne n'en ait jamais rien su. Pour flotter sur l'océan de l'existence, la vie a besoin qu'une partie en soit immergée. Quand se profile le naufrage, il est parfois nécessaire de descendre à fond de cale pour voir tout ce qui s'est accumulé et qui va sombrer avec nous.

— À quoi tu penses? demande Héléna.

— À nous deux.

Madame Lafrenière reprend sa lecture. Elle ne dira pas son malaise devant le secret d'Héléna. Son fardeau n'est pas le sien, mais il lui pèse sur la conscience. S'il n'y avait la duplicité de cette femme, elle refermerait le manuscrit. La double vie est un calvaire quand on ne peut en sortir. Huguette connaît la sensation de vivre en porte-à-faux, entre deux vies. Quelquefois, on meurt ainsi, écartelé avec soi-même, à moins qu'une lueur n'éclaire le chemin pour se retrouver. Les mots d'Héléna ont ce pouvoir, alors elle ira jusqu'au bout.

CHAPITRE 24

Wayagamac, été 1941

Les deux jours suivants se déroulèrent au même rythme. Le cuisinier profitait de son handicap et de ma présence pour se libérer d'un maximum de tâches. Je coupais, je mélangeais, je récurais, je frottais et rangeais dans une enfilade de mouvements qui me donnaient le tournis. Je ne tentais pas d'éviter Jeffrey. Au contraire, j'écoutais tout ce qui se disait à son sujet. Ses sarcasmes ne m'atteignaient plus. Il n'était pas le plus apprécié du groupe. Les autres hommes n'insistaient jamais quand il refusait une partie de pêche. On le laissait à sa flasque de whisky et à ses nombreux roupillons dans les chaises Adirondack. Monsieur Pettigrew le semonçait souvent pour son manque de classe et pour son insouciance à mélanger médicament et boisson. J'avais noté qu'il prenait une pilule pour le cœur au déjeuner et une deuxième au souper. Pour un tel homme, l'information n'était pas surprenante. Je l'aurais diagnostiqué «sans cœur» sans aucun problème.

Le jour précédant leur départ, tous les membres du groupe se préparèrent pour une dernière partie de pêche. Dès le lever du jour, je m'occupai de leur faire un lunch. Sitôt le déjeuner pris, ils s'installèrent dans trois chaloupes. Pour la première fois, Jeffrey les accompagnait. Il avait meilleure mine et son pas avait retrouvé de l'assurance. Par la porte-moustiquaire, je les regardai s'éloigner. Le sillon des moteurs à gaz s'écarta jusqu'à disparaître, ne laissant dans l'air qu'un bourdonnement que le vent du large emporta au loin.

— Quand t'auras fini de rêver, la p'tite, tu rangeras la cuisine, me dit Tom. Pis tu laveras le plancher de la salle à manger avant que ça ait l'air d'une porcherie. Moé, faut que j'aille voir le gardien à la *dam*. J'vais revenir après le dîner.

J'accueillis cette nouvelle avec joie, mais je n'en laissai rien paraître. Je serais seule au grand camp. Je pourrais fouiner à mon aise.

Quand Tom s'éloigna sur le chemin, je me dépêchai de terminer la vaisselle. J'accrochai mon tablier et je montai à l'étage. L'odeur de cigarette et de sueur flottait dans l'air et m'excitait. C'était comme de pénétrer dans un autre monde. J'ouvris la première porte avec précaution. Mes mains tremblaient. Elles se dirigèrent d'elles-mêmes vers le sac à bandoulières posé au pied du lit. Je soulevai le rabat et fouillai sous les vêtements. Je tâtai l'arrondi d'une bouteille de whisky, le cuir d'un ceinturon et l'enveloppe d'un paquet de bonbons. Mes yeux cherchaient tout autant. Ils voyaient le caleçon souillé, la chemise sur le dossier de la chaise, le journal désarticulé sur le sol et le cendrier plein de mégots sur la table de chevet. L'étui à lunettes interrompit mon inspection. Jeffrey n'en portait pas. Je passai à la deuxième chambre, où l'occupant n'était pas plus méticuleux. Je reconnus la veste rouge vif d'un grand échalas, dont le rire rappelait le cri d'une corneille. J'examinai quand même chaque recoin de ses bagages par pur plaisir. La troisième fut la bonne. Je le sus à l'odeur. Une lotion épicée et sucrée que Jeffrey semait dans son sillage. Dans cette chambre, la bouteille de whisky trônait bien en évidence. Il y avait de la cendre de cigarette sur le sol, sur la table de chevet et même sur les draps. La taie d'oreiller était brûlée à un endroit et le couvre-lit maculé de taches non équivoques. Le flacon recherché était posé près de la lampe à l'huile sur la commode. Je dus m'y reprendre à deux fois avant de saisir le sens de la posologie : une pilule matin et soir et une en cas de crise. Je secouai le contenant. Il était rempli aux deux tiers. Je ne connaissais rien aux médicaments. Je savais seulement qu'il fallait les utiliser selon les indications. J'en versai une douzaine dans ma main. Je brassai le reste pour évaluer si Jeffrey l'alcoolique verrait la différence. Je pensai que non. Je les glissai dans ma poche et replaçai le flacon au même endroit. Je n'avais aucune idée de leur action. Je me sentais en pleine expérimentation, poussée par mon autre moi qui me murmurait que cet homme avait besoin d'une bonne leçon. J'espérais que son cœur serait suffisamment ébranlé pour le rendre plus humain. Je n'envisageais pas alors qu'il puisse en mourir.

Avant de regagner la cuisine, je ne pus me retenir d'examiner chacune des autres chambres. Je restai un long moment dans celle qui était la plus grande et que j'avais partagée avec Matthew. Elle était inoccupée et je m'étendis un instant sur la courtepointe. Malgré le fait qu'il m'avait déçue par son comportement, je sentis monter en moi le désir de le revoir. Il me semblait que l'aventure dans cette chambre ne pouvait être sans lendemain. Qu'il m'ait offert ce travail au club était la preuve qu'il pensait encore à moi. Je continuai l'exploration des autres pièces en m'accrochant à cet espoir. Je franchis les deux dernières portes en éprouvant dans mes entrailles le même chatouillement qui précède la jouissance.

Tom revint au milieu de l'après-midi. Il passa près de moi sans rien dire. Je m'étais allongée dans une chaise Adirondack et je suivais la progression des nuages dans le ciel bleu. Je m'attendais à des remontrances, mais il ressortit en me complimentant sur mon travail. Il m'informa aussi que le gardien avait passé la soirée de la veille en ville et qu'il y avait rencontré Allen Brown. On devrait rajouter quatre couverts pour le souper. Il arriverait par hydravion avec son frère et le notaire Boudreault, en plus du pilote. Je sautai sur mes deux pattes devant l'éventualité de revoir Matthew. Ça ne faisait pas partie de mes projets. Je cherchais déjà quelle attitude je devrais adopter. Je blêmis en pensant que j'allais servir aux tables. Une position bien différente de ma dernière rencontre avec lui.

Tom me remit à l'ouvrage en maugréant. Il n'aimait pas ce genre de surprise. Son potage serait juste suffisant pour dix personnes. Par contre, il faudrait prévoir d'autres pâtisseries. Ce qui impliquait d'allumer le four et de transformer la cuisine en sauna. Pour le repas principal, il ferait griller la truite que le groupe rapporterait. Il passa sa hargne sur son employée et je courus de droite à gauche jusqu'à ce que j'entende les invités heurter leurs chopes de bière avec entrain.

Tom me surveilla pour la distribution du potage. Il veillait à ce que je le répartisse également dans chaque bol. Pas question d'y insérer les pilules que j'avais toujours dans ma poche. Je fis le service, intimidée par la présence de Matthew. Il me salua de la tête. Personne ne remarqua que je rougissais, car, en sortant de la cuisine, j'avais déjà la peau plus écarlate qu'un homard cuit. Jeffrey se tint tranquille pour une fois. Il avait l'air épuisé de sa journée et peut-être impressionné par les nouveaux venus.

Je patientai jusqu'au dessert, que tout le monde accompagna d'un café. Tom discutait avec le notaire Boudreault et personne ne se préoccupait de moi. Je choisis une tasse différente pour Jeffrey, pour être sûre de ne pas me tromper. Je mis les douze pilules avec le breuvage chaud et je le brassai avec vigueur.

Quand je déposai la portion de tarte devant ma victime, il prit lui-même la tasse, dont le contenu se répandit un peu sur mon plateau. Comme d'habitude, Jeffrey avait abusé du vin. Il me fit un clin d'œil grivois et but une gorgée. Je m'attendais à ce qu'il manifeste une réaction de malaise. J'avais envie de le voir se tordre sur le plancher en chialant. Il fit plutôt une grimace en reposant sa tasse.

— Y'é chaud! T'aurais pas un peu de lait? dit-il en lorgnant mes seins.

— La bouteille est devant vous!

— J'suis pas habitué à celle-là.

Je fis le tour de la table pour ramasser les assiettes vides. Je sentais que Matthew m'observait. J'évitais de croiser son regard. Plus tard, quand j'en fus à débarrasser la cuisine, il apparut sur le seuil de la porte.

— J'ai parlé à Tom. Tu peux prendre une pause.

— J'ai presque fini.

— Laisse faire ça. J'aimerais ça qu'on jase.

Il m'entraîna à l'écart dans un sentier qui longeait le lac. Je ne me sentais pas à l'aise avec mes cheveux sales et attachés sur ma nuque, et mes vêtements imbibés de transpiration. Il attendit qu'on se soit suffisamment éloignés pour me parler.

— Je voulais m'excuser, Héléna. Pour l'autre fois. Je me suis mal comporté.

Je n'étais pas préparée à cette rencontre. J'avais l'air d'une sauvageonne et lui, de Clark Gable sur une affiche du film *Gone with the Wind*, que je visionnerais en me pâmant quelques années plus tard. Il continua d'une voix douce en me soulevant le menton. Je n'eus d'autre choix que de constater le désir au fond de ses yeux.

— J'ai pas arrêté de penser à toi, Héléna. J'suis revenu des *States* pour te le dire. J'aimerais ça qu'on se revoie.

— J'sais pas. Je m'attendais pas à ça. On s'est quittés plutôt froidement la dernière fois.

— C'est de ma faute. Depuis que j'ai pris la relève de mon frère, j'suis un peu obsédé par la *shop*. J'ai été maladroit. J'voudrais qu'on recommence. T'es trop belle, Héléna. J't'ai dans la tête. C'est plus fort que moi.

J'avais l'impression que son désir provenait de Fabi bien plus que de moi. Il me semblait qu'elle nous observait, cachée derrière les arbres. Qu'elle attendait que je la trahisse, que je me substitue à elle! Je me sentais déchirée entre la loyauté et l'envie de me jeter une fois de plus dans les bras de cet homme. Comment pouvais-je effacer d'un coup la froideur avec laquelle s'était terminée notre escapade? Ne serais-je pour lui qu'un amusement passager qu'il peut remiser quand bon lui semble? Je sautais d'une idée à l'autre sans savoir quoi décider.

— Qu'est-ce que tu dirais de rester, après ta semaine de travail? Je pourrais revenir et on prendrait un chalet juste pour nous deux. Il faut qu'on parle.

Comment pouvait-il me faire cette proposition sans connaître le sort de Fabi? Comment pouvais-je l'accepter en sachant ma sœur vivante? La vérité finirait par se dévoiler. Elle filtrerait de notre cercle familial. La rumeur s'en emparerait et aboutirait fatalement à ses oreilles. Ce n'était qu'une question de temps. Quand il apprendrait que je savais et que je ne lui avais rien dit, il me repousserait. Alors à quoi bon ?

— Monsieur Matthew ! Monsieur Matthew !

La voix de Tom avait des accents de panique. Matthew se détourna de moi et comprit que quelque chose n'allait pas. Il courut dans le sentier en direction du pavillon. Quand je sortis du sous-bois, tout le monde était sur la plage. Deux hommes transportaient Jeffrey. Ils le posèrent sur le quai. Je m'avançai assez près pour voir son visage. Il respirait avec difficulté et il se tenait la poitrine.

— Il fait une crise du cœur ! Faut l'amener à l'hôpital !

— Ça presse ! cria un autre.

— J'y ai donné une pilule, dit monsieur Pettigrew. Ça a pas l'air de marcher. Il a la face toute bleue.

Le pilote était déjà aux commandes de son appareil. Tout le monde essayait de se rendre utile. J'étais la seule à rester de glace. Mon émoi provenait de ma porte entrouverte. L'autre savourait le moment.

Matthew, son frère et le notaire embarquèrent avec lui. L'avion s'ébranla et je retournai ranger la cuisine, comme si l'affaire avait été réglée par une autre que moi-même. Je vidai la tasse de Jeffrey dans l'évier en constatant qu'il n'en avait bu que quelques gorgées.

À ma demande, Tom me libéra un jour plus tôt. Il compléta mon chèque de paie, que Matthew avait déjà signé, et je marchai jusqu'à la voie ferrée, où le gardien me ramena à La Tuque en *speeder*. Je ne tenais pas à revoir Matthew. Pas avant qu'il ne sache pour Fabi. Du moins, c'était mon intention à ce moment-là.

Edmond me vit débarquer à la gare. Par malheur pour moi, il sortait de l'hôtel. Il s'approcha d'un pas rapide et je constatai tout de suite que quelque chose clochait. Je lui fis mon plus beau sourire. Il resta à une enjambée de moi.

— Pis, t'es-tu ben amusée au Wayagamac?

— J'étais là pour travailler, Edmond. J'ai pas arrêté.

— Même pas pour faire les yeux doux à ton Matthew?

— Qu'est-ce que tu veux dire?

— Les nouvelles vont vite. Tout le monde a parlé du gars qui a fait une crise du cœur au lac. On l'a ramené en avion, pis qui c'est qui était dedans, comme par hasard? Matthew Brown!

— Le gars est-tu mort?

— Je te parle de nous autres, pis tout ce qui t'intéresse, c'est de savoir si le gars est mort. J'sais pus quoi penser de toé, Héléna Martel.

— Ben, arrête de te casser la tête. J'étais là, moé, quand c'est arrivé. C'était pas drôle. Ça fait que j'ai ben le droit de m'informer de sa santé!

— J'ai pas entendu dire qu'y'était mort. Mais ça se peut ben que toé pis moé, ça soit pas loin de l'être!

— Tu fais des histoires avec rien. On se reparlera quand tu te seras démonté. J'suis fatiguée. Salut!

Je m'éloignai avec un mélange de déception et de soulagement dans l'âme. J'allais peut-être perdre Edmond et Matthew, mais d'un autre côté, celle que j'hébergeais avait échoué avec Jeffrey. J'y voyais une possibilité de m'en dissocier. Elle m'apparaissait de plus en plus comme une mauvaise fréquentation. Son revers lui ferait comprendre que je n'étais pas la meilleure personne à envahir. L'ignorer la chasserait peut-être.

À la maison, je trouvai Marie-Jeanne alitée. Elle avait un teint de craie et se plaignait d'une douleur au côté droit. Quand je l'examinai, je vis qu'elle avait le ventre gonflé.

— Ça va pas, maman?

— C'est mon foie. Ça fait deux jours que ça élance.

— Faut demander le docteur.

— Ben non. Géraldine est venue. Elle m'a apporté une tisane. C't'une femme qu'elle connaît qui la lui a donnée. Il paraît qu'elle s'est remise avec ça.

— Ça a pas l'air à marcher ben fort dans votre cas!

— J'me sens un peu mieux. Aide-moé à me lever, ça va me faire du bien.

— C'est quoi ça? dis-je en soulevant un pot rempli d'un liquide jaune.

— C'est mon urine.

— Pour quoi faire?

— Après-demain, je vais voir un guérisseur. À Saint-Prosper. C'est Paul pis Géraldine qui vont m'emmener. Il est ben bon, il paraît. Il soigne avec le pipi.

— Avec le pipi! Voyons, m'man, ça a pas de bon sens!

— Vous autres, les jeunes, vous croyez en rien. T'as juste à venir si tu veux.

— C'est où, Saint-Prosper?

— C'est proche de Sainte-Anne-de-la-Pérade.

— Ça fait loin pour aller porter son pipi!

— On voit ben que c'est pas toé qui as mal au foie. Ouch! Ah! T'as reçu une lettre. Je l'ai mise sur la petite table dans le salon. J'ai demandé à Géraldine de passer à la poste. On dirait que ça vient de Chicoutimi. Tu connais du monde par là?

Je cherchais une explication plausible. Heureusement que l'écriture de Fabi était méconnaissable. Pendant combien de temps allais-je pouvoir cacher que Fabi ne s'était pas enfuie dans le Grand Nord? Il me semblait que ce mensonge était l'équivalent du bâton de dynamite que j'avais dissimulé un an plus tôt au fond de mon tiroir. Comme lui, il risquait de m'éclater à la figure à tout moment.

— C'est une religieuse que j'ai rencontrée quand je suis allée à Chambord. Je l'ai croisée à l'Ermitage. C'est elle qui m'a expliqué le chemin de croix. Elle aime ça correspondre. C'est le *fun*, on s'écrit. Ça me fait pratiquer ce que j'ai appris à l'école.

— T'en as fait des rencontres au lac Saint-Jean, en une journée… Ben, demandes-y donc de faire une neuvaine pour mon foie, ça pourrait renforcer mon urine.

— OK, j'vais y dire, m'man. Maintenant, faudrait que je me repose un peu. J'suis fatiguée de ma semaine, ajoutai-je sans préciser que j'avais également peur de me mélanger dans mes menteries.

— On part ben de bonne heure dimanche matin. Des fois que tu voudrais venir.

— J'vais y penser.

Avant de me mettre au lit, je parcourus la lettre de Fabi. Elle racontait avoir du mal à s'adapter à sa nouvelle vie. Son handicap était lourd à porter. Les religieuses la traitaient comme une enfant et le personnel de la cuisine la trouvait encombrante. Les journées étaient interminables et l'absence de forêt la rendait triste. Les jours de pluie réveillaient la douleur dans ses membres. Elle concluait en disant combien je lui manquais et qu'elle espérait que Matthew l'avait oubliée et qu'il était heureux.

Je pressai la lettre sur mon cœur et je m'enfouis sous les couvertures pour pleurer. L'autre en moi me murmurait que j'avais le champ libre.

CHAPITRE 25

La Tuque, été 1941

Le lendemain matin, je remplaçai Marie-Jeanne au jardin. Pendant qu'elle se berçait sur la galerie, je circulais pieds nus entre les rangs d'oignons et de betteraves. La terre réchauffée par le soleil se glissait entre mes orteils et me procurait un plaisir enfantin. Les gestes s'exécutaient d'eux-mêmes au bout de mes doigts; nul besoin de me torturer l'esprit, juste d'être là, de respirer l'odeur des plantes, d'arracher les indésirables et d'imaginer dans ma tête que le Wayagamac roulait ses vagues près de moi. J'en étais à redresser les tuteurs des plants de tomates quand un véhicule de la police s'immobilisa sur la rue Neault, en face de chez nous. Le jeune agent Perron en descendit. Il s'approcha de la galerie en portant la main à sa casquette. Je pensai immédiatement que son chef l'avait délégué pour m'interroger au sujet de Jeffrey. Ma tentative d'empoisonnement avait été dévoilée et je devrais encore répondre à des questions. Marie-Jeanne m'appela.

— Il y a un problème, m'man? dis-je comme s'il pouvait en être autrement quand la police débarquait à notre porte.

— J'expliquais à votre mère que c'est au sujet de votre frère Francis.

Contrairement à son supérieur, il s'exprimait poliment sans montrer d'arrogance. J'énonçai ce qui me semblait la logique :

— Il est encore en prison.

— Non, justement. On a dû intervenir deux fois cette semaine. Pour tapage nocturne. Hier, c'était plus grave. Il y avait pas moyen de le contrôler. Il criait qu'il était poursuivi par des soldats qui voulaient le tuer. Il fessait dans les murs, pis sur nous autres.

— Vous savez, mon frère est allé à la guerre…

— Oui, mais là, il disait que les soldats étaient des diables avec des queues fourchues, des yeux rouges, pis des griffes à la place des mains. J'veux ben croire qu'y'a vu des Allemands, mais si y ressemblaient à des lézards sur pattes, on est pas près de gagner la guerre ! On a essayé d'y faire entendre raison. On s'est rendu compte qu'on perdait notre temps. Ça fait qu'on l'a amené à l'hôpital. Là-bas, deux infirmiers lui ont passé la camisole de force.

Marie-Jeanne se signa et murmura son habituelle litanie de Jésus, Marie, Joseph.

— Merci de nous avoir informées. On va s'en occuper, prononçai-je d'une voix éteinte.

Je ne savais pas comment interpréter ce nouvel évènement. Francis avait été perturbé par son expérience dans l'armée. De cela, il ne faisait aucun doute. Il buvait pour chasser ses fantômes et, jusque-là, ils avaient pris des formes humaines. La mention de ces diables-soldats m'inquiétait. Je rassurai tant bien que mal ma mère et j'appelai un taxi de Dubois Transport pour me rendre à l'hôpital.

On me fit patienter dans une petite salle pourvue de quelques chaises en bois alignées le long des murs. Je ne pouvais rencontrer Francis sans l'autorisation du docteur Riberdy. Il mit presque une heure avant de m'y rejoindre. Il m'invita dans son bureau et referma la porte derrière lui.

— Bonjour, vous êtes Héléna, je crois. Je m'attendais à voir votre mère, dit-il en me tendant la main.

— Son foie la fait souffrir. Elle se sentait pas assez ben pour venir.

— Ouais, ça peut être douloureux. J'espère qu'elle prend les pilules que je lui ai données, puis qu'elle ne force pas trop sur le sucre à la crème !

Je hochai vaguement la tête en repensant à la tisane de Marie-Jeanne et au pot d'urine censé la guérir. Je lui épargnai cet écart de confiance.

— Ça doit, je lui ai pas demandé. Je viens pour Francis.

— Oui. Votre frère. Il a été interné cette nuit. Je lui ai donné des calmants. Il va un peu mieux.

— Qu'est-ce qu'il a ?

— Je dirais une sorte d'épisode psychotique. C'est peut-être une conséquence de la névrose de guerre. J'ai vu que c'était inscrit à son dossier. C'est souvent dû à un choc subi devant une violence extrême. Certains y sont mal préparés ou sont plus fragiles. Mais à son crédit, il faut dire que beaucoup en reviennent marqués pour la vie.

— Mon Dieu, c'est grave?

— Parfois, oui. Ça lui est déjà arrivé de se comporter comme ça?

— Depuis son retour d'Angleterre, il fait des cauchemars à répétition. Il parle des bombes, de l'armée. Il a vu beaucoup de morts et de blessés aussi. Il était brancardier et secourait les gens à la suite des bombardements. Il a vu son ami se faire tuer près de lui. Je pense qu'il repasse tout ça dans sa tête.

— Est-ce qu'il voyait ça juste dans ses rêves?

— Oui, la plupart du temps, il se met à hurler en se réveillant la nuit. J'l'ai vu, des fois, se parler tout seul.

— D'après les policiers et les infirmiers qui l'ont reçu, votre frère disait que des monstres lui voulaient du mal. Ils étaient autour de lui. Il en était effrayé. Il avait même l'air de leur parler.

— Ça a pas de bon sens!

— Je suis d'accord avec vous.

— Est-ce que je peux le voir?

— Bien sûr. Mais il se peut qu'il n'ait pas tout à fait réintégré notre réalité. Nous allons le garder quelques jours. Après, il devrait pouvoir rentrer chez lui. J'ai vu aussi qu'il avait une ordonnance pour des médicaments. Est-ce qu'il les prenait?

— Pas toujours, j'pense.

— Ce serait bien qu'il le fasse, et avec de l'eau de préférence. L'alcool peut amplifier l'effet des médicaments et causer des hallucinations.

— Oui, ben sûr. Merci, docteur.

Sa chambre était au dernier étage, dans une section isolée par une porte verrouillée. Un infirmier m'y conduisit en me précisant qu'il resterait à proximité. Francis était assis près de la fenêtre et regardait la rivière Saint-Maurice qui coulait à bonne distance. Quand il me vit, il tourna la tête brusquement vers moi et je sus tout de suite que ça n'allait pas.

— On t'a pas suivie? me demanda-t-il nerveusement.

— Personne m'a suivie, Francis.

— Ils me cherchent. S'ils me trouvent, ils vont me tuer. C'est ça qu'y veulent! M'éliminer!

— Francis, c'est moé, Héléna. Tu me reconnais?

Il m'examina avec attention. Ses paupières semblaient lourdes. Il tenait sa cigarette près de sa joue, à hauteur de visage. Je ne l'avais jamais vu fumer de cette façon. Je me souviens qu'il bougeait son corps d'avant en arrière d'un mouvement lent qui n'était pas sans rappeler celui du roulis sur un bateau. Je posai ma sacoche sur le lit et je m'approchai. Il ne faisait aucun doute qu'il était sous l'effet des médicaments.

— S'ils apprennent que t'es ma sœur, ils vont essayer de te tuer, toé aussi.

— De qui tu parles, Francis?

— Des diables en habit de soldat. Ils sont venus à la bijouterie. Leurs yeux étaient comme du feu. Ils voulaient me torturer.

— Francis. Ça existe pas. C'est dans ta tête. Regarde-moé. J'suis ta sœur. J'suis là pour t'aider. Le docteur a dit que tu pourrais sortir bientôt. C'est juste une mauvaise passe.

Il s'immobilisa et se pencha vers moi. Il me parla en chuchotant comme si quelqu'un nous épiait.

— J'le sais pourquoi y me suivent. Ils veulent que j'arrête le temps, que je leur explique comment faire. J'peux pas faire ça. Les aiguilles doivent tourner!

— Ben oui, Francis. T'es un horloger. Tu répares les montres.

— Il doit y avoir de l'ouvrage qui m'attend. J'ai pas mes outils icitte, dit-il dans un éclair de lucidité.

Puis soudainement, il poussa un grand cri et se recroquevilla sur sa chaise. Il pointait mon poignet comme s'il venait d'y voir une horreur sans nom. Il se mit à s'agiter et à chialer d'une voix de fausset.

— Ta montre marche pus. C'est de leur faute! Ton temps est arrêté! Ils t'ont repérée! Cache-toé!

L'infirmier apparut dans la porte de la chambre. Je ne savais plus comment réagir.

— Mademoiselle? Tout va bien. Vous feriez peut-être mieux de pas vous attarder. C'est l'heure de ses calmants. Vous repasserez le voir demain. Il a besoin de se reposer. Pas vrai, monsieur Martel? Un bon petit somme avant le souper, ça va vous faire du bien. J'vais revenir dans deux minutes.

Mon frère semblait ne plus être là. Il éteignit sa cigarette et en alluma une autre sans attendre. Il ne répondit pas à mon salut. J'étais sonnée. Estomaquée. J'avais plus envie de hurler que de pleurer. Il fallait que je m'éveille de ce mauvais rêve. Rien à faire. L'infirmier était bien réel. Il me tenait l'épaule et me dirigeait vers la sortie. Je ne comprenais rien à ses explications. J'avais juste envie d'un bol d'air.

Je marchai comme une morte-vivante en remontant vers la ville. Mes pas prirent d'eux-mêmes la rue des Anglais. J'avais besoin de l'étreinte de ma sœur. Yvonne m'accueillit avec chaleur. Elle et moi décidâmes de ne rien dire à Marie-Jeanne pour la ménager. Une mauvaise cuite serait une explication suffisante. Le poids des mensonges s'accumulait sur mes épaules. Je sais aujourd'hui que j'avais de larges épaules pour mon âge.

Résidence Clair de lune, Trois-Rivières, printemps 2002

Les trois ordinateurs sont disposés en demi-cercle. Près des claviers, une feuille plastifiée a été scotchée. Huguette s'avance vers le premier écran, aussi noir que les deux autres. Dans les films, les héros pianotent sur les touches et les informations défilent devant eux.

Le problème est qu'elle n'a jamais manipulé un clavier de sa vie, même pas celui d'une machine à écrire de son époque. La révolution informatique lui est aussi mystérieuse que le fonctionnement de la Bourse. Elle s'assoit sur la chaise à roulettes et consulte les notes inscrites sur la feuille. Comme indiqué, elle enfonce une touche au hasard. L'écran s'illumine. Elle reconnaît la façade de la résidence photographiée depuis la rue d'en face. En plein centre, un carré gris montre un nom d'utilisateur incompréhensible et, en dessous, un espace libre pour taper un mot de passe. Elle pianote avec précaution en suivant les instructions au numéro deux de la liste. Devant elle apparaissent une quantité de petits rectangles, de cercles ou de symboles graphiques, qui occupent la moitié de l'écran. La pression d'Huguette augmente d'un cran. L'étape trois parle de curseur, de souris, de sélection de programmes, de clic à droite ou à gauche et même de doubles clics. Ses yeux s'embrouillent et sautent d'une icône à l'autre. Ses doigts osseux balaient le vide et n'osent enfoncer la touche qui va tout dérégler. Si par malheur elle commandait l'irréparable, elle ne se le pardonnerait pas.

L'arrivée de madame Gervais vient briser l'immobilisme dans lequel Huguette est prostrée.

— Madame Lafrenière! C'est la première fois que je vous vois ici. Êtes-vous sur la toile?

Huguette se lève et regarde sur sa chaise. Elle ne distingue rien à part le cuir qui la recouvre et qui n'a rien d'un tissu.

— Non. Restez assise. Je pensais pas que vous naviguiez sur l'Internet. Je vais en prendre un autre. Ça me tente de faire une petite partie de cartes.

— Désolée, mais je peux pas à matin, et pis j'ai pas de jeu avec moé.

— Oh! Je parlais de jouer avec l'ordinateur.

— Ah! fait Huguette en fixant les icônes à nouveau.

Voyant l'indécision dans les yeux de madame Lafrenière, madame Gervais comprend qu'elle a affaire à une novice.

— Vous voulez que je vous aide?

— Ce serait gentil. J'sais pas trop comment ça marche.

— C'est facile. Prenez la souris et déplacez la petite flèche sur l'écran. Quand elle sera sur le symbole de votre choix, cliquez deux fois avec votre index avec la partie gauche.

Huguette saisit la souris du bout des doigts et la pointe devant elle, comme si elle tenait une télécommande. Elle l'agite en appuyant à répétition avec son doigt. Madame Gervais éclate de rire.

— Excusez-moé. Je savais pas que vous en étiez à la base. Je vais vous montrer.

Madame Lafrenière l'observe pendant un moment. Des fenêtres s'ouvrent et s'agrandissent, puis disparaissent dans le bas de l'écran pour être remplacées par d'autres, sans qu'elle comprenne vraiment pourquoi le clavier ne sert à rien. Tout semble se faire à partir de cet instrument en forme de coccinelle qu'elle recouvre de sa main.

— Je suis pas très douée, dit-elle entre deux explications. Je voulais juste chercher une information.

— Alors il faut consulter le Net. J'ouvre le moteur de recherche. Qu'est-ce que vous voulez savoir?

— C'est pour madame Martel, pour son roman, dit-elle en s'efforçant de comprendre ce langage de mécanicien. C'est concernant une personne.

— Vous avez son nom?

— Jean Fournier.

— La connexion est un peu lente, mais on va y arriver. Donnez-moé un autre critère de recherche.

Madame Lafrenière la regarde bouche bée. Ce charabia est pire qu'une langue étrangère.

— Oui, je veux dire sa profession, une caractéristique qui le distingue...

— Mettez La Tuque. Ajoutez pompier.

— Tiens, tiens, on comprend que notre écrivaine fait dans le roman d'aventures. Elle cherche des sources d'inspiration?

— D'une certaine façon, oui.

— Voilà. On est dans les archives de la société historique de la ville de La Tuque. C'est un article paru dans le journal local de La Tuque. Dans un instant, vous allez le voir à l'écran.

Huguette reconnaît le visage du pompier souriant encadré par deux hommes en complet veston. Le titre mentionne: «Une médaille de la bravoure pour un pompier latuquois».

— C'est vieillot et pas très clair. Avec une loupe, ce sera lisible. Vous voulez que je vous le mette sur papier?

— Vous pouvez faire ça?

— C'est incroyable ce qu'on peut faire avec un ordinateur, madame Lafrenière. C'est le progrès! L'imprimante est dans le bureau de la secrétaire, à deux portes d'ici. On a droit à dix pages gratuites par jour. Après, c'est six sous la page. Vous voulez chercher autre chose?

— Est-ce que ça peut nous dire où il habite?

— Vous avez son numéro de téléphone?

— Non.

— Alors je mets son nom dans le 411... On patiente un peu et je vois qu'il y en a plus de trois cents au Canada.

— Tant que ça! s'exclame Huguette dépitée.

— Pourquoi vous avez besoin de son adresse?

— Pour rien. Ça a pas vraiment d'importance. Merci beaucoup.

— Il y en a du mystère autour de ce livre-là! dit madame Gervais en se levant pour aller chercher la copie.

Huguette s'en retourne en serrant la feuille repliée entre ses doigts. Le fils d'Héléna est un héros. C'est

écrit en toutes lettres et ça explique la médaille de bravoure. Alors, pourquoi n'est-il pas auprès de sa mère
mourante? La réponse est de toute évidence dans la
montre calcinée. Celle qu'Héléna a reçue de son frère
et qu'elle avait toujours à son poignet. Celle qui est
présentement en sa possession, enroulée dans la peau
d'hermine, et en attente de livrer son secret.

CHAPITRE 26

La Tuque, Saint-Prosper-de-Champlain, été 1941

Mon frère passerait le premier week-end de septembre à l'hôpital. Devant cet état de fait, j'acceptai d'accompagner Marie-Jeanne à Saint-Prosper, d'autant plus que ma sœur Yvonne serait du voyage. Elle était libre, car son Antoine faisait du temps supplémentaire à l'usine en prévision de financer leur future noce.

Nous partîmes aux aurores le dimanche matin. Le coffre arrière plein de victuailles, la Ford s'ébranla en douceur, emportant l'enthousiasme de quatre femmes et de Paul, qui les conduisait avec un plaisir évident. À la sortie de la ville, le pont couvert de la Petite rivière Bostonnais baignait dans une brume légère qui montait de la chute. Plus tard en journée, les gens viendraient s'y reposer ou pique-niquer sur les bords de la rivière comme chaque dimanche. Marie-Jeanne me prit le bras quand la grosse auto s'engagea sur le tablier de bois. Le vrombissement du moteur s'en trouva décuplé, comme dans un tunnel.

Ma sœur Yvonne rayonnait comme un soleil levant pendant que Géraldine papotait sur une recette de gâteau des anges qu'elle entrecoupait de directives à l'intention du chauffeur. De temps à autre, des pierres roulaient sous la carrosserie dans un bruit sourd. La route sinueuse se rapprocha de la rivière, à la hauteur de la ferme de la famille Gagnon. Yvonne commenta de sa voix de stentor la beauté des chevaux et des vaches qui paissaient dans le pré. Je m'abstins de renchérir, des fois qu'il prendrait l'envie à mon oncle d'y arrêter pour acheter un fromage frais. On ne manquerait pas de me reconnaître et de faire le lien avec Matthew. Je n'avais aucune intention de parler de mon aventure avec lui.

Sur notre droite, la rivière Saint-Maurice était couverte de billes de bois. On n'apercevait l'eau qu'aux endroits où il y avait des rapides. J'écoutais distraitement Yvonne raconter ses histoires de téléphoniste. Je n'avais d'yeux que pour les montagnes et les chapes de brume qui s'y accrochaient. Entre ma sœur et moi, Marie-Jeanne fixait la route et grimaçait quand un pneu s'enfonçait dans un trou ou que le gravier nous donnait l'impression d'être sur une planche à laver. À tout moment, elle glissait la main dans sa sacoche pour tâter le pot d'urine que nous transportions comme le Saint Graal.

On fit un premier arrêt à Rivière-aux-Rats. L'endroit se résumait à un hôtel et quelques maisons égrenées le long de la Saint-Maurice. Chacun de nous en profita pour pisser sur le bas-côté, dissimulé par les portières entrouvertes. Yvonne et moi ne pûmes nous retenir de blaguer sur notre précieux pipi, que nous dilapidions sans aucune considération pour la guérison de nos futures maladies. Marie-Jeanne nous fit une sévère remontrance qui jeta un froid dans l'habitacle durant plusieurs minutes.

Paul redémarra notre caquetage en nous prévenant qu'il y aurait quelques côtes à monter et à descendre, et qu'elles n'étaient pas piquées des vers. Grâce à notre poids combiné, la Ford les franchit sans trop de peine. L'absence de pluie des derniers jours contribuait à cette réussite.

Nous atteignîmes Shawinigan et les routes en macadam sur l'heure du dîner. Paul avait préféré cet itinéraire plutôt que de couper par le village de Saint-Tite, où les chemins étaient plus difficiles. L'odeur épouvantable de l'aluminerie nous prit à la gorge. D'épaisses volutes de fumée tournoyaient dans le ciel et se rabattaient à la hauteur de l'auto. Nous les traversions en nous pinçant le nez. Yvonne fit la remarque qu'une telle usine n'allait pas améliorer la puanteur qui flottait déjà sur La Tuque. Paul s'arrêta à la sortie de la ville, dans un parc où il y avait quelques tables de pique-nique.

— JE CRÈVE DE FAIM! hurla Yvonne en portant une partie de la nourriture à l'ombre d'un grand chêne.

— Parle moins fort, tu vas faire peur aux «écureux», blagua l'oncle Paul, qui tenait une bière à la main.

Géraldine étendit la nappe à carreaux et y posa les sandwichs, les légumes coupés, le fromage cheddar, les tomates, les concombres, les radis, les bouteilles de Coke, un thermos de café et des petits gâteaux blancs avec du crémage brun. J'adorais les pique-niques. On pouvait manger en plein air, profiter du soleil, chasser les insectes d'un geste sec, picorer dans les plats sans se soucier des bonnes manières et roter en riant. Combien de fois avions-nous eu ce plaisir au Wayagamac? Près d'une source, d'un lac, autour d'un feu, à l'automne, sous les premiers flocons de neige, assis sur une roche ou un tronc d'arbre ou même debout, cherchant à repérer les pies cachées dans les branchages. Fabi pourrait-elle revivre ces moments ou sombrerait-elle dans une dépression que ses lettres me laissaient pressentir?

— T'es BEN SONGEUSE, LA SŒUR?

— Ben non, c'est la route qui m'a étourdie.

— En tout cas, MA TANTE GÉRALDINE, VOUS FAITES DES BONS SANDWICHS!

— Tant qu'à y être, crie donc que les miens sont pas mangeables! dit ma mère, froissée.

— Ben non, maman. C'EST UN COMPLIMENT. C'est juste QUE LES VÔTRES ONT PAS DE PETITS CORNICHONS SUCRÉS AU MILIEU. À PART DE ÇA, ILS SONT PAREILS!

— Bon, ça va faire, la comparaison de nourriture, intervint Géraldine. Y nous reste-tu encore ben du chemin à faire, mon Paul?

— J'dirais pas loin d'une heure.

— On est mieux de pas trop traîner d'abord, sinon on va revenir à noirceur. Tu le sais que j'aime pas ça quand y fait sombre sur les routes.

— Inquiète-toé pas, t'as un bon chauffeur.

— Ben le chauffeur, y devrait «slaquer» sur la boisson.

— Voyons, ma Titine, j'te l'ai déjà dit: «Y'a pas juste le char qui a besoin de gaz!»

Ma tante rougit à l'énoncé de son surnom. Elle détestait que son mari l'utilise devant les autres. Yvonne faillit s'étouffer avec sa gorgée de Coke et je dus me retourner pour ne pas lui rire dans la face.

Pendant que Paul finissait sa deuxième bière, ma sœur et moi fîmes le tour du petit parc. Le soleil généreux avait attiré d'autres pique-niqueurs. De jeunes enfants se tiraillaient autour d'un ballon. Un chien jaune et noir sautillait en les poursuivant. Yvonne leur jeta des regards à la dérobée.

— T'en es où avec ton mariage?

— ON SE PRÉPARE. Antoine s'est informé POUR LA SALLE DU WINDSOR. Si c'est dans nos moyens, J'AIMERAIS ÇA. AVEC UN ORCHESTRE! PIS ON VOUDRAIT DU ROSBIF, DES P'TITES PATATES RONDES AVEC DES POIS PIS DES CAROTTES POUR LE SOUPER.

On a commencé à faire LA LISTE DES INVITÉS. ATTENDS DE VOIR LE GÂTEAU. ÇA ME REND TELLEMENT HEUREUSE, HÉLÉNA!

— Tant mieux. Tu le mérites. Prends pas ça mal, mais qu'est-ce qu'y dit, ton Antoine, pour les enfants?

— Il sait que je pourrai pas en avoir. Y'A PAS L'AIR TROUBLÉ AVEC ÇA. Si l'envie est trop forte, ON POURRA TOUJOURS ADOPTER. Les ORPHELINATS SONT PLEINS. PIS TOÉ, AVEC EDMOND?

— Ça va pas fort fort. Y'é ben jaloux.

— C'EST LE *FUN*! ÇA VEUT DIRE QU'Y T'AIME.

— C'est drôle, je le jurerais pas. Mais j'suis pas pressée, j'ai juste dix-neuf ans.

— Tu vas EN AVOIR VINGT DANS DEUX SEMAINES.

— Avec Marie-Jeanne, c'est pas si simple. Elle vieillit. Ça prend quelqu'un pour s'en occuper. Je la laisserai jamais tomber.

— Ça, c'est vrai. PRENDS CELLE QUI S'EST NOYÉE AU MOULIN. SON PÈRE EST HANDICAPÉ. Comment il va faire, LE PAUVRE HOMME?

— Tu le connais? demandai-je un peu inquiète.

— PAS LUI. SA VOISINE! Elle dit que la POLICE ENQUÊTE. Selon la rumeur, elle serait pas tombée à l'eau TOUTE SEULE!

J'entendais le bourdonnement de la culpabilité m'envahir. Que disait-on d'autre à son sujet?

— Ça prend des preuves pour affirmer ça.

— J'SAIS PAS TOUT. Il est question D'UN CHAPEAU, PIS D'UN VAGABOND. PIS D'UN POIGNET CASSÉ, J'PENSE.

— C'est des doigts cassés, dis-je en regrettant aussitôt cette précision spontanée.

— ÇA SE PEUT. C'est vrai que tu travaillais AVEC ELLE. IL PARAÎT QU'ELLE ÉTAIT UN PEU *ROUGH*!

— Il y a toutes sortes de monde à l'usine. Des fois, ça joue dur. Il y a ben des racontars aussi! ajoutai-je pour relativiser notre conversation.

— ÇA, TU PEUX LE DIRE!

— En tout cas, pour Marie-Jeanne, c'est pus pareil depuis qu'Aristide est mort. Pis ça s'est pas amélioré depuis que Francis est revenu.

J'avais parlé très vite pour relancer ma sœur sur un autre sujet que la noyade de Josette. J'avais peur qu'elle ne me questionne sur ma relation avec elle.

— J'SAIS PAS QUELLE IDÉE IL A EUE, LUI, d'aller à la guerre. Il aurait été MIEUX DE RESTER À LA LAITERIE.

— Des fois, on choisit pas notre destin. Dans le fond, il a été courageux. Baisse le ton, on nous regarde.

— Tu le sais que j'ai de la voix, je suis faite de même. C'est pas comme toé, p'tite sœur. ME SEMBLE QUE T'AS BEN CHANGÉ depuis le temps qu'on était sur LA TERRE, AU BORD DE LA SAINT-MAURICE.

— C'est normal. J'suis pus une petite fille.

— BEN D'ACCORD! Je dirais même QUE TU T'EN VIENS PÉTARD À PART DE ÇA!

— Chut! Tu vas me gêner. Viens-t'en, faut r'partir.

— ATTENDS! J'voulais te demander pour Fabi. ON PEUT-TU LA REJOINDRE?

— J'pense pas, non. Pourquoi?

— J'AURAIS AIMÉ ÇA L'INVITER À MON MARIAGE.

— Je sais pas où elle est. Les Indiens ont pas l'habitude d'avoir une adresse.

— Comment t'as fait POUR LA RETROUVER, TOÉ?

— J'te l'ai dit. C'est grâce à l'Indienne qui l'a aidée.

— Avant de s'en aller DANS LE NORD, ELLE A DÛ RESTER QUELQUE PART AU LAC SAINT-JEAN. Peut-être QU'ILS SAVENT OÙ ELLE EST PARTIE?

C'est la première fois qu'on m'interrogeait de façon si précise.

— Je l'ai vue dans un restaurant. A voulait pas me dire où elle s'en allait. Faut la comprendre, avec ce qui s'est passé au lac.

— C'EST SÛR. J'suis là QUE JE PENSE JUSTE À MOÉ. J'SUIS QUAND MÊME INQUIÈTE POUR ELLE.

— Tu le sais que Fabi est forte. A va nous revenir un jour.

— Ouais. N'EMPÊCHE QUE ÇA VA FAIRE UN TROU À MON MARIAGE.

Je fus heureuse d'entendre ma tante qui nous appelait en effectuant de grands moulinets. On reprit nos places de chaque côté de ma mère, que le voyage commençait à épuiser.

◌◌

Paul conduisit jusqu'au fleuve et emprunta le chemin du Roy en direction de Saint-Prosper-de-Champlain. La radio crachait de temps à autre, en grésillant, des airs connus que nous entonnions avec entrain. Ma mère en oubliait son foie et son pot d'urine. Le fleuve miroitait sur notre droite et les champs cultivés alternaient avec la forêt sur notre gauche. Nous traversions les petites localités en nous extasiant sur les églises et leurs clochers.

Au début de l'après-midi, l'auto s'engagea sur la rue principale de Saint-Prosper-de-Champlain. Géraldine avait noté l'adresse et les indications pour se rendre chez le guérisseur. Il habitait en dehors du village, au bout d'un long chemin de terre qui courait entre les arbres. Paul stationna près de la maison. Chacun sortit de l'auto en défroissant ses vêtements. Nous étions quelque peu courbaturés par le voyage. Paul ouvrit le coffre arrière et se décapsula une bouteille de Molson. Géraldine lui fit de gros yeux.

— T'es sûre qu'on est à la bonne place? demanda ma mère en regardant les vieilleries qui encombraient une partie de la galerie.

— On va ben voir, dit Géraldine en s'approchant de la porte-moustiquaire.

Ma tante frappa à plusieurs reprises en criant: «Y'a-tu quelqu'un?» Comme elle n'obtenait pas de réponse, elle s'avança vers la fenêtre et mit ses deux mains en demi-lune de chaque côté de son visage pour examiner l'intérieur. Un homme surgit au coin de la maison. Il portait des bottes de caoutchouc, une salopette et un chapeau enfoncé jusqu'aux yeux. Il marchait courbé comme s'il tirait une charge derrière lui. Sa barbe longue et négligée lui donnait des allures de vagabond. Il parla d'une voix grasse et profonde, dénuée de courtoisie.

— Pas besoin d'écornifler! Y'a personne.

Géraldine se retira brusquement et son chapeau vacilla sur sa tête. Elle le replaça d'une main en souriant à belles dents.

— On vient pour voir monsieur Tousignant. C'est rapport à l'urine.

— Vous êtes au bon endroit. Laissez-moé le temps d'arriver.

L'homme nous précéda dans la maison sans se soucier de ses bottes pleines de terre. Fidèle à son habitude, Paul nous fit signe qu'il attendrait dehors. Nous entrâmes à la queue leu leu. La cuisine était sens dessus dessous. Une odeur rance flottait dans la pièce. Ma mère grimaça de dégoût et ma tante ne put s'empêcher de se frotter le dessous du nez avec son index. Je restai dans le courant d'air près de la porte en compagnie d'Yvonne.

— Tirez-vous une chaise.

Géraldine déclina l'invitation et Marie-Jeanne sortit son mouchoir de sa sacoche et essuya le dessus de la chaise avant de s'asseoir. Elle sortit le pot d'urine et le posa sur la table devant elle.

— Ça date de quand? questionna l'homme sans y toucher.

— Ça a commencé avant les Fêtes. Depuis ce temps-là, j'ai des douleurs…

— Je parlais de vot' pipi. Ça fait combien de temps qu'y'é là-dedans?

— Depuis avant-hier matin.

— Ça va m'en prendre du frais.

Ma mère ne s'attendait pas à cette demande. Ses yeux s'arrondirent à l'idée qu'elle allait devoir uriner dans cet endroit. L'homme ouvrit une porte d'armoire et en sortit un pot Masson. À mesure que je m'habituais à la pénombre, je remarquai qu'il y avait une quantité impressionnante de contenants en verre entassés un peu partout dans la pièce. Le comptoir de cuisine en était plein. Il y en avait empilé le long des murs et même sur le Frigidaire. Ils étaient tous remplis d'un liquide sombre que je devinai être de l'urine. Marie-Jeanne lorgnait le pot avec appréhension.

— C'est-tu obligé? demanda-t-elle.

— Il faut que je voie la couleur d'une pisse fraîche. Ça change avec le temps. Vous avez juste à zieuter autour de vous.

— Où elle est, la toilette?

— La porte au fond.

Ma mère s'exécuta non sans avoir jeté un regard noir à sa sœur. Elle revint un peu plus tard en posant le contenant au centre de la table.

— Ça vous arrive-tu de faire le ménage? demanda-t-elle au bout de sa patience.

— Vous êtes venue me voir pour votre foie ou pour une inspection? rétorqua-t-il en soulevant le pot à la hauteur de ses yeux.

Marie-Jeanne releva les épaules et, n'eût été ses tiraillements au côté droit, elle l'aurait sans doute remis à sa place.

Son diagnostic rapide nous impressionna quand même un peu. Le guérisseur avait la réputation de s'occuper de nombreux troubles, allant de l'intestin fragile aux maux de tête persistants. Personne ne lui avait encore dit quel était l'objet de notre visite. Je vis Géraldine se cambrer, fière de sa référence. Il poursuivit en agitant le pot.

— À part votre foie engorgé, il y a aussi une autre sorte de mal. Celui-là est autour de vous. Un mal ben dangereux.

— De quoi vous parlez? demanda Marie-Jeanne.

— De quelqu'un qui porte le mal.

— Je le connais-tu?

322

Je me sentis faiblir. C'est comme s'il m'avait pointée du doigt. Pourtant, ses yeux restaient fixés sur le pot, qu'il agitait au bout de son bras. J'avais l'impression très nette qu'il me regardait à travers l'urine. Géraldine brisa le malaise.

— Coudonc, dites-vous l'avenir aussi?

— C'est pas mal plus cher.

Personne ne s'attendait à cette réponse. Pour nous, un guérisseur guérissait. Il ne prédisait pas. Malgré son trouble, Marie-Jeanne le ramena à son problème, devant la perspective de devoir payer davantage pour le service de clairvoyance.

— Pis pour mon foie?

— J'vais faire ce que je peux. Mais ça va être difficile. Votre urine est pas mal brouillée. Ça va coûter quinze piastres.

— C'est tout?

— Vous pouvez me donner plus, si vous voulez.

— J'voulais dire: c'est tout ce que vous faites? précisa Marie-Jeanne.

— À ce prix-là, vous vous attendiez pas à ce que je vous opère, quand même.

— Non, mais vous faites rien d'autre?

— Moé, madame, mon don, c'est de guérir par l'urine. Je garde votre pot, pis si y'a de quoi à faire, ça va se faire, pis si ça se fait pas, c'est parce qu'y'avait rien à faire!

Chacune de nous se répéta intérieurement la dernière phrase pour bien saisir tout le vide qu'elle contenait. Marie-Jeanne sortit l'argent de sa sacoche et compta la somme, qu'elle déposa sur la table. Je savais que nous en avions besoin. Nous vivions à la limite de nos économies. Je voyais les billets et la monnaie changer de main et j'éprouvais le même sentiment que d'être face à un détrousseur de grand chemin.

Nous reprîmes nos places dans l'auto. Géraldine avait perdu sa volubilité. Ni moi ni ma sœur n'osions passer de commentaires. Devant notre mutisme, Paul se contentait de conduire. Nous étions tous suspendus aux lèvres de Marie-Jeanne, la principale intéressée par le voyage.

— Si vous aviez vu les bécosses! J'aurais été mieux d'aller avec les cochons dans le champ.

Cette remarque de ma mère fut suffisante pour nous lancer. D'abord Yvonne, qui pouffa sans pouvoir se retenir. Puis Géraldine, qui enchaîna en mimant le visage de Marie-Jeanne venant d'apprendre qu'elle devait fournir un autre pot d'urine. Paul se mit de la partie et, finalement, ma mère décida d'en rire plutôt que d'en pleurer.

— Mais je me demande ben de qui il voulait parler, quand y'a dit que quelqu'un portait le mal dans ton entourage, lança Géraldine. On aurait dit qu'y parlait du diable!

— BEN VOYONS, MA TANTE, Y DIT N'IMPORTE QUOI! À ce prix-là, MOÉ, J'EN INVENTERAIS DES NOUVELLES!

Marie-Jeanne n'ajouta rien. Moi non plus. La conversation dévia sur la route à prendre pour nous ramener à la maison. Je sentais que ma mère réfléchissait à cette personne porteuse de mal. Son penchant pour le paranormal lui murmurait que son urine n'avait peut-être pas été donnée en vain. Je savais qu'en ce moment même, elle énumérait ceux qui gravitaient autour d'elle. Le cercle en était restreint. Francis me couvrait avec sa maladie. Elle était apparente. Les soupçons convergeraient vers lui. C'est du moins ce que j'espérais.

Résidence Clair de lune, Trois-Rivières, printemps 2002

Plusieurs fois, Huguette avait relu l'article jauni. On y décrivait l'incendie qui avait rasé une maison sans que les pompiers puissent y faire grand-chose. La cause en était un chaudron d'huile oublié sur le feu. Jean Fournier, alors âgé de vingt ans, était rapidement arrivé sur les lieux, avant les sapeurs en service, et il s'était précipité au travers des flammes pour y sauver une femme inanimée qui gisait sur le plancher de la cuisine. Malgré son acte courageux, la victime était décédée dans les heures suivantes, sans avoir repris connaissance. Le jeune apprenti pompier avait risqué sa vie comme les héros le font souvent : sans réfléchir. On lui avait décerné la médaille de la bravoure lors d'une cérémonie municipale, en présence du maire, des conseillers et du député de comté. La seule note discordante de ces récits était l'adresse où avait eu lieu l'incendie : sur la rue Roy. Huguette ne peut s'empêcher de penser qu'Héléna n'habitait sans doute pas très loin. L'article était daté de 1970. Elle avait près de cinquante ans quand ces évènements s'étaient produits. Que s'était-il véritablement passé pour les séparer l'un de l'autre ?

Madame Lafrenière repense à la lettre provenant de l'Estrie. Avait-il fui comme Héléna, ses tantes et ses oncles avant lui ? Pour quelles raisons un héros s'enfuirait-il ? Pour Huguette, la réponse allait de soi : parce que sa mère était mêlée à la mort de cette femme. La montre brûlée le laissait supposer.

CHAPITRE 27

La Tuque, été 1941

Mon frère était retourné à ses réparations de montres avec une nouvelle ordonnance de médicaments. Il semblait avoir retrouvé le contact avec la réalité. Il ouvrit officiellement sa bijouterie sans tambour ni trompette. La vitrine annonçait en lettres noires et stylisées : Le roi du bijou. Un titre pompeux qui me fit sourire. Les comptoirs et les tablettes étaient encore dégarnis, mais des Latuquois curieux venaient y jeter un coup d'œil. Francis fréquentait l'hôtel tout en restant sobre, du moins pour ce que j'en voyais. Il s'y rendait à l'heure des repas, «pour créer des contacts», disait-il. Son entregent fit augmenter sa clientèle rapidement. Bientôt, il put se payer une première publicité dans *L'Écho de La Tuque*. Marie-Jeanne en fut émue. Son fils reprit du galon à ses yeux.

Les lettres de Fabi m'inquiétaient. Je sentais qu'elle se repliait sur elle-même. Elle appréhendait la venue de l'hiver, avec toutes les difficultés que cela comportait pour elle. Béquilles et fauteuil roulant ne faisaient pas bon ménage avec la neige et la glace. Elle me parlait d'une religieuse qui était son amie et à qui elle se confiait. Elle lui rendait de grands services. Dans une autre missive, elle me disait que la mère supérieure voulait l'envoyer à leur couvent de Québec. Là-bas, à l'hôpital Hôtel-Dieu, un médecin pourrait lui fabriquer une prothèse pour son pied amputé. Fabi accepta l'offre au début de septembre. Je l'encourageai dans cette voie, car cela ne me menaçait d'aucune façon. Je me haïssais d'avoir de telles pensées. Il me semblait que je m'enfonçais chaque jour davantage dans la partie sombre de moi-même. Ma nouvelle carapace enfermait la petite Héléna dans une prison où elle ne pouvait que constater comment l'autre en elle prenait son envol.

À la même période, j'acceptai un travail de femme de ménage. Deux fois la semaine, je me rendais chez un couple sans enfant dans une riche propriété sur la rue Commerciale. La dame était très malade et ne sortait de sa chambre que pour me donner les indications pour le nettoyage et pour en vérifier la qualité en fin de journée. Elle était exigeante et acariâtre. Son mari était avocat et passait le plus clair de son temps à son bureau attenant à la maison. Les rares fois où je le croisais, il m'ignorait. Je me sentais moins considérée qu'un meuble. Hormis le maigre salaire, j'avais l'avantage de pouvoir fouiner à ma guise et je ne m'en privais pas. Pas un tiroir, garde-robe, coffret ou courrier abandonné n'échappa à mon vice. J'explorais en détail le contenu des armoires autant que celui de la sacoche posée sur la table dans l'entrée. Je n'y tirais pas d'autres bénéfices que de satisfaire ma curiosité. Je n'étais pas une voleuse. En réalité, leur vie m'importait peu. Je prenais mon plaisir dans le simple geste de fouiller leur intimité. Si j'avais gardé cet emploi plus longtemps, peut-être que celle que j'hébergeais se serait rapprochée de cette femme malade. Mais le foie de Marie-Jeanne m'éloigna de ce destin.

À la mi-septembre, elle eut une violente crise, pendant laquelle elle vomit une abondante bile jaunâtre. Elle demeura alitée une semaine et je dus rester à son chevet. Cet épisode lui remit en mémoire le guérisseur de Saint-Prosper. Elle me questionna sur l'énigmatique personne qui portait le mal.

— De qui il voulait parler, Héléna?

— Cassez-vous pas la tête avec ça, m'man. Vous voyez ben qu'y'a pas plus de dons que vous pis moé.

— Dis pas ça. J'ai jamais craché autant de bile. Ça peut juste me faire du bien.

— Ben oui! Regardez-vous! Vous êtes malade comme un chien.

— On chasse pas le diable avec une poignée de main! Faut souffrir, des fois.

— Vous devriez vous reposer.

— J'ai jonglé à ce qu'il a dit. Francis est mal en point dans sa tête, mais j'ai pas le sentiment que le guérisseur parlait du même mal. Tu te souviens de sa face, y'avait les yeux ronds comme si y voyait un monstre.

— C'est parce qu'il voulait vous faire de l'effet pour vous arracher encore dix piastres.

— Parlant d'argent, celui que j'avais caché dans les affaires de ton père, dis-moé que tu l'as pas volé.

La phrase était sortie pareille à sa bile, d'un jet libérateur. Elle me prit la main et je la trouvai brûlante, pourtant sa fièvre était tombée. C'est que la mienne était de glace. Il me semblait qu'elle allait se fendre et que la main de l'autre sous ma peau se préparait au pire. Je m'entendis nier faiblement comme une accusée au tribunal le ferait devant un procureur entreprenant.

— J'ai repensé au chapeau que le policier m'a montré. Ben propre, ça aurait pu être celui de ton père. Pourquoi il avait l'air de croire que la fille s'était pas noyée toute seule ?

— C'est toutes des suppositions. Si y'avait un coupable à arrêter, ce serait déjà fait. Pourquoi vous me parlez de ça ?

— Parce que depuis que t'es toute petite, t'as toujours fouiné partout. Tu sais des affaires qu'on sait pas, pis c'est dur de te tirer les vers du nez. J'aimerais pas ça te perdre, Héléna.

— C'est votre bonhomme de Saint-Prosper qui vous vire à l'envers. C'est pas bon pour votre foie. J'suis là pour rester. Inquiétez-vous pas. Remettez-vous sur pied, on a encore du chemin à faire ensemble. C'est ben correct de m'occuper de vous, mais si ça continue, je vais perdre ma *job* ! C'est pas un pactole, mais c'est ben utile.

— Tu iras demain. Ça va aller mieux.

Demain était trop tard. L'avocat m'avait remplacée illico par une autre femme de ménage. Preuve que je n'étais pas très haut cotée dans l'ordre de ses priorités. Il ne prit même pas la peine de m'avertir et je me retrouvai comme une idiote face à ma successeure.

Marie-Jeanne prit du mieux et ne revint pas sur la déclaration du guérisseur. Peut-être préférait-elle ne pas voir la vérité ? Ce que la famille ignore préserve son intégrité.

Quelques jours plus tard, Francis me fit la surprise de sa visite. Il arriva au volant d'une Plymouth noire. Il rayonnait. J'étais ébahie par ce revirement de situation. Était-ce bien le même homme qui divaguait deux mois auparavant au fond d'une chambre d'hôpital ?

— Salut, la sœur !

— Tes affaires ont l'air de ben aller, le p'tit frère.

— Pas pire. J'me suis acheté un char de seconde main, mais c'est juste en attendant. J'ai l'œil sur une Plymouth de l'année. Tu iras la voir dans la cour du garage à Veillette. Une perle pour un bijoutier !

— Coudonc, c'est ben payant, ton magasin !

— Plus que tu penses. Je viens même te rembourser une partie du prêt. Quand je dis quelque chose, je le fais. Tiens, v'là trois cents piastres, pis tu pourras dire à m'man qu'a s'inquiète pas pour le reste.

J'espérais que Marie-Jeanne fût encore couchée. Je m'emparai des billets et les glissai dans la poche de ma robe.

— J'vais m'organiser avec ça. Souviens-toé de ce que j'ai dit pour cet argent-là. Tu poses pas de questions, pis tu tiens ça mort. Ça nous regarde tous les deux.

— C'est ben correct, Héléna. La mère est-tu là?

— Elle est encore couchée. A file pas de ce temps-ci. Elle a eu une grosse crise de foie.

— Elle est pas allée voir un guérisseur pour ça?

— Qui t'a dit ça?

— C'est Yvonne. Elle est passée à la bijouterie pour son jonc de mariage. J'y ai fait un bon prix. Tu devrais venir, je te changerais ta montre. J'en ai une couple de belles.

— J'aime ben celle-là.

— Elle donne même pas la bonne heure.

— Non, mais elle m'apporte ben d'autres choses. Tu devrais peut-être revenir. Marie-Jeanne filerait mieux. Le médecin est venu hier. Il lui a prescrit un médicament. J'pense que ça va lui faire du bien.

— J'ai pas de misère à croire que c'est meilleur que son dépôt de pipi chez un vieux bonhomme qui se prend pour un guérisseur. J'ai assez ri quand Yvonne m'a conté ça. Bon ben OK, p'tite sœur. Je repasserai. Tu salueras la mère.

Je caressai la vitre fêlée de ma montre. Je restai un bon moment assise sur la galerie à profiter de la surprenante douceur que nous offraient les derniers jours de septembre.

༄

J'étais sans nouvelles d'Edmond. J'évitais les alentours de l'hôtel Royal, même si l'envie de le revoir me tiraillait. Je ne savais plus qui de Matthew ou de lui allait gagner mon cœur. Il me semblait que la raison me poussait vers le jeune serveur en même temps que le rêve d'être la femme du directeur de l'usine me tournait dans la tête. Matthew m'avait exprimé son désir de façon non équivoque. Même si j'étais persuadée qu'il voyait ma sœur en filigrane au travers de moi, je pouvais espérer la lui faire oublier.

J'utilisai une partie des trois cents dollars pour me faire belle. Manteau, robe, souliers, chapeau et même un brin de maquillage. Marie-Jeanne fulmina et je lui mentis en affirmant que l'avocat m'avait dédommagée pour la perte de mon emploi de femme de ménage. Ma mère ne comprenait pas qu'on puisse dépenser ainsi alors qu'il nous fallait payer le loyer, la nourriture et l'électricité. Je lui expliquai que cela m'aiderait dans mes recherches. Je devais faire bonne impression auprès des employeurs. J'espérais me faire engager dans une maison privée. J'épluchais les annonces du journal de La Tuque et ma sœur Yvonne me prêtait main-forte en espionnant les conversations téléphoniques durant ses heures de travail.

La chance me sourit autrement en mettant sur ma route madame Stillman McCormick, celle qu'on surnommait la Reine de la Mauricie. La grande femme au gabarit imposant marchait en direction de la mairie. Sa tête était recouverte d'un foulard coloré agencé à une jupe tout aussi voyante. Parée de bracelets et de bijoux, elle avançait chaussée de mocassins semblables à ceux de mon amie la métisse. Il se dégageait d'elle une aura romantique à laquelle peu de gens pouvaient résister. Elle me reconnut et me salua avec chaleur.

— Héléna! Je me souviens de vous. Comment allez-vous?

— J'vais ben, madame.

— Et votre sœur?

— Elle va ben aussi, dis-je en baissant le ton.

— Elle est toujours au lac Saint-Jean?

— Oui, à Chicoutimi.

Ma réponse avait été spontanée et presque inaudible. Je n'avais pu mentir à cette femme qui m'avait si généreusement facilité mes retrouvailles avec Fabi. Elle eut la délicatesse de ne pas insister, comprenant, à mon attitude, que ce n'était pas une nouvelle à colporter.

— Vous profitez du soleil?

— Un peu. En réalité, j'me cherche du travail.

— J'ai peut-être quelque chose pour vous! Je connais un ami qui a besoin de quelqu'un à la maison. Pour aider aux repas, pour le ménage, mais surtout pour faire la lecture à sa femme, qui a une maladie aux yeux. Elle risque de devenir aveugle, la pauvre. Attendez, je vous donne l'adresse. Dites-lui que vous venez de ma part. Vous lisez avec facilité ?

Je fis signe que oui, avec enthousiasme. Elle fouilla dans son sac et me tendit un carton avec l'adresse du notaire Boudreault. Celui-là même qui s'était occupé du testament de mon père. Je la remerciai et elle s'éloigna en direction de l'hôtel de ville. Vue de dos, elle avait l'air d'une chic bohémienne. Je me rendis à l'endroit indiqué sur-le-champ.

Une femme bien mise m'accueillit à la porte d'entrée. Elle était grande, maigre et pâle. Son nez pointu ressemblait à un bec d'oiselet. Son sourire était engageant et sa poignée de main chaleureuse. Seuls ses yeux semblaient chercher la lumière derrière des lunettes aux verres épais. Elle s'anima quand je pro-nonçai le nom de madame Stillman McCormick. Elle m'invita au salon et me fit asseoir dans un fauteuil de style victorien. Elle se déplaçait avec une canne, qu'elle balayait de gauche à droite devant elle pour mieux estimer la distance qui la séparait des meubles ou des obstacles. Elle me parla de sa maladie et de ce qu'elle souhaitait pour compagnie. Elle me demanda de lire un bout de roman de Maupassant et utilisa une clochette en argent pour me présenter son mari.

Le notaire Boudreault était un homme austère, qui s'exprimait dans un langage précis et articulé. Il s'informa brièvement de ma famille. Il me toisa d'un œil évaluateur et me détailla les conditions de travail :

quatre jours par semaine, du mardi au vendredi, repas fournis, aide à la cuisinière au besoin, ménage léger et surtout tenir compagnie à sa femme et l'assister dans ses déplacements, autant à l'intérieur qu'à l'extérieur. Le salaire était correct. J'acceptai avec joie. Je crois que la perspective d'être payée pour lire des romans fut ma première motivation. Je ne pensais pas qu'une telle chose était possible. Puis il retourna à son étude et me laissa papoter avec sa compagne, qui semblait des plus heureuses de ma présence. Je restai encore une bonne heure, pendant laquelle je l'aidai à préparer le thé, que je dégustai avec elle en me demandant si j'étais devenue son employée ou son amie.

Quand je remontai vers la ville, j'étais aux anges. J'allais traverser la voie ferrée menant à l'usine lorsque je vis une chose étrange. Une voiture avançait sur les rails et s'immobilisa avant de franchir la rue. Les roues étaient semblables à celles des trains. L'extérieur était recouvert de bois verni que découpaient des lattes plus foncées. La calandre et les phares enjolivés de chrome brillaient au soleil. Je m'arrêtai pour admirer cette version luxueuse du *speeder* que nous utilisions au lac. Après avoir traversé la rue, l'automobile freina dans un grincement métallique. Le chauffeur sortit du véhicule et me héla. Je reconnus Matthew Brown et mon cœur oublia de battre durant quelques secondes.

— Héléna!

— Matthew! Tu conduis cette chose?

— C'est le nouveau jouet de mon frère. Ce sera plus agréable de se rendre au Wayagamac. Il m'a demandé de l'essayer pour voir si tout va bien. Nous avons des amis qui arrivent des États-Unis samedi prochain. Tu veux m'accompagner ? Je fais l'aller-retour.

— Je sais pas… Il est un peu tard.

— Allez, c'est l'affaire d'une heure ou deux.

J'acceptai en regardant autour de moi. Quelques passants nous observaient et je vis dans leurs yeux qu'ils m'enviaient de prendre place dans le véhicule de la famille Brown. Matthew embraya et les roues grincèrent sur les rails. Je m'amusais comme une petite fille. C'était ma journée chanceuse. J'avais trouvé un emploi et j'étais en compagnie de l'homme qui me faisait tourner la tête. Il me semblait que tout était possible, alors que l'air frais me rougissait les joues. La balade fut des plus agréables. Matthew me complimenta pour mon nouveau travail et pour mon look. Je commentais le paysage comme si je l'admirais pour la première fois, mais j'étais bien plus troublée par le profil de mon compagnon.

Je me laissai gagner par l'émotion quand il rangea le véhicule sur la courte voie parallèle. Nous étions près du sentier qui mène à la *dam* et à notre ancienne maison. C'est là que j'avais vu Francis partir pour la guerre, que notre famille se regroupait sur le *speeder* pour descendre en ville et que le chef de police avait garé le sien pour la dernière fois. Matthew m'ouvrit la portière et me tendit sa main. Je posai le pied dans la rocaille qui supportait la voie ferrée. L'odeur familière du goudron qui imprégnait les traverses me monta au nez. C'était la même qu'à La Tuque, mais ici, au lac, elle se mêlait aux arômes délicats du sous-bois et à la fraîcheur de l'eau. Je savais qu'en avançant dans le sentier, il y aurait un bouquet de petits sapins et des fougères naines un peu plus loin. Sous les ramures des bouleaux et des trembles, je verrais des rochers couverts de mousses et quelques troncs pourris rongés par les champignons et les insectes. À mes pieds, les racines des grands arbres affleureraient en servant de marches dans les dénivellations. Pendant que je m'abreuvais de mes souvenirs, Matthew tira un étui à cigarettes de sa poche. Il m'en tendit une, que je pris sans réfléchir. Je l'approchai de la flamme de son briquet et respirai comme Fabi me l'avait appris. Je relâchai la fumée sans éprouver plus d'inconvénients qu'une légère démangeaison dans la gorge. Je me regardais en compagnie de ce jeune homme qui, manifestement, me désirait des yeux. Nous étions beaux et parfaits. Lui, le pied au pare-chocs, le chapeau relevé sur le front, la veste de tweed entrouverte sur sa chemise à motifs à carreaux que barraient de larges bretelles, fumant avec désinvolture; moi, dans mes habits neufs, jouquée sur un rail, tétant ma cigarette comme une lady. J'aurais voulu qu'on nous photographie ainsi pour l'éternité, avec, en arrière-plan, les couleurs de l'automne.

— J'suis content d'être ici et que tu sois là, Héléna. J'ai été occupé depuis notre dernière rencontre au lac.

Nos trois usines tournent à plein régime, et je dois mettre les bouchées doubles, car mon frère Allen est pas trop bien. Son cœur fait des siennes. Pis il y a eu l'épisode de la noyée. Les inspecteurs de la sécurité, la police, c'est toujours compliqué, ces affaires-là !

Voilà que Josette refaisait surface quand je m'y attendais le moins. Je retins mon souffle pendant que Matthew tirait une longue bouffée de sa cigarette. Je pouvais sentir son irritation.

— Voir si on peut suivre nos employés à la trace ! Il paraît que c'était pas la première fois qu'elle allait sur le bord de la rivière. On pense qu'elle bradait du stock volé. Il y a des gars qui l'ont vue rôder. Je suis pas surpris qu'elle ait eu un accident. Elle avait la tête dure, pis la sécurité, c'était pas sa priorité. C'était une femme rude, mais qui faisait la *job*. Un caractère de chien enragé. Tu la connaissais, t'as travaillé avec elle. Le policier voulait savoir avec qui elle s'entendait pas. Je lui ai dit qu'il pouvait réserver plusieurs pages de son carnet. Il avait l'air de penser que c'était pas un accident. Il a commencé par me questionner sur toi.

D'un coup, le duvet se hérissa sur mes bras. L'esprit de Josette me frôlait de sa main gonflée par l'eau de la rivière Saint-Maurice.

— Comme si une belle femme comme toi pouvait être mêlée à une histoire comme ça ! C'est mal te connaître. Josette était pas contente de ta promotion. Elle était jalouse. Elle me l'a dit. Pis, laisse-moi te dire que c'était pas avec des gants blancs. J'aurais pu la renvoyer pour m'avoir apostrophé comme ça. C'est à cause de son père que je l'ai pas fait. Il s'est blessé dans notre usine. J'avais pas envie de rajouter à son malheur.

— T'as dit ça au policier ?

— Oui, pis j'y ai dit qu'y pouvait me mettre sur sa liste de suspects, si ça lui chantait.

— Qu'est-ce qu'il a fait ?

— Rien. Ça lui en a bouché un coin. Il a eu l'air de s'orienter vers le vol de matériel. Elle s'est peut-être chicanée avec celui à qui elle vendait notre marchandise. *Anyway*, c'est des problèmes de *shop*. On est pas là pour ça ! Je vais avoir un peu plus de temps, d'ici aux Fêtes. Je pensais qu'on pourrait se voir plus souvent.

— J'dis pas non.

— La dernière fois, quand j'ai été interrompu par la crise de cœur de Jeffrey…

— Ah ! Comment il va ? Est-ce qu'il s'est remis ?

L'autre en moi s'était précipitée pour poser la question.

— Non, malheureusement. Il est décédé une semaine ou deux après. Son cœur a lâché. D'après monsieur Pettigrew, il s'était pourtant remis de sa mésaventure au lac. Mais tout le monde sait qu'il levait le coude pas mal fort. La boisson pis les pilules, ça fait pas bon ménage !

— On peut dire qu'il a couru après !

La remarque était sortie contre ma volonté. Elle refroidit Matthew, qui prit une longue bouffée de sa cigarette, avant de la projeter d'une pichenette. Mon manque d'empathie le froissait. Je m'empressai de le charmer d'un sourire enjôleur. J'abandonnai mon mégot entre les rails. Je me sentais comme la belle du lac. J'avais le pouvoir de ma sœur. Je le vis à son regard.

— J'suis vraiment ben icitte, lui dis-je d'une voix sensuelle que je ne me connaissais pas.

— On est pas obligés de repartir tout de suite. On a en masse le temps de revenir avant la noirceur.

Il s'approcha et me prit par la taille. Il m'embrassa avec douceur et je répondis avec enthousiasme. Sa main descendit sur mon dos jusqu'à ma croupe et releva ma robe et mon jupon dans un même mouvement. L'air froid me donna la chair de poule. Sa paume était brûlante sur ma cuisse. Je caressais sa nuque et ses épaules solides. Ma bouche refusait de quitter ses lèvres. Il me souleva et me cala contre lui. Je sentis sa poigne s'affermir. Je me mis à rêver comme une sotte. Il m'emmenait avec lui dans le New Hampshire. Il m'achetait des robes extravagantes et je vivais dans une maison avec des domestiques. Il y avait des fleurs partout et nous mangions dans de l'argenterie. Au retour du travail, il me prenait dans ses bras. J'entendais son cœur battre contre le mien. Son souffle se glissait dans ma chevelure comme une brise d'été. Je m'agrippai à lui pour que mon corps garde ces chimères en mémoire.

— J'aimerais qu'on reste icitte pour toujours, Matthew.

— Je te signale qu'on est au beau milieu de la voie ferrée.

— On aura qu'à sauter dans le premier train et s'enfuir.

Il se mit à rire et me fit tournoyer sur moi-même. Je me sentais coupable de ce bonheur soudain, car je savais qu'il ne provenait pas seulement de la présence de Matthew. D'apprendre la mort de Jeffrey avait excité l'autre. Là où je croyais qu'elle avait échoué, elle savourait la nouvelle. Jeffrey l'alcoolique n'embêterait plus personne. Elle riait sans retenue.

— Est-ce que tu m'aimes, Héléna?

J'avais envie de hurler ma réponse, mais elle se bloquait dans ma gorge. Le visage de Jeffrey se super-posait à mon rêve. Et si j'avais contribué quelque peu à ce dénouement? Mon rire n'avait plus la même résonance.

— Héléna? Est-ce que ça va?

Ma gaieté se figea dans un masque incertain. Qui étais-je pour me pavaner comme une princesse sur le royaume de ma sœur? Je repris mes esprits quand il me déposa sur le sol.

— Oui, c'est juste que j'suis un peu fatiguée. On devrait repartir. Ma mère m'attend. Elle va pas ben depuis quelque temps. Et pis, nous deux, c'est telle-ment fou que j'arrive pas à y croire.

— Il faudra t'y faire, ma belle. Je me fiche de ce qu'on peut penser!

— Oui, mais… Fabi?

Il m'était impérieux d'aborder ce problème de front. Je devais savoir où il en était concernant ma sœur. Sans répondre, Matthew s'éloigna de moi et remit le *speeder* en marche. Quand nous fûmes prêts à repartir, il s'approcha de moi.

— Fabi est pus là. Il faut que je me fasse à l'idée. Elle est disparue depuis trop longtemps. Ce qui importe, maintenant, c'est que tu sois près de moi.

Il m'embrassa encore avec tendresse. Le mensonge ne s'était pas rendu jusqu'à lui. L'omerta familiale tenait bon. Il faut dire que Matthew voyageait souvent entre ses usines, il avait peu de temps pour s'intéresser aux ragots. Je pouvais respirer. Mais sa courte explication ne me renseignait pas sur son sentiment réel à l'égard de Fabi. Qu'arriverait-il s'il la voyait à nouveau ? Éprouverait-il les mêmes sentiments devant une femme mutilée ? Je me sentais vache de penser en ces termes. Qu'étais-je devenue ? Pouvais-je vraiment me dissocier de la part de méchanceté qui m'habitait ? Je tournais toutes ces questions dans ma tête à mesure que nous nous rapprochions de l'usine. À notre arrivée, deux hommes accoururent sur le bord de la voie ferrée. Je compris que c'était les mécaniciens qui avaient bricolé la machine et qui venaient s'informer des ajustements à peaufiner. J'en profitai pour remercier Matthew et je m'en retournai à pied. Il promit de me rappeler et je vis ses employés me regarder comme si j'étais la poupée du grand patron. En temps normal, cela m'aurait choquée, mais j'avoue en avoir éprouvé de la satisfaction. Jusque-là, ma journée avait été exceptionnelle. Elle tourna au cauchemar quand je me rapprochai de la bijouterie de mon frère.

∽

Un petit attroupement obstruait le trottoir. Je remarquai le grand Maximilien qui dépassait du lot. Il semblait troublé par ce qu'il voyait. Les autos ralentissaient à leur hauteur et un camion klaxonna pour les faire avancer. Je pressai le pas avec inquiétude. Plus je m'approchais, plus j'entendais les cris de Francis. J'écartai les curieux sans me préoccuper de Maximilien. Mon frère se tenait dans l'espace entre la bijouterie et la quincaillerie. Il brandissait un balai devant lui. Il avait les yeux fous et vociférait des insanités envers les gens. Je fis un pas pour me détacher de l'attroupement. Francis fit tournoyer son arme improvisée dans ma direction, en me traitant de tous les noms.

— Francis ! C'est moé, Héléna ! Ta sœur !

— T'es avec eux autres ! Vous m'aurez pas, vous mettrez pas vos pattes sur moé ! Allez-vous-en ! Vous m'empêcherez pas de réparer le temps !

— Calme-toé, Francis. Y'a personne qui te veut du mal.

— Ferme ta yeule, maudite sorcière !

Un homme s'approcha en essayant de le raisonner. Mon frère se retourna et le frappa sauvagement. L'autre para le coup de son bras et le balai se brisa en deux. Puis, il y eut une mêlée et on coucha Francis sur le sol.

Il criait et se débattait comme si on le marquait au fer rouge. Il griffa au sang un de ses assaillants. La police surgit et, dans la confusion, on lui passa les menottes et on l'embarqua.

Je m'occupai de fermer la bijouterie. Mes mains tremblaient et j'avais envie de pleurer. Mon frère fuyait devant ses monstres dans une autre réalité, dont il était le seul à connaître l'existence. Sans savoir que ce monde imaginaire risquait de le happer pour de bon. À cette époque, je croyais que la guerre l'avait perturbé et qu'il s'en remettrait. Il me faudrait admettre que nos démons, une fois libérés, sont difficiles à maîtriser.

Résidence Clair de lune, Trois-Rivières, printemps 2002

Huguette prend une pause. Elle change de position, se racle la gorge, boit de l'eau. Lire à haute voix pour un auditeur est exigeant. On ne peut sauter les mots, courir à la phrase suivante parce que nos yeux y ont vu des détails croustillants ou rêver à une expression dont la résonance surgit dans notre propre vie. Il faut se donner entièrement à la tâche et ne réagir qu'aux émotions de celle qui écoute. On doit ressentir qu'on peut s'arrêter lorsque son souffle est ténu, que son regard a le vague à l'âme, dans un autre temps, dans un autre lieu.

Héléna est immobile. Son visage est tourné vers la fenêtre. Le soleil allonge les ombres. Un jour de plus qui s'efface de son existence. Il ne lui en reste plus tellement pour évoquer son passé.

— Veux-tu que je fasse une pause ? demande Huguette.

— Ça rendra pas mon frère moins fou. Jusqu'à cette journée-là, je pensais qu'il était juste fatigué, épuisé, pis qu'y buvait trop. Quand il a frappé l'homme, j'ai compris qu'y voyait pas le monde comme nous autres. Il était enragé. J'avais peur de ce qu'il me montrait, Huguette. La folie. Peur du miroir qu'il me retournait. Celui dans lequel j'apercevais deux femmes jumelles. Une frette comme un morceau de glace et une deuxième avec la « fale » à terre. As-tu déjà connu la peur, Huguette ?

— Comme ben du monde, je suppose. Quand j'étais petite, j'aimais pas qu'y fasse noir dans ma chambre ou que la porte de la garde-robe reste ouverte. J'haïssais les chiens et les araignées. Mais j'ai été vraiment effrayée à la mort de Béatrice. C'était tellement vide après ça.

— J'ai connu ça, moé aussi. Tu sais, Huguette, les problèmes dans la tête, c'est pas comme les mathématiques. T'as beau les aligner, pis essayer de les additionner ou de les soustraire, t'obtiens jamais le même résultat. C'est ça qui est épeurant.

— J'vais continuer à lire encore un peu. Mais pas longtemps. J'avais promis d'aider à faire des décorations pour Pâques. C'est de bonne heure cette année. On parle de faire un repas de cabane à sucre. J'sais pas si on va avoir de la tire sur la neige, est presque toute fondue! On voit les trottoirs, pis les pelouses partout. Je me demande ben qui va remplacer monsieur Blais pour la messe.

— Il doit ben rester un curé de vivant quelque part.

— N'empêche qu'il est parti subitement.

— Des fois, t'es aussi subtile qu'un ours qui défonce la porte d'un camp. J'ai rien à faire dans sa mort, si tu veux savoir. J'voulais juste qu'y me comprenne. Asteure, y'é trop tard.

— Qu'est-ce que t'as fait avec la morphine de ta bouteille, d'abord?

— T'es aussi fouineuse que moé, coudonc. Je l'ai redonnée à l'infirmière, mentit Héléna avec assurance.

Embarrassée, madame Lafrenière continue sa lecture. Le contenu du manuscrit commencerait-il à troubler son jugement? Elle se sent un peu coupable d'avoir douté de son amie.

CHAPITRE 28

La Tuque, automne 1941

Cette fois, le docteur se montra moins optimiste. Il expliqua en trébuchant sur les mots que Francis présentait des symptômes s'apparentant à la démence précoce et à la schizophrénie. Ni Marie-Jeanne ni moi ne savions ce que ça voulait dire. Nous l'écoutions nous parler de traitements spécialisés qui ne pouvaient être offerts à La Tuque. Pour être sûr du diagnostic, Francis devrait être évalué à l'hôpital Saint-Michel-Archange, à Québec. En attendant, il serait gardé en isolement. On lui donnait des calmants, mais rien ne pouvait le sortir de son délire paranoïaque. Il nous reconnaissait, mais nous confondait avec les personnages de son imaginaire, qui le traquaient sans cesse. Marie-Jeanne était anéantie. Son fils irait à l'hôpital des fous. Elle signa l'autorisation pour les soins, la mort dans l'âme. Elle tentait de se convaincre que la boisson et le choc de la guerre étaient à l'origine de ce mal. Le docteur lui expliqua que le traumatisme de la mort de son ami avait pu déclencher son état et qu'une dépression n'avait pu qu'aggraver les choses. Elle ne l'écoutait plus, même s'il nous disait de ne pas perdre espoir. Je voyais la main de Marie-Jeanne, enfouie dans la poche de son manteau, qui égrenait le chapelet, son ultime recours. De mon côté, je frottais la montre de mon frère plus par habitude que par conviction.

Géraldine et Paul nous ramenèrent à la maison. Pour une fois, ma tante fut moins volubile. La perspective de la folie nous anéantissait.

La bijouterie serait fermée pour un temps. Sans avoir aucune certitude, nous pensions que Francis serait absent deux ou trois semaines, jusqu'au début de novembre.

Je commençai mon travail chez la femme du notaire dans la morosité. Elle prit le temps de s'informer de l'état de mon frère et je lui en fus reconnaissante. Elle-même aux prises avec une maladie insidieuse qui lui volait sa vision un peu plus chaque jour, elle comprenait mon désarroi. Je me sentais impuissante devant la barrière qui me séparait de Francis. Pendant que je lisais *Les Misérables* de Victor Hugo, en m'appliquant à bien articuler, mon désir de fuite grandissait au-dedans de moi. Fabi et Francis étaient maintenant à Québec, tous deux prisonniers de leur corps, mais ignorant leur proximité. Comme moi je l'étais de cette femme qui m'habitait et qui m'attirait sans cesse dans la noirceur. Je mentirais si je disais que je pouvais lui résister. J'en étais incapable. À vingt ans, elle me hantait et je ne savais pas comment j'arriverais à la contrer. La femme du notaire m'écoutait avec attention sans se douter de mes tourments.

∽

À la fin d'octobre, un vent glacial souffla sur la vallée latuquoise. Il emporta ce qui restait de feuilles dans les arbres. Il obligea manteaux et foulards. Il gela les flaques d'eau et ferma portes et fenêtres. Marie-Jeanne rapprocha sa berceuse du poêle et couvrit ses épaules d'un châle du soir au matin. Le nord venait de s'étirer jusqu'à nous. Le réveil était brutal. On ne parlait que de lui. On pestait contre son insistance, sa hargne et son entêtement à tout balayer sur son passage.

Je maintenais mon chapeau d'une main et de l'autre, le collet de mon manteau. Yvonne marchait près de moi et sa voix puissante était emportée par les bourrasques. Elle discourait sur les préparatifs de son mariage. Faire-part, gâteau de noce, orchestre, liste d'invités, salle de réception, tout y passait. Elle insérait son Antoine ici et là, toujours pour approuver ses choix. Elle ne portait plus à terre, ce qui était une métaphore incongrue considérant sa corpulence.

Elle me précéda dans la boulangerie. L'odeur des beignets à la cannelle et du pain chaud était enivrante. Derrière le comptoir, une femme d'âge mûr, attifée d'un foulard et d'un tablier, nous accueillit avec le sourire.

— Vous êtes courageuses de marcher par un froid pareil. Il fait un temps à écorner les bœufs!

— JE VIENS VOIR POUR UN GÂTEAU DE NOCE, cria ma sœur comme si elle voulait encore contrer le vent.

— Vous êtes en voix à matin. Votre futur mari pourra pas dire qu'y vous entend pas. Venez par ici, je vais vous montrer ça.

Yvonne discuta prix, goût, décoration en examinant les illustrations que lui fournit la femme. Elle me demandait mon avis et je répondais mollement, sachant qu'elle n'en ferait qu'à sa tête de toute façon. La négociation dura une bonne demi-heure, pendant laquelle je ne pouvais m'empêcher de penser à Matthew. Il ne m'avait pas donné signe de vie depuis notre dernière escapade en *speeder* au lac. L'avais-je déçu par mon comportement? D'apprendre la mort de Jeffrey m'avait troublée. S'en était-il rendu compte?

— QU'EST-CE QUE T'EN PENSES?

— Hein? Oui, c'est ben correct.

— COUDONC! T'ES CENSÉE ÊTRE LÀ POUR ME CONSEILLER. SORS DE LA LUNE!

— Tu l'sais, Yvonne, que t'as plus de goût que moé pour ces affaires-là.

— Attends quand ça va être ton tour! À PROPOS, TOÉ PIS EDMOND, COMMENT ÇA VA?

— C'est correct, dis-je, gênée par le regard inquisiteur de la boulangère. On y va-tu? Il faut que je sois chez madame Boudreault pour onze heures.

— OUI, J'AI FINI. Je vous donnerai LA DATE DU MARIAGE. ÇA DEVRAIT ÊTRE UN PEU AVANT NOËL!

Je restai bouche bée. De tout le babillage de ma sœur, c'est la seule information que je n'avais pas saisie. Sitôt à l'extérieur, je la tirai par la manche.

— T'étais-tu sérieuse? Tu vas te marier avant Noël?

— C'EST ÇA QU'ON A DÉCIDÉ, MOÉ PIS ANTOINE.

— En hiver! Tu y penses pas. Il peut y avoir une tempête.

— Ben non, tu vas voir. INQUIÈTE-TOÉ PAS! ÇA VA ÊTRE UN BEAU MARIAGE EN BLANC. Il me reste à trouver MES VÊTEMENTS DE NOCE. Samedi, MON ANTOINE VA M'EMMENER CHEZ LALIBERTÉ À QUÉBEC. Je veux quelque chose DE CHIC. J'aimerais ça un manteau avec UN COL DE FOURRURE. J'sais que c'est cher, MAIS JE ME CONTENTERAI D'UNE ROBE PLUS SIMPLE.

— Tu vas à Québec comment?

— Ben, avec le nouveau CHAR D'ANTOINE. C'T'UN SECONDE MAIN, MAIS Y PARAÎT QU'Y'É BEN PROPRE.

— J'aimerais ça aller voir Francis à l'hôpital. Je peux-tu y aller avec vous autres?

L'hésitation d'Yvonne me déçut. Une visite chez les déments n'était pas dans son programme. Comme tout le monde, elle craignait la folie. Elle préférait s'en tenir loin. Je savais que l'internement de Francis avait jeté un ombrage sur son projet de mariage. Déjà qu'elle avait une sœur en fugue qu'elle ne pouvait inviter, voilà qu'un autre membre de sa famille lui faisait faux bond.

— T'es pas obligée de m'accompagner à Saint-Michel-Archange. Tu pourras aller à ton magasin, pis je vais me débrouiller pour me rendre là-bas.

— Je… j'vais voir avec Antoine. C'EST LUI QUI CHAUFFE.

— Oui, mais c'est toé qui décides! dis-je en riant.

Voyant ma détermination, elle acquiesça du bout des lèvres. Je l'embrassai sur les deux joues. Avec ce que j'entendais sur Saint-Michel-Archange, je préférais me rendre compte par moi-même de l'état de Francis. Puis j'aurais peut-être l'occasion de faire un détour pour voir Fabi.

Yvonne m'accompagna jusqu'à la rue Saint-Antoine. Elle laissa le vent se faufiler entre nous. Je l'avais muselée en lui rappelant que nous avions un frère dans le besoin. Après un long silence, elle s'informa du foie de Marie-Jeanne et me posa une question sur mon travail. Sans nous en rendre compte, nous avions accéléré le pas, parce que le froid nous gelait autant au-dehors qu'au-dedans.

◦◦

La veille de mon départ pour Québec, j'eus des nouvelles de Matthew. Il m'emmena, sous l'œil réprobateur de Marie-Jeanne, au domicile de son frère, tout au bout de la rue des Anglais. Située du côté ouest, la maison de bois rond s'élevait sur deux étages et occupait un vaste terrain d'où on pouvait apercevoir le nouveau barrage sur la rivière Saint-Maurice. La propriété était entourée d'une clôture blanche que l'on franchissait sous une tonnelle envahie par le lierre. Impressionnée par l'imposante demeure, je me dirigeai vers la balancelle de jardin installée sur le côté de la maison. Je pris place sur un des deux sièges et posai mon sac à main sur la table qui les séparait. Entre les branches d'un bouleau, j'examinai la longue glissoire de bois qu'on avait aménagée pour le plaisir des enfants et des plus grands. Elle s'étirait jusqu'au bas de la pente, là où plusieurs années plus tard, on construirait un club de golf.

— C'est ici que tu habites quand t'es à La Tuque?

— Oui, il y a plusieurs chambres de libres. En ce moment, j'y vis seul. Mon frère est retourné aux États. Il a fait une crise de cœur. Il est suivi par son médecin là-bas. Il est auprès de sa femme et de ses enfants.

— J'espère que ça va s'arranger pour lui.

— Allen est un batailleur. Il devrait s'en sortir. Ça aurait pu être pire.

— Vous avez un grand terrain à entretenir.

— J'engage un jardinier et je confie les travaux de la maison à des ouvriers de l'usine.

— Je vois.

— Je voulais t'inviter au Wayagamac en fin de semaine. Il y a encore un peu de couleur dans les arbres. J'aimerais ça que tu m'accompagnes. Ce serait bien, parce qu'après, je devrai m'absenter au moins trois semaines, peut-être quatre.

— Ce sera pas possible. Je vais à Québec avec Yvonne. J'dois voir mon frère, il est hospitalisé.

— Celui qui est bijoutier ?

— Oui, Francis.

— Rien de grave, j'espère.

— On sait pas encore. C'est pour ça que j'y vais. On va revenir le lendemain. Viens t'asseoir plus près, moé aussi, j'ai quelque chose à te demander.

Sans hésiter, Matthew s'installa et mit un bras autour de mes épaules. Je sentis immédiatement une chaleur monter jusqu'à mes joues.

— Ma sœur Yvonne se marie en décembre. Je me demandais si tu voulais m'accompagner. C'est prévu pour le 21.

— C'est pas mal proche de Noël, mais je devrais pouvoir me libérer.

Je savais que je devais aborder le sujet de Fabi. C'était le meilleur moment pour me distancer de ce problème qui planait autour de moi.

— Je savais pas si tu accepterais. À cause de Fabi…

Je vis ses yeux se voiler l'espace d'un instant. Il m'attira contre lui. J'étais celle qu'il tenait dans ses bras, qu'avais-je à craindre de ma sœur qui était au loin, mutilée et terrée dans un couvent?

— Je te l'ai déjà dit. Fabi est disparue. Soit le lac l'a pas rendue, soit la forêt et l'hiver ont eu raison d'elle… soit qu'elle s'est échappée et a décidé de pus jamais revenir. J'imagine ce que ça doit être pour votre famille. Pas savoir est la pire des situations. Comment vous faites?

Voilà que la balle me revenait en plein visage. Matthew ne savait rien de précis au sujet de Fabi. Le secret était de ceux que l'on cache derrière des portes closes. Comme dans bien des familles, les monstres mort-nés, les handicapés, les fous, les criminels, les pédophiles, les batteurs de femme étaient retranchés aux oubliettes de la honte. Ils existaient sans avoir de réalité. Fabi et Francis en faisaient partie. Leur évocation revenait à danser sur le fil du mensonge.

— On garde espoir.

— Elle aurait pas dû fuir sur le lac. Je lui aurais trouvé un bon avocat. L'homme qu'elle a blessé marche presque normalement aujourd'hui. Je suis certain qu'il y aurait eu possibilité d'arrangement. Les dommages à la *dam* étaient mineurs. Mais à quoi bon, ça fait maintenant une année.

— Tu l'aimes encore?

— C'est difficile d'éprouver les mêmes sentiments pour quelqu'un qui est pus là… Alors que je t'ai dans mes bras.

Je profitai du moment pour l'embrasser. Le baiser était passionné, mais il était aussi attisé par les braises de ma traîtrise. Je me sentais déchirée entre mon désir pour cet homme et l'attachement inconditionnel que j'avais voué jusque-là à Fabi. En réalité, je me haïssais. Je ne me reconnaissais plus.

Résidence Clair de lune, Trois-Rivières, printemps 2002

La jeune préposée à la peau noire contourne le lit avec lenteur. Elle s'empare du plateau et le pose sur son chariot. Ses gestes sont méticuleux.

— Vous avez pas mangé? demande-t-elle avec un fort accent.

— Pas faim, réplique Héléna.

— Vous gardez les biscuits?

— Emportez ça. J'ai mal au cœur.

— Faut manger, madame.

— Faut mourir aussi! Le saviez-vous?

La préposée a un sourire triste et rebrousse chemin en poussant son attirail. Elle salue au passage madame Lafrenière, qui entre en coup de vent. Elle porte un mince bâtonnet de bois au bout duquel se balance un œuf coloré.

— Regarde ça! Il va y en avoir un bouquet sur chaque table pour Pâques.

— C'était pas censé être un dîner de cabane à sucre? demande Héléna.

— Oui, mais c'est Pâques en même temps. Pis, y'en a qui vont venir avec des enfants.

— Me semble qu'on aurait dû leur laisser «peinturer» les œufs. Des p'tits vieux qui colorent des coquilles vides, tu trouves pas ça curieux?

— T'as ben l'air à pic à matin.

— Ça doit être à cause du changement de la garde. C'est rendu qu'ils recrutent en Afrique!

— Dis-moé pas que t'es raciste en plus?

— En plus?

— Ben, de ce qu'y'a dans ton livre.

— Dans mon livre, y'a une femme qui a fait du mal, pis que j'haïs. C'est de ça que tu veux parler?

— Pas si fort! Veux-tu ben me dire ce que t'as?

— C'est reparti, Huguette. Le mal se répand. Je le sens dans mes poumons, pis mon foie est dur comme de la roche. J'vais souffrir pour ce que j'ai fait.

— Prends tes médicaments, endure pas ça.

— Donne-moé la lettre dans ma table de chevet.

Madame Lafrenière s'exécute, surprise par la demande. Elle pose son œuf dans un verre vide sur la commode d'Héléna.

— Ça vient des Cantons-de-l'Est.

— J'le sais que ça vient de là. Ouvre-la.

Avec des gestes nerveux, Huguette déchire l'enveloppe et en sort deux feuillets. Elle les consulte en alternance. La déception se lit sur son visage pendant qu'Héléna explique.

— Je me suis fait faire une urne. C'est un artisan que j'ai connu il y a pas mal d'années lors d'une exposition. C'est une poterie que je lui ai commandée. Une porcelaine.

— Il écrit qu'il l'a faite comme tu voulais, avec l'inscription et le bord du lac. Il y a aussi la facture. C'est marqué PAYÉ dessus.

— Je suppose qu'il va l'envoyer bientôt.

— C'est mentionné que la maison funéraire va la recevoir dans deux semaines.

— D'abord, va falloir que j'attende un peu pour mourir. Ta curiosité est satisfaite?

— Je te dis que t'es raide à matin.

— J'ai mes raisons.

Huguette replace les feuillets dans l'enveloppe. Ce n'est pas ce qu'elle croyait. La lettre ne contient pas de nouvelles du fils. Ce n'est qu'une formalité de fin de vie.

— Il aurait pu mettre une photo.

— Pas nécessaire. J'suis certaine que c'est beau. Il connaît mes goûts.

— Ça fait que t'as pensé à tout. L'urne, le testament, tes affaires à ton appartement, la cérémonie…

— Y'en aura pas de cérémonie. Direct à la crémation, pis direct dans l'urne. J'ai indiqué quoi faire avec.

— Ça se fait pas, ça. Ton garçon?

— Regarde autour de toé. Le vois-tu? C'est de même depuis trop longtemps.

— Il sait-tu que t'es malade, au moins?

— Ça dépend de quelle maladie tu parles.

Huguette sort de la chambre en oubliant son œuf. Elle doit trouver le moyen d'aider son amie à finir sa vie dans la dignité. Héléna n'est pas seule dans sa tête. Cela ne fait plus aucun doute. À moins qu'elle ait tout inventé. Comment en être sûre? La présence des objets à son appartement ne prouve rien en soi. À part le manuscrit, il n'y a personne pour infirmer ou confirmer tous ces évènements. Pas même le fils, qui a des airs de fantôme. Héléna peut bien raconter ce qu'elle veut. N'est-ce pas le propre d'une romancière que de nous faire croire à la réalité?

Madame Lafrenière veut douter pour retrouver un peu de ce qu'elle ressentait auprès de Béatrice. Le sentiment profond de compter pour quelqu'un, d'être important à ses yeux. Héléna est une personne exceptionnelle qu'on ne rencontre qu'une fois dans une vie. Elle est une porte ouverte sur le secret. Elle met en lumière l'arrière-cour ténébreuse d'une façade qui ressemble à toutes les autres. Elle nous force à regarder dans chaque recoin, sous chaque pierre, jusqu'à ne plus savoir distinguer la réalité de la fabulation.

CHAPITRE 29

Québec, automne 1941

Pour moi qui n'avais connu que la terre, la forêt, les animaux et le lac Wayagamac, et qui avais de la ville l'image de La Tuque, Québec fut un choc. L'abondance de commerces, les enseignes aux lettres gigantesques et les vitrines montrant des trésors comme je n'en avais jamais vu, la quantité de voitures, les larges rues qui me semblaient s'étirer sans fin et le tramway dont le chemin courait au milieu des boulevards me laissaient sans voix. J'avais les yeux grands ouverts et le visage collé à la vitre de la portière. Comme dans un rêve, j'entendais ma sœur qui secondait Antoine crispé sur son volant. Il tentait de la rassurer en lui précisant qu'il connaissait la ville pour y avoir visité sa tante à plusieurs reprises. Mais Yvonne appuyait sur des pédales imaginaires quand l'auto s'engageait dans une côte abrupte. Elle ressentit la même excitation que moi à mesure que nous approchions du promontoire sur lequel Québec dominait le fleuve. La vue des toitures du Château Frontenac nous arracha des cris de petites filles émerveillées. Antoine conduisit avec habileté le long de la basse-ville, dans un quartier où les maisons de pierres étaient coincées parmi un dédale de rues étroites et pavées de briques. Juste en face, le Saint-Laurent s'étirait et me semblait aussi grand que le Wayagamac. J'y apercevais un paquebot et sa cheminée qui crachait un cordon de fumée dans son sillage. Nous nous éloignâmes du port pour prendre une enfilade de rues bordées d'usines, et d'entrepôts, dont plusieurs étaient destinés au bois de construction, si je me fiais aux piles de planches et de madriers qui encombraient les vastes cours clôturées.

— On approche, Héléna, dit Antoine sans se retourner. T'as l'adresse de ma tante. Je l'ai avertie, elle nous attend. T'as juste à prendre un taxi. On te rejoindra là-bas. T'as de l'argent ?

— Oui, ça va être ben correct. Prenez tout votre temps.

— J'AI ASSEZ HÂTE DE VOIR LA RUE SAINT-JOSEPH ! Pis faut aller CHEZ POLLACK pour te trouver un habit, Antoine. Y'A AUSSI PAQUET ET LALIBERTÉ. ON VA-TU AVOIR LE TEMPS DE TOUT FAIRE ?

— Arrête de t'énerver comme ça ! On est partis assez de bonne heure à matin. On va avoir en masse le temps. Tiens, c'est là-bas, Saint-Michel-Archange, sur la rue de la Canardière.

— MON DIEU, C'EST BEN GROS !

· Ma sœur m'arrachait les mots de la bouche. L'édifice qu'on venait juste de reconstruire s'élevait sur sept étages. L'entrée principale et les deux extrémités étaient constituées de tours surplombant le complexe et dont la partie centrale était ornée d'une croix qui rappelait que les religieuses en assuraient la gouvernance. Antoine rangea son véhicule le long du trottoir, près d'un imposant portique aux colonnes massives et carrées.

— ON A-TU ASSEZ DE FOUS DANS LA PROVINCE POUR REMPLIR TOUT ÇA? demanda Yvonne sans réfléchir.

— Ton frère est malade, y'é pas fou! dis-je un peu sèchement avant d'ouvrir la portière.

— C'EST L'ÉNERVEMENT, me dit Yvonne penaude quand je me penchai pour lui faire la bise. TU LUI DIRAS BONJOUR POUR MOÉ!

— On se revoit plus tard. Bon magasinage!

Je regardai l'auto s'éloigner avec un brin d'angoisse. L'immense façade de l'hôpital était impressionnante. On se sentait minuscule et démuni devant un tel déploiement de fenêtres garnies de barreaux. J'imaginais sans effort l'état de frayeur de ceux qu'on y amenait harnachés dans leur camisole de force. Je frissonnai en me dirigeant vers la porte principale. À l'intérieur, une sœur à la coiffe rigide m'examina derrière son guichet vitré surmonté de l'inscription Réception. Je m'avançai timidement en tenant ma sacoche à deux mains. Mes pas résonnaient avec trop d'insistance.

— Vous désirez? me demanda-t-elle sans plus de façon.

— Je viens pour voir mon frère.

— Mademoiselle, il y a plus de deux mille patients dans cet établissement. Quel est son nom ?

— Francis Martel.

Elle regarda dans un grand cahier pendant plusieurs minutes en glissant son doigt d'une page à l'autre.

— Votre frère est interné depuis combien de temps ?

— Ça fait moins d'une semaine qu'on l'a envoyé ici.

— Vous venez d'où ?

— De La Tuque. En Mauricie.

— Ah ! C'est un nouveau. Il est pas encore à mon registre. Vous avez un rendez-vous ?

— Non. Je suis venue à Québec avec ma sœur qui va se marier et…

— On entre pas ici comme dans un moulin, mademoiselle ! Tout le monde est occupé. Les patients sont aux champs ou aux ateliers. Il faut s'annoncer pour une visite.

— C'est que je viens de loin.

— Je vais voir si sœur Octavine peut vous recevoir.

Je ne savais comment réagir à son attitude militaire. J'acquiesçai en espérant ne pas être là pour rien. Après qu'elle eut parlé au téléphone et répondu à deux appels, elle m'indiqua que je pouvais entrer et suivre le couloir de gauche jusqu'au quatrième bureau. Un grésillement se fit entendre jusqu'à ce que je tire sur la poignée de bronze. Bien entendu, les portes étaient verrouillées. Si on n'entrait pas comme dans un moulin, on n'en sortait pas plus facilement.

Sœur Octavine avait de l'âge. Ses rides semblaient accentuées par la pression de la coiffe. Ses gestes étaient d'une lenteur mortuaire. Elle m'indiqua une chaise devant un large bureau de bois, dont les deux tiers étaient remplis de piles de dossiers. Dans un coin, une autre sœur me tournait le dos et pianotait péniblement sur un clavier de machine à écrire. Sœur Octavine avait la voix à l'avenant du reste : fatiguée et faible.

— On me dit que vous voulez voir votre frère ?

— C'est ça, oui. Son docteur l'a envoyé ici pour qu'on l'examine.

— Une évaluation ? Sœur Élise ? Sortez-moi le dossier de… comment s'appelle-t-il, déjà ?

— Francis Martel.

Pendant que la nonne Élise s'exécutait, sœur Octavine déplaçait des papiers, ajustait ses lunettes, prenait un crayon à gauche et le remettait à droite. Tout cela avec des mouvements chorégraphiés au ralenti. De très loin me parvint un cri déchirant. Malgré moi, je redressai l'échine. La sœur me fit un sourire compatissant. Elle ouvrit le dossier cartonné que l'autre venait de poser devant elle.

— Votre frère est arrivé il y a cinq jours. Je vois qu'il manque des formulaires pour son admission. Vous les avez apportés ?

— Non.

— Pour l'internement, ça nous prend l'autorisation du maire et du curé. Sans ces papiers, la famille devra assurer les frais pour l'hébergement. Vous avez de quoi payer?

— J'comprends rien à ce que vous dites. J'veux simplement voir mon frère.

— Il est indiqué que monsieur Martel est violent.

— Francis est pas dangereux. C'est juste qu'il avait trop bu.

— Schizophrénie et alcoolisme. C'est bien ça?

— C'est pas à moé de décider pour sa maladie. C'est pour le savoir qu'on l'a envoyé icitte.

— On reçoit beaucoup de demandes. Voyez tous ces dossiers en attente, dit-elle en balayant d'une main molle l'air devant elle. Le surintendant de l'hôpital étudie les plus urgents. Ça peut prendre quelques semaines avant qu'on puisse examiner votre frère. C'est ennuyeux, mais soyez assurée qu'on s'occupe de lui. Il ne manque de rien. Il pourra trouver un travail à la ferme ou dans nos différents ateliers. Je vois qu'il était bijoutier, il a donc des habiletés manuelles. On a aussi tout ce qu'il faut à l'intérieur de nos murs : barbiers, chapelles, magasins, bureaux de poste. Il y a, bien entendu, une section pour les femmes et une autre pour les hommes. Mais comme je vous l'ai déjà dit, il y a des frais pour l'hébergement. Comme le dossier est incomplet, on ne recevra rien du gouvernement pour lui. Malgré les bonnes âmes charitables qui nous apportent leur soutien…

— Je veux voir mon frère, dis-je en brisant le flot tranquille de son monologue.

— Oui. Je vais m'informer pour voir si c'est possible. Attendez-moi ici, répliqua-t-elle, cette fois plus sèchement.

Je patientai une bonne demi-heure. Les cris revenaient à une fréquence régulière. En y prêtant attention, je remarquai que cela ressemblait à une plainte profonde que j'associai à une bête prise au piège. L'autre sœur faisait comme si je n'existais pas. Elle tapait sur ses touches sans trouver de rythme. Je vérifiai que j'avais toujours l'adresse de la tante d'Antoine et que mon porte-monnaie contenait les quarante dollars que j'y avais mis au petit matin. J'avais l'impression que si je perdais ma sacoche, je ne serais plus rien et qu'il n'y aurait plus moyen de sortir de ces murs. Je fus soulagée d'entendre sœur Octavine ouvrir la porte dans mon dos.

— Venez, me dit-elle. Votre frère semble en état de vous recevoir.

Je la suivis dans un long couloir où les plantes vertes se succédaient, perchées dans des vases à trois pattes. Le carrelage brillait comme s'il venait tout juste d'être ciré. Au mur, des photos encadrées montraient des hommes austères ou des bâtiments à moitié incendiés. Au fur et à mesure de notre progression, un brouhaha diffus accompagnait maintenant les cris que j'avais entendus. La sœur me prévint que nous allions entrer dans une salle de loisirs. Elle précisa qu'il n'y avait aucun danger et que je devais éviter de répondre aux patients s'ils me parlaient.

La traversée trop lente de cette pièce resta gravée dans ma mémoire pendant longtemps. Elle était vaste et bien éclairée. Tables rondes et chaises berçantes constituaient le seul mobilier. Il y avait une trentaine d'hommes de différents âges disséminés un peu partout. Tous étaient vêtus de la même façon : pantalon et veste blanche, souliers de toile. L'un d'eux marchait à quatre pattes autour d'une table. Il grognait et riait en même temps. Un autre, appuyé au mur, s'y cognait la tête et le son me rappelait celui d'un pic-bois frappant sur son arbre. Je suivais la sœur sur les talons. Un homme âgé s'approcha de moi.

— T'es qui, toé ? T'es qui ? T'es qui, toé ? T'es qui ? répétait-il d'une voix de fausset qui giclait comme une mitraillette.

Octavine, imperturbable, continuait d'avancer à pas de tortue sans plus se préoccuper de lui ni d'un jeune patient qui urinait dans un coin. Je voyais clairement son pénis et un autre se rapprocha pour l'examiner plus attentivement. Je localisai la provenance de celui que j'avais entendu hurler précédemment. Étendu sur le carrelage, la chemise ouverte, il se tortillait en se serrant le cou avec ses deux mains. Plusieurs se déplaçaient en mouvements désordonnés, se heurtant ou frappant les colonnettes dont la salle était pourvue. Des livres pour enfants et des jeux de cartes gisaient çà et là. J'avais comme une impression de chaos. Un homme baraqué s'interposa entre deux belligérants. Sans ménagement, il en assit un sur le sol et mit le plus agité dans une berçante. Je constatai qu'il faisait partie du personnel de l'établissement. Les pleurs, les cris et les conversations insensées m'accompagnèrent jusqu'à l'autre extrémité de la salle. Le « T'es qui, toé ? » continua de résonner à mes oreilles pendant que la sœur m'expliquait que ces patients étaient parmi les moins réceptifs à leurs méthodes de traitement. Il n'était pas facile de leur trouver des activités structurées vu leur état mental. Je respirai un peu mieux quand elle m'ouvrit une porte derrière laquelle était assis Francis, habillé de blanc, prostré à une table près d'une fenêtre. Il leva les yeux vers moi et j'y entrevis une lueur qui m'encouragea.

— Francis ? C'est moé, Héléna.

Il me sourit avec une lenteur désespérante. On aurait dit que ses traits avaient été modelés dans un caoutchouc rigide qui refusait la métamorphose. Ses cheveux frais coupés avaient été gominés sur son crâne. Pas un ne manifestait la moindre rébellion.

— Je vais vous laisser, dit sœur Octavine. Si vous avez besoin, vous n'avez qu'à crier. Le concierge travaille dans l'autre pièce, il pourra vous aider. Je viendrai vous chercher dans quinze minutes. Il est prévu que votre frère participe à l'activité de menuiserie.

Je lui fis un signe de la tête et m'installai sur la chaise, face à Francis. Je n'avais aucune idée du comportement à adopter.

— Héléna, j'veux pas rester icitte.

Sa voix semblait prise dans la mélasse. Les mots sortaient de sa bouche comme si chaque lettre était une majuscule faite de béton.

— Ils t'ont donné quelque chose? Des médicaments?

Il opina de la tête et essuya un peu de bave au coin de ses lèvres.

— Comment tu te sens? demandai-je en retenant mes larmes.

— Bien. J'pense qu'ils sont partis.

Je savais de qui il parlait. Si ses monstres avaient décidé de retourner dans le néant, c'était tant mieux. Je n'allais pas insister.

— Marie-Jeanne? murmura-t-il avec un éclat fugace dans les yeux.

— Elle va ben. T'as pas à t'inquiéter. Elle te fait dire bonjour et elle t'embrasse.

— Elle doit pas être fière de moé.

— Tu te trompes. Elle a peur pour son gars, mais elle est pas fâchée.

— T'es venue me chercher?

J'avais encore les images de la démence dans ma tête. Mon frère ne pouvait être fou comme ceux que j'avais croisés dans la salle. Il ne suffisait pas de lui mettre un uniforme blanc pour qu'il perde son identité. Tout cela ne pouvait être qu'un malheureux concours de circonstances. La boisson et les calmants ne sont pas des amis. Le temps arrangerait les choses.

Le traumatisme de son bref contact avec les horreurs de la guerre l'avait fait basculer. J'essayais de me convaincre que ses crises s'estomperaient. En réalité, je ressentais une peur viscérale de cet endroit. Mon frère ne pouvait pas y rester. Il était brillant. Il avait appris le métier de bijoutier par lui-même. Il était débrouillard. Comment pourrait-il se remettre sur pied dans un enfer pareil? Je décidai que je le ramènerais avec moi.

Quand la sœur revint, elle nous trouva dans les bras l'un de l'autre. J'avais fait promettre à Francis de prendre les médicaments qu'on lui donnait. Je n'eus pas trop de difficulté à convaincre sœur Octavine de le laisser repartir avec moi. Son dossier était incomplet et je n'avais pas l'argent pour payer l'hébergement. De plus, elle me rappela, sans subtilité, qu'elle croulait sous les demandes d'admission. Je sentais que ma requête la libérait d'un poids administratif. Je repasserais le lendemain avec Antoine et Yvonne. Je crus même la voir pousser un soupir de soulagement devant ma proposition.

᭡

Je n'avais plus le courage de voir Fabi. J'avais besoin d'air. Après moins de deux heures passées dans cet asile, j'avais l'impression de suffoquer. Le visage de la folie était un masque grimaçant bien plus effrayant que les épouvantes impalpables de ma mère. Il était fait de chair et d'os, et empruntait la blancheur des fantômes. Il n'avait plus d'âme et se diluait dans la multitude. « T'es qui, toé ? » prenait tout son sens, quand le moi devenait l'attardé, le malade mental, le dément, l'aliéné, le fou qui n'arrivait plus à se distinguer de ce qu'il avait été.

Je me fis conduire en taxi au Château Frontenac. À part l'adresse donnée par Antoine, je n'avais rien d'autre qui me venait en tête. Je répondais par oui ou par non aux tentatives de conversation du chauffeur. Il me déposa près de la terrasse Dufferin. Je payai et fis quelques pas sur le trottoir. Mes vingt ans étaient impressionnés par les tourelles qui se découpaient haut dans le ciel, par la porte d'arche et par les gens qui déambulaient autour de moi. Des couples se tenant bras dessus bras dessous avec, au manteau, des cols de fourrure, des hommes affairés marchant d'un pas déterminé vers l'entrée de l'hôtel, où un gaillard en livrée leur ouvrait en inclinant la tête; d'autres hélant un taxi le long du trottoir, des caléchiers, fouet à la main, expliquant aux passagers l'histoire de la ville; partout, je voyais des hommes et des femmes libres de leur destin, aux antipodes de ceux que l'on cachait derrière les fenêtres barricadées de Saint-Michel-Archange.

J'avançai sur la promenade de bois en me rapprochant de la rambarde. L'odeur du fleuve était portée par un vent d'automne iodé et léger, mais insistant. Je dus pincer le col de mon paletot. Le panorama était magnifique. Le Saint-Laurent s'étirait devant moi et s'enfonçait sur un horizon lumineux à ma gauche, là où se profilaient l'île d'Orléans et, à l'arrière-plan, les hauteurs de Charlevoix. Je restai un bon moment à observer le traversier et les bateaux qui sillonnaient le port. Quelques navires de guerre rappelaient que le monde souffrait de son humanité belliqueuse. Puis je marchai sur la terrasse de bois vers un pavillon ouvert où deux amoureux se lovaient l'un contre l'autre. J'enviai la chaleur qu'ils se prodiguaient. Plus loin, de gros canons étaient pointés vers le fleuve. Leurs gueules béantes ne servaient plus qu'à impressionner les passants. Je trouvai un banc inoccupé. J'écoulai l'heure suivante à examiner le château et les flâneurs.

Saint-Michel-Archange m'avait ébranlée. Depuis la mort du policier sur la falaise, je cherchais à comprendre ce qui m'habitait. Était-ce du même ordre que les monstres qui poursuivaient mon frère? L'autre femme que j'hébergeais avait-elle une origine semblable? Francis les voyait s'approcher de lui et moi, je la sentais sortir de moi-même. Elle prenait possession des commandes, comme les fabulations s'emparaient de la raison de mon frère. Dans les deux cas, le mal ne pouvait qu'en résulter. Francis avait frappé un passant et, n'eût été l'intervention des autres, qui sait jusqu'où il serait allé? Avais-je bien fait de prendre la décision de le ramener? Ne m'avait-elle pas été suggérée par mon autre moi? N'étais-je pas en train de provoquer le destin en le libérant de cette prison de fous? Cette pensée tordue se mélangeait à l'affection indéfectible que je portais à Francis. Comment savoir la vérité sur mon identité quand je ne me reconnaissais plus? «T'es qui, toé?» La question m'était rentrée dans la peau comme un coup de poignard. Qui étais-je? Trouverais-je une réponse un jour?

En attendant, il me faudrait patienter et m'extasier sur les achats d'Yvonne, en passant la soirée chez des gens que je ne connaissais pas.

࿇

Le retour à La Tuque se déroula dans une atmosphère plus lourde. La présence de Francis importunait. Je sentais que ma sœur et son futur époux choisissaient leurs mots, comme si chacun d'eux était un détonateur en puissance. L'évocation de bijoux ou d'une liste d'invités allait-elle provoquer une crise chez mon frère? Yvonne évitait de lui adresser directement ses questions. Elle me les posait comme si j'avais un petit enfant à ma charge qui ne saurait pas les comprendre. Francis ignorait le manège, perdu qu'il était dans les vapeurs de ses calmants. On lui avait administré une double dose en prévision du voyage sans même lui demander son avis ou le mien, avec pour résultat qu'il somnolait la moitié du temps et, pour le reste, participait à la discussion avec un décalage inapproprié. À aucun moment il ne fit allusion à ses personnages monstrueux qui le harcelaient, bien que de temps à autre, il jetât un regard inquiet par la lunette arrière.

Marie-Jeanne nous accueillit avec froideur. Un simple coup d'œil lui permit de constater qu'on ne lui avait pas guéri son fils. Elle m'aida à confectionner une soupe aux légumes et coupa quelques tranches de pain. Tout au long de ce repas frugal, Francis mangea la tête baissée sans se préoccuper des questions de ma mère au sujet de mon voyage à Québec. Elle évita d'aborder l'asile devant lui. Je me couchai en même temps que Francis, car j'étais épuisée et que je n'avais pas envie de discuter avec Marie-Jeanne.

Au lever, Francis avait les idées plus claires et son entrain avait repris le dessus. Il souleva son bagage, me remercia et eut un bref signe de tête pour sa mère quand il monta dans le taxi. L'autre en moi le regarda partir avec le sentiment d'avoir armé la gâchette d'un revolver.

Résidence Clair de lune, Trois-Rivières, printemps 2002

— Surprise!! Joyeuses Pâques!!

Un groupe de cinq personnes entrent dans la chambre d'Héléna. Madame Gervais et monsieur Lacoste sont du nombre. Deux bénévoles portent un grand panier contenant des petits cadeaux à distribuer aux résidents. L'un d'eux est vêtu d'un costume de lapin blanc avec de longues oreilles jaunes sur la tête. La femme qui l'accompagne a un chapeau en forme de demi-œuf couleur mauve, façon Caliméro. Tirée à quatre épingles, la directrice de l'établissement a le sourire fendu jusqu'aux oreilles.

Héléna referme sa jaquette sur son cou et remonte la couverture. Elle croit pendant un instant que l'asile est sorti de son manuscrit pour se matérialiser devant elle.

— On vous apporte un cadeau, dit Caliméro. On a des p'tits sacs avec des chocolats ou un p'tit carré de tire à l'érable. C'est Pâques, faut fêter ça !

— C'était pas nécessaire, proteste faiblement Héléna.

— Choisissez-en un, madame Martel. C'est offert par la résidence, ajoute la directrice avec fierté.

— Et du lapin de Pâques ! s'écrie la mascotte de circonstance.

— Prends-en un pour moé, Huguette. J'suis trop émue pour me décider.

— À midi, vous allez avoir un bon dîner de cabane à sucre. Du jambon, des oreilles de Christ, une omelette, du ketchup maison, un morceau de creton, pis du sirop d'érable ! C'est la fête !

Héléna retient un haut-le-cœur, pendant qu'Huguette soulève un sac de friandises attaché avec un ruban rose.

— En tout cas, madame Martel, je suis ben fière de vous avoir aidée pour votre livre, dit madame Gervais. Gênez-vous pas si vous avez encore besoin.

Huguette rougit jusqu'aux oreilles. Elle s'empresse d'ouvrir le sac de chocolats et en sort un, qu'elle brandit devant son amie.

— Regarde ça, Héléna. Un lapin en caramel. C'est ma sorte! Merci, tout le monde, vous êtes ben fins! Faites-vous tout l'étage?

— Au complet, dit Caliméro. Viens-t'en, lapin de Pâques, on a encore de l'ouvrage.

— J'arrive, mon p'tit poussin!

Monsieur Lacoste en rajoute avec un clin d'œil enjôleur à l'intention d'Héléna. Celle-ci détourne la tête et fixe madame Lafrenière, qui tente de faire ramollir son caramel à grands coups de mâchoires.

— Qu'est-ce qu'elle voulait dire avec mon livre, elle?

Huguette se contente de hausser les épaules. Elle reprend place dans sa chaise pour terminer le manuscrit. Elle feint de chercher l'endroit où on l'a interrompue. Elle en était aux préparatifs du mariage d'Yvonne. Aussi bien reprendre au début du paragraphe.

CHAPITRE 30

La Tuque, automne 1941

Les trois semaines précédant le mariage d'Yvonne se déroulèrent dans un climat d'effervescence. Elle courait de gauche à droite pour assurer les derniers préparatifs, pendant qu'Antoine travaillait comme un forcené pour lui payer ses caprices. Ma mère retrouva des couleurs et de l'énergie devant l'éventualité de marier une de ses filles. En aucun temps elle ne fit de commentaires sur l'argent perdu que lui avait légué mon père. Elle semblait avoir tourné la page. Géraldine avait ameuté les membres de la famille éloignée et organisé leur hébergement. Malgré les quelques flocons qui se pointaient de temps à autre, la température demeurait dans des limites acceptables pour un mois de décembre. Avec un peu de chance et le chapelet de Marie-Jeanne suspendu à la corde à linge, il y aurait tout au plus une fine couche de neige sur le sol le jour de la noce.

Je continuais ma correspondance avec Fabi. Sa prothèse semblait lui avoir redonné de l'énergie. Elle disait prendre de grandes marches à l'aide d'une canne, dans les rues de Québec. L'air vif du fleuve lui faisait du bien. Elle me parlait des nonnes et de leur gentillesse à son égard. Fabi les aidait dans leurs œuvres de bienfaisance en préparant des boîtes de vêtements ou de nourriture pour les nécessiteux. Elle écrivait aussi que La Tuque et le Wayagamac lui manquaient. Je la réconfortais de bons mots en évitant certains sujets, tels Matthew ou le mariage d'Yvonne, et je ne laissais filtrer que des bribes sur les déboires de Francis. Ma prose s'améliorait. J'enjolivais mes lettres de détails insignifiants, que je racontais avec ferveur pour taire l'essentiel. J'insistais beaucoup sur mon nouveau travail auprès de la femme du notaire Boudreault. Je la décrivais plus belle qu'une princesse de conte. Je parlais longuement des livres que je lui lisais, de nos promenades jusqu'au parc de la rue Saint-Eugène, du thé et des biscuits que nous prenions comme des amies et de nos conversations, où elle me confiait son bonheur suranné qui ressemblait parfois à une prison dorée. J'espérais que ces digressions l'éloignaient de son propre malheur. Je me donnais l'impression de mentir pour une bonne cause.

La bijouterie de Francis tournait à plein régime. Ses médicaments semblaient l'aider. Il travaillait sur ses montres du matin au soir et ne sortait de son atelier que pour expliquer à un client les caractéristiques de sa marchandise. Je passais le voir régulièrement et il me remit une autre somme de deux cents dollars avec un faible sourire aux lèvres. La plupart du temps, je restais assise près de lui à le regarder s'activer.

Il jouait de ses instruments avec une délicatesse et une précision de virtuose. Il manipulait, nettoyait, vissait ou retirait un engrenage, un ressort ou une aiguille brisée. Je garde cette image de lui, car il était heureux dans ce monde mécanique, où l'exactitude tient à de petites roues dentelées qui s'emboîtent, à la perfection, les unes dans les autres.

Je n'entendis plus parler de la mort de Josette. Je sus par Yvonne que son père était retourné vivre avec son frère à Shawinigan. L'enquête n'avait abouti à rien. Le chapeau n'avait pas livré son secret, pas plus que le mystérieux acheteur de la marchandise volée. Sans preuve autre que les ouï-dire, le policier avait dû classer l'affaire, n'ayant pas de Sherlock Holmes sous la main. La thèse de la noyade probable avait tenu la route. Je pouvais laisser ce triste épisode derrière moi.

Edmond refit surface durant cette période. Un après-midi, à la sortie du magasin Spain, je me retrouvai face à face avec lui. J'avais deux gros sacs à la main. Il rougit autant que moi en portant un doigt au rebord de son chapeau pour me saluer.

— Ça a l'air que tu te prépares pour les noces, dit-il en pointant mes achats.

— Ben, oui. Ça s'en vient.

— Tu me donnes pas souvent des nouvelles.

— J'ai été ben occupée. Avec mon frère qui a été malade, pis ma sœur qui se marie. Pis toé?

— J'ai lâché l'hôtel. J'étais tanné. J'suis retourné travailler à l'usine. T'es-tu accompagnée pour la cérémonie?

— Oui, par Matthew.

Il accusa le coup mieux que je ne le croyais. Il fanfaronnait des épaules et projetait la fumée de sa cigarette droit devant lui. Je fis un pas de côté pour l'éviter.

— On rit pus! Le grand *boss* de la *shop*! Il paraît qu'il a été en amour avec ta sœur, Fabi.

— Pis après?

— Ben, il le sait-tu qu'est pas morte, pis qu'est partie dans le nord?

— J'pense que tu te mêles pas de tes affaires, là. Pis tu m'as promis de rien dire, à propos de Fabi. Oublie pas ça!

— Comme ça, toé pis moé, c'est pus de mes troubles?

— C'est pas parce qu'il m'accompagne aux noces d'Yvonne qu'on va se marier.

— En tout cas, y'a une longueur d'avance. Excuse-moé, faut que j'y aille.

— Edmond?

Il tira la porte du magasin sans se retourner. J'espérais qu'il tiendrait sa langue. J'avais envie de lui courir après pour lui dire de ne pas m'en vouloir. Je l'aimais autant que Matthew, mais il manquait à son arsenal des armes de séduction. Comment résister à ce riche directeur d'usine qui se rendait aux États-Unis comme il voulait, et qui fréquentait les ministres et autres sommités qui défilaient au club Wayagamac? Sur son passage, les hommes le saluaient avec respect et les filles murmuraient en soupirant. Du haut de ses six pieds, il dominait son entourage. Sa forte carrure d'épaules, ses larges mains et son regard désarmant semblaient tout droit sortis de mon imaginaire de jeune femme. Je me voyais sans peine à ses côtés. La vie m'offrait la chance que Fabi avait ratée. Je ne pouvais pas la refuser.

À moins de deux semaines du mariage, un évènement de l'actualité vint jeter un froid sur notre enthousiasme. Le 7 décembre, les Japonais attaquèrent Pearl Harbor. Un assaut qui prit les Américains par surprise et les humilia profondément. Tout le monde ne parlait que de cela. On craignait que la guerre ne se déplace sur le territoire américain. Cette défaite inattendue plongeait l'Amérique tout entière dans l'incertitude et la honte. Yvonne en fit une crise de nerfs, croyant que son mariage coulerait comme les cuirassés américains. Il faut dire qu'elle était sur les dents, elle qui avait vécu l'abandon d'un fiancé. Nous dûmes la réconforter à tour de rôle pour la convaincre que ni les Japonais ni les Allemands ne viendraient perturber la cérémonie. Cependant, son trouble me gagna quand Matthew m'annonça qu'il serait appelé à s'enrôler. Il ne faisait plus aucun doute que les Américains se jetteraient concrètement dans la danse. La guerre était déclarée avec le Japon et la loi de la conscription mobiliserait tous les jeunes âgés entre vingt et quarante ans. Malgré ce nuage noir, tous les préparatifs aboutirent au jour de la cérémonie. Le soleil était au rendez-vous, comme tous les invités, qui se regroupaient à l'entrée de l'église Saint-Zéphyrin. Comme les Américains de Pearl Harbor, je n'ai rien pressenti de ce qui allait arriver.

∽

Le matin des noces, le soleil brillait dans un ciel immaculé. Devant le miroir de sa commode, Géraldine lissait du plat de la main sa robe verte et en ajustait la ceinture écrue qui refusait de tomber comme elle le voulait. À ses côtés, Marie-Jeanne appliquait trop de poudre sur ses joues. Je voyais de petits nuages tourbillonner autour de sa tête.

Dès l'aube, nous nous étions regroupées chez ma tante pour préparer la mariée. Dans une atmosphère survoltée, chacune enfilait ses atours. Ma mère se trouvait trop grosse, Géraldine trop maigre et Yvonne trop pâle. Je rassurais l'une et l'autre en tentant de démêler les bouquets de corsage. Paul en eut vite assez et sortit pour frotter les chromes de son automobile. Ma sœur maudissait ses pieds enflés qui refusaient d'entrer dans ses chaussures à talons hauts. Corsetée sous sa robe blanche immaculée, elle peinait à se courber. Je la fis asseoir pour lui enfiler ses souliers.

— Coudonc, les as-tu pris un point trop petit?

— ILS *FITTAIENT* BEN AU MAGASIN! C'EST PAS DE MA FAUTE, QUAND JE SUIS ÉNERVÉE, J'GONFLE!

— Ben, calme-toé, pis respire par le nez, dis-je en me demandant comment elle tiendrait debout jusqu'au soir.

Sa robe, à motif nid d'abeilles, la serrait jusqu'à la taille, puis partait en spirale, en s'élargissant autour d'elle. Antoine aurait fort à faire pour l'approcher sans lui marcher dessus. Comme nous étions en décembre, un court manteau blanc rehaussé d'un col de fourrure venait compléter son habillement. Ne restait qu'à lui épingler son voile de tulle sans déplacer les vagues de sa permanente. L'opération nécessita plusieurs mains et souleva les hauts cris de ma sœur.

Mon frère Georges se pointa au milieu de cette cacophonie. Il remplacerait mon père pour amener Yvonne à l'autel.

— La mariée a le poil qui retrousse à matin! Ça sera pas drôle rendus à l'église.

— Rajoutes-en pas, Georges. On a assez de misère de même! répliqua Géraldine en appliquant un soupçon de rouge sur les lèvres d'Yvonne.

— Moé, j'suis prêt, pis va falloir y aller dans pas grand-temps, dit-il en consultant sa montre.

— JE VAIS PARTIR QUAND J'SERAI PRÊTE! C'EST MON MARIAGE, APRÈS TOUT! ALLEZ-VOUS LE PLACER COMME DU MONDE, C'TE MAUDIT VOILE-LÀ?

— Y'é ben correct, Yvonne. T'es pas mal belle. Oublie pas ton sac à main.

— C'est de valeur que Fabi soit pas là, dit-elle d'une voix normale qui jeta un froid parmi nous.

Je sentis tout le poids de mes mensonges peser sur mes épaules. J'attendais que quelqu'un brise le malaise qui venait de bloquer notre élan d'enthousiasme. Georges s'en chargea.

— C'est pas à matin qu'on va pouvoir y changer quelque chose. Embarque la sœur, on nous attend !

Je la regardai sortir. Yvonne marchait comme une diva s'apprêtant à entrer en scène. Ma tante et Marie-Jeanne soulevèrent le bas de sa robe pour éviter qu'elle ne traîne par terre. Ma sœur savourait enfin son grand rêve. D'une certaine façon, je l'enviais d'être si proche de son but. Vivrais-je un moment semblable au bras de Matthew ? Tout à l'heure, je serais près de lui, à l'église. Je craignais de porter ombrage à Yvonne. Notre couple improbable ne passerait pas inaperçu. J'en ressentis de la fierté en enfilant mon manteau neuf, pour lequel j'avais encore menti devant les questions de ma mère. J'affirmai qu'il m'avait été offert par Matthew, alors que je l'avais acheté avec l'argent remis par Francis. La Ford couleur caramel m'attendait près du caniveau. Matthew m'ouvrit la porte galamment. Il était vêtu d'un complet gris finement rayé d'une coupe parfaite. Je rougis de plaisir devant mon allure « dame du monde ». Où était la benjamine de la famille Martel ? Elle était restée tremblante et en pleurs au pied de son père qui venait de la frapper. Son image s'était délavée et les couleurs fuyaient face à cette nouvelle femme sans scrupules qui se pavanerait dans quelques instants au bras d'un des hommes les plus importants de la ville.

Résidence Clair de lune, Trois-Rivières, printemps 2002

— À quoi tu penses, Huguette?

— Au mariage.

— Oublie ça, mon urne a beau être belle, elle est trop p'tite pour deux!

— T'es plate, des fois!

— Fâche-toé pas, c'est pas la cérémonie qui est le plus important, c'est de choisir le bon! Parce qu'après ça, les journées peuvent être ben longues.

— Avec qui tu t'es mariée?

— On va commencer par finir celui de ma sœur, si ça te fait rien. Chaque chose en son temps.

— Parlant de temps, pourquoi tu portes pus ta montre?

La question semble déranger Héléna. Dans un geste réflexe, elle frotte son poignet.

— Parce que je l'ai perdue quand il le fallait pas. Quand je l'ai retrouvée, le temps s'est arrêté pour de vrai. C'est comme ça quand notre enfant nous tourne le dos.

— C'était après l'incendie?

— On dirait que t'as pris de l'avance. Je le savais que tu fouinerais dans mon appartement. Mais je suis mal placée pour te blâmer. On parlera du feu quand on y arrivera!

— Mais il reste juste deux pages!

— Crains pas, mon notaire s'en occupe. Il est ben payé, pis j'ai confiance en lui. J'attends des nouvelles bientôt. Pis je pense que ça va satisfaire ta curiosité. Mais là, j'vais prendre une pause. On continuera ça demain matin, après le bain. Si on peut appeler ça un bain…

CHAPITRE 31

La Tuque, automne 1941

Les invités étaient tous là à notre arrivée. Je reconnaissais des oncles, des tantes, des cousins ou cousines que j'avais aperçus aux funérailles de mon père. Plusieurs visages m'étaient inconnus, car ils devaient être du côté d'Antoine. Sa famille provenait en grande partie du Bas-du-Fleuve, près de Kamouraska, et aussi de Québec. Je gravis l'allée centrale au bras de Matthew. Les regards des gens s'illuminaient à notre passage. Plusieurs d'entre eux devaient penser que nous formions un beau couple à marier. C'est à peine si mes pieds touchaient le sol. Je pris place dans notre banc réservé, à côté de ma mère. Je constatai l'absence de Francis. Nous étions pourtant à une dizaine de minutes de la cérémonie. Cela m'inquiéta un peu. Je ne l'avais pas vu depuis plusieurs jours, tout occupée que j'étais auprès d'Yvonne. L'autre s'ébroua en moi. Aurait-il rechuté ? Se pourrait-il que la bombe qu'il portait en lui ait éclaté ? Ce serait dommage pour ma sœur Yvonne que le jour de son mariage soit entaché par un drame. Je commençai à paniquer en jetant des regards vers la grande porte de l'église. Mon frère avait déjà frappé quelqu'un. Il pouvait tout aussi bien récidiver. La petite voix au fond de moi se mit à ricaner. Matthew me prit la main, confondant mon inquiétude avec l'excitation du moment. L'orgue jouait des airs de circonstance et couvrait le murmure fébrile des conversations qui anticipaient la noce.

Antoine s'avança en compagnie de son père au pied de l'autel. Le curé et son servant de messe l'attendaient, missel à la main. Je les vis discuter en riant et le marié fouiller dans sa poche pour s'assurer de la présence de l'alliance. À mes côtés, Marie-Jeanne égrenait son chapelet et son mouchoir dépassait de son poing fermé, prêt à éponger ses yeux.

L'orgue s'arrêta d'un coup, puis la marche nuptiale retentit dans l'église. Yvonne apparut au bras de Georges. Ils progressaient lentement et saluaient de la tête à gauche et à droite. Deux jeunes bouquetières vêtues de rose les précédaient et avançaient avec décorum, pendant que deux autres soulevaient la courte traîne. Malgré moi, je sentis l'émotion monter jusqu'à mes yeux. Yvonne réalisait son rêve de petite fille. Elle avait transformé la mariée de son enfance, habillée de sacs de jute, en une fée que sa cour adulait. Je pressai la main de Matthew. Se pouvait-il que le balancier de la vie nous replonge dans un bonheur tranquille? Ma sœur et son Antoine, moi, avec un homme dont la chaleur réconfortait ma main?

Antoine tendit le bras à sa future épouse et, pendant un court instant, tout sembla se mettre en place.

Les mariés côte à côte, le curé soulevant son missel, l'orgue égrenant ses derniers accords, le mouvement des bouquetières et le decrescendo du bruit des invités se positionnant pour la cérémonie. Dans ce bref moment de silence, la porte du fond s'ouvrit et son écho se répercuta jusqu'à nous. Je me retournai vivement. Francis apparut à l'arrière, vêtu d'un bel habit, cravaté et peigné avec soin. Il était souriant, mais aussi anxieux. Je respirai plus librement en me calant contre Matthew. Pourtant, une vague de murmures enflait dans mon dos. Le curé leva la tête et les mariés se retournèrent. Je vis sur le visage d'Yvonne la stupeur bourgeonner. Elle s'agrippa à Antoine, qui dut la soutenir pour ne pas qu'elle s'effondre. Je sentis Matthew s'éloigner de moi. Ma mère commença son «Jésus, Marie, Joseph!», mais sa main couvrit sa bouche et la fin se perdit dans un soupir. Derrière mon frère, une femme s'avançait dans l'allée. Elle boitait et s'aidait d'une canne. Malgré son handicap, Fabi marchait en relevant le torse. La belle du Wayagamac était de retour. Mes jambes ne supportaient plus mon poids. Je m'assis et vis dans le regard de Matthew qu'une flamme ancienne s'était rallumée. Elle brillait d'un éclat qui me consuma jusqu'au cœur par le doute qu'elle portait.

J'eus une pensée pour Yvonne, à qui le mauvais sort s'ingéniait à faucher les moments de gloire. J'avais les épaules lourdes de tous mes mensonges. Fabi me pardonnerait-elle mon ignominie? Et Matthew?

Je sentais la joue me brûler comme si mon père m'avait frappée à nouveau devant toute l'assemblée. Je cognais frénétiquement à ma porte intérieure. J'avais besoin d'elle pour fuir. Elle ricanait dans l'ombre, sachant qu'une bombe bien pire avait été amorcée. Je n'eus même pas la force de relever la tête pour affronter mon destin. Je joignis les mains comme si Dieu pouvait m'écouter.

Résidence Clair de lune, Trois-Rivières, printemps 2002

Deux coups rapides sont frappés à la porte de la chambre, qui s'ouvre sur un homme barbu, vêtu d'un jean et d'une veste matelassée sans manches. Sans saluer, il s'approche du lit. Huguette se lève, prête à crier au secours devant cette intrusion.

— Je commençais à croire que tu viendrais pas, lui dit Héléna sans plus de façon.

— Ben, j'suis là. Ton notaire m'a dit que j'étais exécuteur testamentaire. On m'a apporté une grosse enveloppe cachetée. Il paraît que c'était ben important que j'te la remette en mains propres, parce que si tu l'avais pas avant de mourir, ça ferait ben des complications. Voilà, c'est fait.

Il ouvre le sac de toile qu'il tient à la main et en sort le paquet, qu'il jette sur le lit à l'emplacement de la jambe fantôme. Madame Lafrenière comprend qu'elle a devant elle le fils manquant. Héléna est calme.

— Qu'est-ce qui t'a motivé ? Les complications ou ma mort ?

— Depuis quand tu te préoccupes de mon opinion ?

Huguette a l'impression que des couteaux bien aiguisés volent dans la pièce. Son amie est assise bien droite dans son lit et a repris des couleurs. Le fils a l'air crispé de celui qui s'apprête à rendre coup pour coup.

— Tu te cachais où ? demande Héléna dans un registre plus posé.

— À un endroit où j'espérais avoir la paix !

— J'avais mandaté le notaire pour te retrouver. C'est plus discret que la police. De toute façon, je les ai assez vus, dans ma vie, les policiers, pis j'voulais pas te mettre mal à l'aise. Merci de m'avoir apporté la suite de mon livre.

— Ton livre ? dit-il étonné. T'as demandé au notaire de me faire livrer ça pour que je t'apporte un livre ! C'est toé qui as écrit ça ?

— Oui, pis t'es ici pour entendre ce qu'y'a dedans. Ta vieille mère a besoin de mettre de l'ordre avant de partir. Fait que descends de sur tes grands chevaux ! Tu vas être aux premières loges. Je te présente Huguette Lafrenière, ma liseuse, pis ma meilleure amie. Mon fils, Jean Fournier.

L'homme se rebiffe devant le ton autoritaire. Huguette est impressionnée par sa carrure. Elle lui sourit sans bouger. Elle était curieuse de voir le fils. Maintenant, en sa présence, elle ressent un malaise. L'atmosphère de la chambre a changé. Héléna n'est plus seule à tenir le flambeau. Une autre sorte de flamme s'est allumée dans les yeux de cet homme. Chargée de reproches, elle projette une chaleur intense, dont madame Lafrenière perçoit la brûlure.

— T'as pas besoin de faire cette tête-là, poursuit Héléna. J'ai ben assez de mon cancer qui me regarde de travers.

— Je me suis informé : j'ai le droit de refuser d'être l'exécuteur testamentaire.

— Ben, tu le feras ! Mais si j'étais toé, j'écouterais ce que j'ai à dire. Y'a des choses que tu sais pas. Si tu veux avoir la vérité avant que je l'emporte avec moé, ben va falloir que tu restes quelques jours. Tu te prendras une chambre à l'hôtel. Je peux te la payer si tu veux.

— J'ai pas besoin de ton argent, dit-il avec brusquerie.

— Mais t'as besoin de savoir pour l'incendie.

Madame Lafrenière a l'impression d'être poussée dans une arène dont elle ne connaît pas l'enjeu. Héléna a l'air satisfaite et épuisée en même temps, comme si elle avait attendu ce moment pour se libérer d'une dernière charge.

— Te sens-tu prête à continuer, Huguette ?

— Comment ça, continuer? demande son fils.

— Imagine-toé donc que ta mère a vécu avant ta naissance! Mais t'avais juste à arriver avant si tu voulais l'entendre. En attendant, va manger quelque chose pendant que j'fais un somme. Ça va me remettre de mes émotions. Quinze ans sans se voir, ça brasse la cage. Pis t'aurais pu te faire couper les cheveux avant de venir voir ta mère!

Le fils d'Héléna tourne les talons et sort sans même saluer.

— Tu voulais connaître mon gars, Huguette. Ben, c'est fait! Asteure, enlève ça de sur ma jambe fantôme, pis laisse-moé me reposer. Après, tu vas m'accompagner pour le dernier bout, jusque dans les années soixante.

— Ton gars va-tu revenir?

— C'est la question que je me suis posée pendant des années!

Huguette n'insiste pas. Elle soupèse l'enveloppe contenant le reste du manuscrit et s'interroge sur l'impact du retour de Fabi. Il semble s'auréoler d'un pressentiment de catastrophe aussi tangible que celui laissé par le passage éclair de Jean Fournier. Il lui tarde de replonger dans l'atmosphère de l'église, où tous sont stupéfiés par l'apparition de la belle du Wayagamac. Autant le regard atterré de Matthew que celui sidéré d'Yvonne ne peuvent masquer la détresse d'Héléna, prostrée sur son banc. Le souffle suspendu de la foule est porteur de spectres inquiétants. Francis, dans les vapeurs troubles de sa folie, en est conscient plus que les autres. Reste à savoir si l'arrivée du fils jettera un pavé sur les espoirs d'Héléna et Fabi, une autre bombe sur la famille du lac.

À suivre…

LISTE DES PERSONNAGES

Les noms en caractères gras représentent
les nouveaux personnages du tome 2.

Noyau familial

Martel, Aristide, homme engagé pour l'entretien de
la *dam,* décédé au tome 1
Martel, Fabi, ex-guide au club de chasse et pêche
du lac
Martel, Francis, ex-militaire et bijoutier
Martel, Georges, il travaille à la *shop*
Martel, Héléna, travaille sur la chaîne d'assemblage
à l'usine des Brown
Martel, Marie-Jeanne, femme au foyer
Martel, Yvonne, femme de ménage chez les Paterson
et téléphoniste

Noyau à la résidence

Anita, préposée
**Béatrice, conjointe d'Huguette, décédée du
cancer du sein**

Blais, Gérard, curé retraité
Gaétane, préposée
Gendron, Madame
Gervais, Rolande
Lacoste, Roméo
Lafrenière, Huguette
Tremblay, Madame
Veillette, Madame
Veilleux, Nathalie, infirmière en chef

Autres personnages

Antoine, futur mari d'Yvonne
Bélanger, Pierre
Bertrand, Monsieur, épicier et boucher de La Tuque
Bouchard, Madame, travaille à la cantine
Boudreault, Madame
Boudreault, notaire, va engager Héléna comme dame
  de compagnie
Brown, Allen, fils aîné et grand patron de la Brown
  Corporation
Brown, Matthew, gère l'usine de La Tuque (et le club
  avec son frère)
Caron, curé
Corbeil, curé
**Cournoyer, Les, tiennent une maison de
  chambres**
Delisle, Mikona, métisse

Desmarais, Ovila, maire de La Tuque

Dionne, Robert, vicaire de La Tuque

Ducharme, cordonnier

Duplessis, Maurice, politicien

Fournier, Edmond, travaille à l'hôtel

Fournier, Jean, fils d'Héléna

Gagné, Josette, contremaîtresse

Gagnon, les, fermiers

Géraldine, sœur de Marie-Jeanne, a trois enfants : Alain, Louise, Carmen

Godbout, Adélard, premier ministre du Québec de 1939 à 1944

Hervé, premier amant d'Huguette

Jeffrey, partenaire d'affaires de la famille Brown

Journeault, Onésime, nouveau maire de La Tuque

Landry, Madame, tient le magasin de tissus

Lucie, meilleure amie d'Huguette et première amante

Maximilien, ami et fournisseur de Francis

McCormick, Anne Stillmann, « La reine de la Mauricie »

Paterson, Irina, patronne d'Yvonne

Paul, mari de Géraldine

Perron, agent, policier

Pettigrew, Albert, partenaire d'affaires de la famille Brown

Picard, Omer, chef de police de La Tuque, décédé au tome 1

Pitre, Jos, ancien guide tombé malade

Riberdy, docteur
Scalzo, Monsieur, circur de chaussures
**Sœur Élise, sténodactylo à l'hôpital Saint-Michel-
    Archange**
**Sœur Octavine, s'occupe de Francis à l'hôpital
    Saint-Michel-Archange**
Soucy, Madame, voisine d'en face sur la rue Roy
Tom, cuisinier du club au Wayagamac
Tousignant, Monsieur, le guérisseur « par l'urine »
**Warren, pilote de l'hydravion de madame
    McCormick**

Animaux

L'ours
Ti-gars, le cheval des Martel

DU MÊME AUTEUR CHEZ LE MÊME ÉDITEUR :

La famille du lac. Tome 1 – Fabi, 2017.

DU MÊME AUTEUR POUR LA JEUNESSE :

Le Don de Béatrice 3, La Révolte de Gaïa,
illustrations, Mylène Villeneuve, Éditions de la Paix, 2013.

Journal d'un extraterrestre,
illustrations, Félix LeBlanc, Éditions de la Paix, 2013.

Fantôme cherche logis,
illustrations, Normand Thibeault, Éditions de la Paix, 2012.

La pierre tombée du ciel,
illustrations, Paul Roux, Éditions Vents d'Ouest, 2011.

Le Don de Béatrice 2, Le Songe du Rêveur,
illustrations, Jean-Guy Bégin, Éditions de la Paix, 2011.

Le Don de Béatrice tome 1,
illustrations, Jean-Guy Bégin, Éditions de la Paix, 2010.

Cœur académie,
illustrations, Guadalupe Trejo, Éditions du Phœnix, 2007.

OGM et « chant » de maïs,
illustrations, Jean-Guy Bégin, Éditions de la Paix, 2004.

Le violon dingue,
illustrations, Fil et Julie, Éditions de la Paix, 2003.

Sorcier aux trousses,
illustrations, Fil et Julie, Éditions de la Paix, 2002.

Libérez les fantômes,
illustrations, Marc-Étienne Paquin, Éditions de la Paix, 2001.